读 客® 这本史书真好看文库

轻松有趣，扎实有力

大唐兴亡三百年

比《唐书》有趣，比《资治通鉴》通俗，
比《隋唐演义》靠谱，一部令人上瘾的300年大唐全史。

王觉仁 著

人民日报出版社

北京

图书在版编目（CIP）数据

大唐兴亡三百年 / 王觉仁著 . -- 北京：人民日

报出版社 , 2018.10

ISBN 978-7-5115-5487-1

Ⅰ . ①大… Ⅱ . ①王… Ⅲ . ①中国历史—唐代—通俗

读物 Ⅳ . ① K242.09

中国版本图书馆 CIP 数据核字 (2018) 第 108984 号

书 名	大唐兴亡三百年	
	DATANG XINGWANG SANBAINIAN	
作 者	王觉仁	
出 版 人	刘华新	
责 任 编 辑	林 薇	
特 邀 编 辑	汪超毅 沈 骏	
封 面 设 计	谢明华	
出 版 发 行	人民日报出版社	
出 版 社 地 址	北京金台西路 2 号	
邮 政 编 码	100733	
发 行 热 线	（010）65369527 65369512 65369509 65369510	
邮 购 热 线	（010）65369530	
编 辑 热 线	（010）65369526	
网 址	www.peopledailypress.com	
经 销	新华书店	
印 刷	三河市龙大印装有限公司	
开 本	710mm x 1000mm 1/16	
字 数	225 千	
印 张	16.75	
印 次	2018 年 10 月第 1 版 2021 年 11 月第 13 次印刷	
书 号	ISBN 978-7-5115-5487-1	
定 价	44.90 元	

如有印刷、装订质量问题，请致电 010-87681002（免费更换，邮寄到付）

目 录

｜楔　子｜

公元617年，隋大业十三年。

是时，苍穹碎裂，日月无光，黑暗笼罩大地。山河倾圮，草木成灰，四海沸腾如汤。是时，隋失其鹿，群雄竞逐，攻战杀伐连年不断，神州陆沉，中原板荡，万千尸骨垒起了座座峰峦；是时，无尽腥风吹干了征人的眼泪，漫天血雨染红了将军的战袍，乱世兵燹炙烤着生者和死者的灵魂，末日烽烟熏痛了老人和孩子的目光；是时，一度繁荣强大的隋帝国，已然风雨飘摇，濒临崩溃的边缘。

这一年，有一个名叫李渊的人，正站在一座名叫晋阳的城上，遥望乱云飞渡、阴霾漫卷的天空，神情凝重，若有所思。他的身后，站着三个英姿挺拔、铠甲锃亮的年轻人。其中一个器宇轩昂，神情坚毅，深邃的目光中隐隐闪耀着一种傲视天下的光芒。

他的名字，叫作李世民。

没有人知道，短短一年后，这个年轻人就将追随父亲李渊揭起义旗，剑指长安，最终颠覆隋朝社稷，扫灭群雄，统一海内。

更没有人知道，若干年后，这个年轻人将站在隋王朝轰然倒塌的废墟上，缔造一个亘古未有、空前强大的帝国，开创一个四海升平、万邦来朝的盛世，最终成为彪炳日月、名垂青史的千古一帝！

公元617年，隋炀帝杨广还在江都的离宫醉生梦死，以一种"天下无贼"的鸵鸟心态欢享着生命中最后的奢华。而这一年，四方群雄皆已不奉隋朝正朔，纷纷拥兵割据、称帝称王，如窦建德、李密、刘武周、梁师都、郭子和、薛举、李轨、萧铣等等。除此之外，散落在山泽湖海之间的大大小小的草头王，更是多如牛毛、数不胜数。

在整个大业中后期，隋朝天下所有稍具博弈资本的人似乎都迫不及待地揭竿而起了，只有一个实力雄厚的封疆大吏始终如如不动。

他，就是隋朝太原（郡治晋阳）留守、唐国公李渊。

这些年来，无论天下如何纷扰，无论群雄逐鹿的游戏玩得多么热闹，李渊始终都表现得淡定从容，仿佛一切都与他无关。

难道，李渊真的对此心如止水，毫无问鼎天下之志吗？

不，他是在潜伏。

李渊深知出头的椽子先烂的道理，所以他不急。他要韬光养晦、秣马厉兵，等到隋朝的统治根基被彻底动摇的时候，等到四方群雄互相残杀、两败俱伤的时候，他才断然出手，后发制人！

公元617年农历七月，蛰伏多年的李渊父子终于在晋阳起兵，随即以所向披靡之势直趋长安，于同年九月攻入关中。十一月，李渊攻克长安，拥立代王杨侑为帝，自立为尚书令、大丞相，进封唐王。

公元618年农历三月，隋炀帝杨广在江都离宫被宇文化及等人缢杀。同年五月，李渊逼迫杨侑禅位，在长安登基称帝，建立唐朝，建元武德。

一个长达二百八十九年的巅峰王朝，就此拉开了宏伟的序幕。

曾经，隋朝也是一个繁荣富庶的强大帝国。隋文帝杨坚在位二十四年，社会稳定，人口增长，民生富庶，国势日隆，史称"开皇之治"。可以说，没有隋朝奠定的制度框架和国家规模，就没有后来那个青出于蓝而胜于蓝的盛世唐朝。然而，就是这样一个以百年老店的姿态高调开局的朝代，却仅存在了三十七年，便葬送在隋炀帝杨广的手上。

这到底是为什么？

其实，杨广并不是一个昏庸无能的皇二代。他不但从小天赋异禀，拥有很高的文学才华，而且谦恭克己，勤勉自律，在道德上毫无瑕疵；成年后，他在政治和军事方面的表现更是出类拔萃，引人瞩目。所以，早在年轻时代，杨广就是杨坚夫妇心目中最优秀的儿子，也是帝国臣民心目中最贤明的皇子。（《隋书·炀帝纪》："炀帝爰在弱龄，早有令闻，南平吴、会，北却匈奴，昆弟之中，独著声绩。"）正因为此，身为次子的杨广才能打破"嫡长继承制"原则，成功夺取长子杨勇的储君之位，进而登基为帝。

然而，看上去如此优秀的杨广，最终却把隋朝推进了万劫不复的深渊，自己也以暴君之名被牢牢钉在了历史的耻辱柱上。

究其原因，并不在于杨广无能，恰恰相反，而是——他对自己的能力太过自负了！

出于这种自负，杨广坚信，在继承杨坚留下的雄厚国力的基础上，自己一定能够百尺竿头更进一步，缔造一份彪炳千秋的皇皇帝业。为了尽快完成这份"大业"，杨广刚一登上帝位，就迫不及待地迈开了大兴土木和盲目扩张的步伐。

从大业元年（公元605年）起，杨广就倾尽国力开始了一系列大型工程的建设，如营建东都、开凿运河、修驰道、筑长城、盖行宫、造龙舟等。与此同时，杨广又以雷霆万钧之势展开了一连串对外扩张和强势外交：先是宣威突厥，击破契丹，征服吐谷浑，控制西域；继而经略海外，南平林邑（今越南南部），东征流求（今中国台湾地区），宣慰赤土（约今马来半岛），使得真腊（约今柬埔寨）、婆利（约今马来半岛）、倭国（今日本群岛）等国纷纷承认隋朝的宗主国地位，并且遣使入朝，称臣纳贡。

到了大业七年（公元611年），随着各项工程的竣工和周边诸国的归附，一幅名叫"大业"的盛世蓝图仿佛已经完美地展现在杨广面前。然而，在杨广看来，这张蓝图还不够完美，因为上面还有一个小小的斑点——高丽。

高丽即高句丽之简称，是中国东北少数民族扶余人于西汉末期建立的一个地方政权，其疆域大抵包括今辽宁东部、吉林南部和朝鲜半岛北部。一直以来，高丽表面上向隋朝称臣，实则常怀叵测之心。开皇十八年（公元598年），高丽就曾"驱逼靺鞨，固禁契丹"，出兵进犯辽西，并暗中联络东突厥，企图共同对抗隋朝。隋文帝闻讯大怒，立即征调水陆大军三十万讨伐高丽，不料行至中途，陆军便遭遇洪水和瘟疫，水军也在海上遭遇风暴，船只大量沉没。大军被迫班师，回到长安时，伤亡人数竟达十之八九。

从此，高丽就成了隋朝君臣无法忘却的一块心病。

大业三年（公元607年），杨广北巡，恰好在东突厥启民可汗的王庭遇见高丽使者。杨广当即命其转告高丽王高元，让他入朝觐见，否则将亲往其国"巡视"。可是，面对杨广的威逼恐吓，高元却置若罔闻。杨广勃然大怒，随即开始扩充军备，准备发动对高丽的战争。

事后来看，正是这场战争最终拖垮了隋朝。

因为，自从杨广即位以来，系列大型工程和连续对外扩张已经极大地消耗了隋朝的国力，长年被征发徭役的老百姓更是不堪重负。此时的隋帝国已然民生凋敝、饥荒四起，各种社会危机正在急剧酝酿，随时可能爆发。然而，极度自负、好大喜功的杨广却对此视若无睹，执意发布了东征高丽的战争动员令。

于是，隋朝覆亡的悲剧就此注定。

大业七年，当杨广驾驶着帝国这驾战车不顾一切地冲上战争轨道时，他并不知道，等待在他前方的，将是一个人亡政息、身死国灭的万丈深渊……

| 第一章 |
山河崩裂

惨重的失败：东征高丽

东征高丽的战车还没有开上战场，隋帝国的后院就起火了。

烽火首先在山东点燃。自从战争动员令下达，山东就成了主要的战备后勤基地。从大业六年开始，杨广就命当地百姓饲养战马，以供军用，同时征调大批民夫运送粮食前往辽东前线。由于运输量大，路途遥远，车辆和牛马大量损毁死亡。

与此同时，频繁的徭役挤占了耕种时令，导致山东、河北等地大量农田抛荒，粮食价格飙涨，一斗米卖到了数百钱，而各级官吏依然横征暴敛。加之黄河泛滥、洪涝成灾，致使老百姓衣不蔽体、食不果腹，生存底线被彻底突破。

如何在暴政中生存下去？

濒临绝境的山东百姓每天都要面对这个问题。大业七年冬天，山东邹平人王薄终于在饥寒交迫中彻悟了一条真理——在暴政中生存下去的唯一办法，就是起来反抗这个暴政！

于是，王薄率先在长白山（邹平县南）拉起了反旗。

为了把自己彻悟的真理向广大父老乡亲传播，王薄自称"知世郎"，并精心创作了一首政治宣传歌曲——《无向辽东浪死歌》。

歌中唱道：

> 长白山前知世郎，纯着红罗锦背裆。
> 长槊侵天半，轮刀耀日光。
> 上山吃獐鹿，下山吃牛羊。
> 忽闻官军至，提刀向前荡。
> 譬如辽东死，斩头何所伤！

这首通俗易懂、振奋人心的歌曲一经问世，立即成为当年齐鲁大地最火爆的流行曲目。四面八方的贫困百姓哼着这支让人热血澎湃的歌，像潮水一样涌向了长白山。从此，王薄带领部众在齐郡（今山东济南市）、济北郡（今山东荏平县西南）一带纵横出没，攻击官军，劫掠府库，穿金戴银，吃香喝辣，日子过得无比滋润。

榜样的力量是无穷的。看着这一切，山东各地豪杰无不怦然心动。于是，多股反叛势力在一夜之间遍地开花："阿舅贼"（刘霸道）崛起于平原郡（今山东陵县），孙安祖聚众于高鸡泊（今河北故城县西），张金称聚众于河曲（今河北临西县），高士达揭竿于清河（今河北清河县）。他们啸聚山林，攻击城邑，让各地官府疲于应付，焦头烂额。

在大业七年大大小小的变民首领中，有一个当时还名不见经传的小人物，后来却成了这拨人里声望最高、势力最强的义军领袖。他雄踞河北，自称"夏王"，直至唐朝建立后仍然割据一方，是武德初年李世民东征路上最强大的对手。

这个人就是窦建德。

窦建德，河北漳南（今河北故城县东）人，与孙安祖同乡，自小勇武过人，在乡里有侠义之名。大业七年，朝廷招募东征士兵，窦建德因其骁勇之名被任命为二百人长，同乡的孙安祖也在征召之列。可孙安祖因家中遭遇洪灾，妻儿皆饿死，对官府恨之入骨，坚决不肯应征。当地县令大怒，将其逮捕并施以鞭刑。孙安祖愤而刺杀县令，逃亡至窦建德家中。

窦建德收留了他，对他说："今主上不恤民力，欲征高丽，天下必将大乱。大丈夫若不死，当建功立业，岂能成为东躲西藏的逃犯？"随后，窦建德帮孙安祖召集了两百多个壮士，还协助他们到高鸡泊一带落草为寇。

尽管窦建德明知道天下很快就将大乱，可他对自己在军队的前程仍抱有幻想，所以他才会一边支持孙安祖造反，一边又舍不得扔掉"二百人长"这块鸡肋。

最后，还是当地官府帮他下了这个决心。

本来，窦建德窝藏孙安祖一事当地官府已有所察觉，加之张金称、高士达等盗匪凡到漳南洗劫，都自动避开窦建德家所在的那条街，所以官府认定，窦建德必然与盗匪暗中勾结。不久，官府就派兵抄了窦建德的家，并将他一家老小全部捕杀。

在家破人亡的惨痛现实面前，窦建德的最后一丝幻想终于破灭。万念俱灰的他只好脱下隋朝军装，带着手下的两百人投奔了高士达。高士达觉得自己的智谋和才略均不及窦建德，就把兵权交给了他，让他当了二当家。随后，窦建德屡屡击败前来征讨的官军，威望迅速提升。由于他善待士卒，因而人人皆愿为其效死，麾下部众很快发展到一万多人。

就这样，这个原本要到辽东去当炮灰的二百人长，摇身一变就成了远近闻名的草头王。

窦建德或许从没想到自己会有这么一天。对于潜藏在自己身上的巨大能量，他一定也会感到震惊。而此时的窦建德更不敢想象的是——短短几年后，他就将拥兵割据，称霸一方，并与天下群雄一起逐鹿中原！

窦建德的成长史告诉我们：虽然时势可以造英雄，但是要想成为英雄，一个重要的前提就是——你必须扔掉手中的那块鸡肋。

大业八年（公元612年）正月初一，隋帝国的一百多万远征军在涿郡完成了集结，同时就位的运输和后勤人员数量是士兵的两倍。

杨广将一百多万士兵分成左右各十二军，每军设大将、次将各一人；每军之中，骑兵分成四团，每团十队，每队一百人；步兵也分为四团，每团二十队，每队一百人；重装备部队和普通步卒也各有建制；所有步骑兵团每团各设偏将一人。远征军中，各团的头盔铠甲、帽穗马缨、旗帜旌幡的颜色各不相同，而前进、后退、行军、扎营都有统一的号令。

正月初三，杨广亲自率领这支空前庞大的远征军，从蓟城（涿郡郡治，今北京）正式开拔。第一军出发后，每日派遣一军，每两军相距四十里，依次出发，鱼贯前进。整整用了四十天，大军才出发完毕。各军首尾相接，鼓角相闻，旌旗绵延长达九百六十里。此外，杨广直属的十二禁军，朝廷的三台、五省、九寺的随驾官员，也紧跟在大军后面出发，队伍连绵达八十里，规模之大，世所罕见。史称："近古出师之盛，未之有也！"

杨广本以为，投入如此浩大的兵力，一定可以轻而易举地踏平高丽。然而，事实完全出乎他的意料。

先是在三月，杨广亲率陆军进抵辽东城（今辽宁朝阳市），却长达数月久攻不克。同时，右翊卫大将军来护儿率领水军渡海攻击，一开始进展顺利，甚至一度攻进了平壤，不料却在城中遭遇伏击，四万精锐尽丧，仅剩数千残兵逃脱。眼看陆、海两路接连失利，杨广不得不改变战略，命左翊卫大将军宇文述率三十余万大军绕过辽东，直捣平壤。可是，当大军进抵平壤三十里处时，却又因为战线太长、粮草不继再次陷入困境。

同年七月，缺乏给养的宇文述被迫引兵西还，高丽军队迅速出城追击。当隋军撤至萨水（今清川江）时，高丽军队趁其渡河之际发起进攻，大破隋军。最后，宇文述狼狈逃回辽东，三十余万大军仅剩两千七百人，几近全军覆没，同时，丢失的武器、装备、辎重更是不可胜数。来护儿风闻陆军大败，也慌忙起锚，连夜率舰队撤回东莱（今山东莱州）。

第一次远征高丽，就这样以惨败告终。

大业八年七月，神情恍惚的杨广默默登上龙辇，从涿郡启程南返。一直到车驾返抵洛阳，杨广始终一言不发。曾经活力四射、阳光灿烂的杨广，如今仿佛变成了霜打的茄子。人们看见杨广脸上写满了困惑与哀伤，那是一个骄傲帝王遽然遭受重创后暴露出来的真实内心。

也许，这并不是什么坏事。

因为挫折本是人生的题中之义，也是生命成长的必经过程。就像许多小孩子在学习木匠、铁匠这种手艺活的时候，如果手上弄出了血，他们的师傅就会说："那是这门手艺进到你身体里面去了。"而今，生命中的第一次失败虽然深深刺痛了杨广，可这何尝不是某种有益的东西正在进入他的体内呢？也许，命运之神正是希望以这样的方式，往这位骄狂自负的帝王身上注入一些必要的抗挫折能力，让他学会以一种成熟而理性的姿态面对人生，同时拯救这个危机四伏的庞大帝国。

然而，命运之神很快就发现他失望了，忠于杨广的臣民们也很快就失望了。

短短半年后，杨广就在朝会上说了这么一句话："高丽小虏，侮慢上国，今拔海移山，犹望克果，况此虏乎！"（《资治通鉴》卷一八二）

杨广的意思很明确，二征高丽，就算"拔山移海"也在所不惜！

杨玄感叛乱

大业九年（公元613年）正月初二，一道征调天下军队齐集涿郡的诏命再次从洛阳飞出，立刻传遍了整个帝国。

皇帝是不是疯了？

面对诏令，隋朝的各级官吏和老百姓们不约而同地在心里说。这场倾尽全国之力、竭尽天下之财的战争刚刚遭遇惨败，数十万帝国将士刚刚捐躯沙场，数百万民众因为这场战争濒临破产和死亡的边缘，而这个疯狂的皇帝竟然不顾这一切，还想让悲剧重演？

人民愤怒了。

越来越多的人义无反顾地加入了造反的行列。除了王薄、刘霸道、张金称、高士达、窦建德之外，齐郡（今山东济南市）人孟让、北海（今山东青州市）人郭方预、平原郡（今山东陵县）人郝孝德、河间郡（今河北河间市）人格谦、渤海郡（今山东阳信县）人孙宣雅等各自起兵，其部众多则十几万，少则数万，在山东地区纵横驰骋，令各地官兵焦头烂额。

叛乱的烽火在急剧蔓延，可杨广却不以为意。

按照杨广对历史的领悟，几百年来的中国政治一直是门阀世族玩的游戏。正所谓"天下以智力相雄长"，真正的政治智慧和政治力量从来只掌握在少数贵族手中，泥腿子们只是这场游戏中无足轻重的配角，或者纯粹就是跑跑龙套而已，绝对成不了气候。所以，在杨广看来，所谓的叛乱只不过是一些穷疯了的暴民在聚众抢劫而已，等他灭了该死的高丽，回头再来收拾这些小毛贼也为时不晚。

大业九年春，杨广再度御驾亲征，于三月初四率领百万大军进抵辽东，拉开了第二次东征高丽的大幕。这次，杨广仍命宇文述等人分道绕袭平壤，本人则亲率正面大军猛攻辽东。隋军这回不仅用上了飞楼、撞车、云梯等大型攻城器械，而且挖掘了多条地道，夜以继日地轮番进攻。但是隋军连攻二十多天，付出了惨重的伤亡，辽东城却依旧固若金汤。同时，宇文述等部也遇阻不前。正当战事陷入胶着之际，国内突然传来杨玄感叛乱的消息，杨广如遭电击。六月，杨广不得不下令撤军。仓促之间，堆积如山的军资、器械、粮草全都来不及运走，只能白白送给高丽人。

如果说，遍及各地的农民起义在杨广眼中只不过是蚍蜉撼树，尚不足虑的话，那么杨玄感叛乱则无异于一场政治地震，极大地摇撼了帝国的统治根基。

因为，杨玄感是贵族，是杨广心目中最有资格玩政治的贵族。

杨玄感，隋朝开国元勋杨素之子，袭爵楚国公，时任上柱国、礼部尚书，在帝国的政治高层拥有不可估量的影响力。在杨广看来，这样一个重量级人物起兵反叛，必将产生"振臂一呼，应者云集"的可怕效应，也无疑会引发巨大的政治离心力，使更多的门阀世族生出谋求天下的野心！

事实证明，杨广的担心是对的。

杨玄感自黎阳（今河南浚县）起兵后，四方纷起响应，部众很快发展到十几万人。就在杨广围攻辽东时，杨玄感已迅速兵临洛阳城下，而围城不过数日，洛阳城中竟然有四十多个贵族和高官子弟出城投降，如韩擒虎之子韩世咢、观王杨雄（杨坚族侄）之子杨恭道、来护儿之子来渊、周罗睺之子周仲、虞世基之子虞柔、裴蕴之子裴爽、郑善果之子郑俨等。杨玄感为了收揽人心，一律对他们委以重任。

当然，这些官二代的加盟，充其量就是帮杨玄感撑撑门面而已，不可能发挥什么实际作用。此时，杨玄感帐下还有一位幕僚，也是官二代。此人目前虽默默无闻，但很快就将成为隋末乱世叱咤风云的人物。毫不夸张地说，把上面那些纨绔子弟全部绑在一块，其能量也不及此人之万一。

这个人，就是日后瓦岗寨的义军领袖李密。

李密是隋朝上柱国、蒲山公李宽之子，其家门虽不及杨氏显赫，却也是名重一时。李密从小志向远大，仗义疏财，喜欢广交朋友，早年曾在宫中担任禁军。有一次，轮到李密当班，杨广恰好从他身边经过，忽然停在他面前，意味深长地看了他一眼，然后就告诉宇文述："刚才左翼卫队中有个皮肤黝黑的年轻人，我发现他的眼神异于常人，最好不要让他担任侍卫。"

李密就因为皇帝的这句话丢了官，从此与仕途绝缘，在家中闭门读书。他曾经骑在牛背上读《汉书》，旁若无人，浑然忘我，被杨素遇见，视为奇人。杨素请他到家中畅谈，大为赏识，对杨玄感说："李密见识深远，气度不凡，你们兄弟无人可及。"从此，李密便与杨玄感结成了好友。

二人虽成莫逆之交，但身份地位相差悬殊，杨玄感有意无意之间，还是会瞧不起这个无官无职的落魄贵族李密。

李密看在眼里，有一天忽然对杨玄感说："朋友相交贵在坦诚，我今天就不奉承你了。说实话，如果是两军对垒，决断战机，呼啸冲锋于敌阵之中，我不如你；可要是驱策天下贤俊，让他们各安其位，各尽所能，你不如我！既然如此，你怎能自恃阶高而轻视士人呢？"杨玄感闻言大笑，从此更加佩服李密。

杨玄感起事后，自然把李密引为心腹智囊。在围攻洛阳之前，杨玄感曾就全局战略咨询李密的意见："你一向以拯济苍生为己任，如今时候到了，你有何良策？"

李密向杨玄感提出了谋取天下的上、中、下三策。他说："天子出征，远在辽东塞外，距幽州（涿郡）足有一千余里，南有大海（渤海），北有胡虏（西突厥、契丹等），中间仅有一条辽西走廊，是远征军和国内联系的唯一生命线，形势极为险峻。如果你亲率大军北上，出其不意攻占蓟县（涿郡郡治），夺取临渝（今河北抚宁县东），便能控其险要，扼其咽喉。如此一来，东征军的归路被切断，高丽人势必从他们背后发起攻击。旬月之间，粮秣给养告罄，军队不战自溃，你就能兵不血刃，生擒杨广！此乃上策。"

杨玄感略微沉吟，说："告诉我中策。"

李密说："关中自古乃四塞之地、天府之国，如今虽有隋将卫文升据守，但此人不足为虑。我们若率大军击鼓向西，所经城池一律不加攻打，直取长安，收其豪杰，抚其士民，据险而守，天子纵然班师，但根据地已失，我们便有足够的时间审慎筹划，稳步进取。"

杨玄感又想了想，说："告诉我下策。"

那一刻，李密若有所思地看了杨玄感一眼。他预料，杨玄感一定会选下策，而下策必将招致灭亡。

这样的预感让李密感到很悲伤。他久久地看着杨玄感，缓缓地说：

"派出精锐，昼夜奔驰，袭取东都，号令天下！问题是，万一一百天拿不下来，天下之兵四方而至，事态就不是在下所能预料的了。所以，这是下策。"

"先生所谓下策，实乃上策！"杨玄感斩钉截铁地说，"如今百官眷属皆在东都，若先取之，足以动摇士心，颠覆国本！"

李密沉默了。他太了解杨玄感了，这是一个被一帆风顺的命运宠坏了的世族子弟，他身上的自负、虚荣与骄矜，简直和天子杨广如出一辙！在追求成功的道路上，他们都喜欢走捷径。但是有时候，捷径也可以用另外一个词来表达——短路。

是的，所谓快速成功的捷径，往往也是通向灭亡的最短道路。在李密看来，这句话对杨广适用，对杨玄感同样适用。

不出李密所料，杨玄感刚刚率大军围困洛阳不久，杨广的东征大军便已迅速回师中原。面对隋朝大军对他形成的反包围，杨玄感犯下了一个不可饶恕的战略错误：他听信部将李子雄的计策，把本来就不多的兵力分成两路，一路抵挡已经屯兵黄河北岸的屈突通，一路进攻从长安赶来驰援东都的卫文升。但是，屈突通很快就突破了他的防线，顺利渡过黄河，与卫文升部和驻守洛阳的樊子盖部遥相呼应，对杨玄感形成了前后夹击之势。

杨玄感的末日来临了。

直到此刻，他才决意实施李密当初提出的中策——西进关中，入据长安。

大业九年七月二十日，杨玄感无奈地解除了对东都的包围，率部西进潼关。宇文述与屈突通、来护儿、卫文升等人合兵一处，率大军在背后拼命追击。

数日后，杨玄感进至弘农（今河南三门峡市）。弘农太守杨智积（杨坚侄子）对左右说："杨玄感西取关中的计划一旦成功，将来就很难收拾了。我们现在想办法缠住他，让他无法西进，不出十天，定可将其生擒！"

随后，杨智积派了一些父老，出城拦住杨玄感的马头，说："如今弘农兵力薄弱，防守空虚，很容易攻取。"杨玄感信以为真，马上兵临弘农城下。杨智积当即登城叫骂，诱他攻城。杨玄感大怒，立刻命令士兵进攻。

面对如此不可救药的杨玄感，近乎绝望的李密最后一次规劝他："用兵之道贵在神速，何况追兵转眼立至，怎能在此逗留？如果进不能入据潼关，退又无险可守，大军一旦溃散，你拿什么自保？"

可是，杨玄感根本听不进去，他率部猛攻三天，弘农城却纹丝不动。等到杨玄感回过神来，准备放弃弘农继续西进时，宇文述的几十万大军已经铺天盖地地杀到了。杨玄感且战且退，于八月初一退到董杜原（今河南灵宝市西）。隋朝大军追至，杨玄感被迫在此与隋军决战。

战斗的结果可想而知——杨玄感全军覆没，仅带着十余骑兵逃奔上洛（今陕西商州市）。没跑多远，连那十几名亲兵也各自逃散，杨玄感身下的坐骑也被射杀，只好和他弟弟杨积善徒步逃亡，慌不择路地跑到了一个叫葭芦戍的地方（今灵宝市西南）。

在这里，疲惫不堪、满心绝望的杨玄感停下了脚步。他对杨积善说："我不能接受别人的杀戮和侮辱，你取我的性命吧。"

当生命与尊严不可得兼时，贵族杨玄感宁可选择后者。

杨玄感死了。从他起兵到败亡，为时不到两个月。

这场叛乱虽然很快就平定了，但它给杨广和隋帝国刻下的伤口却没那么容易愈合。杨广无奈地发现：自己的政治威望已经被严重削弱，人气指数急剧下滑，降到了他即位以来的最低点。

暴怒的杨广决定大开杀戒，震慑天下。他对大臣们说："杨玄感振臂一呼，从者十万。以此足以证明，天下的人口太多也不是什么好事，太多了就会相聚为盗。此次的一干人犯若不彻底追查，一概诛杀，就无以警醒当世和将来！"

随后，朝廷依照宁枉勿纵的原则，开始大肆追查，广为株连——上自当朝大员，下至普通士民，一口气捕杀了三万多人，流放了六千多人。此外，由于杨玄感围攻东都时曾经开仓赈粮，于是朝廷便将当时接受赈济的百姓全部活埋，一个也没有放过。

至此，凡是跟杨玄感有过丝毫瓜葛的人几乎都被抹掉了，只有极少数人逃过了这场大屠杀。

其中一个，就是李密。

早在杨玄感兵败之前，李密就已悄悄离开了他，准备投奔其他义军，不料半路上被隋军抓获。李密用黄金贿赂看押官，使他放松了警惕，然后趁其不备再度逃亡，投奔了平原郡的郝孝德。

李密的漏网并没有引起朝廷的关注。

兵荒马乱中，隋朝官吏以为漏掉的只是一只小虾米。没有人会料到，短短几年后，这条小虾米就将变成一条翻江倒海的大鱼！

雁门之围：惊魂33天

东征高丽成了杨广生命中最可怕的一场噩梦。

连续两年，发兵两百多万，耗费资财无数，国库为之一空，天下萧然，民生凋敝，可换来了什么呢？换来的只有——盗贼成群，烽烟遍地，世家大族离心离德，整个帝国伤痕累累。

除此之外，什么也没有！

杨广百思不得其解。

是要坦然承认失败，从此把目光转向国内，发愤图强收拾烂摊子，还是要再接再厉、愈挫愈勇，不灭高丽誓不罢休？

杨广最终选择了后者——他要整兵再战，三征高丽！

大业十年（公元614年）三月十四日，杨广率领三征高丽的大军向辽东出发。一路上，士卒纷纷逃亡，屡禁不止。七月十七日，杨广终于带着这支充满恐惧和抵触情绪的军队进抵怀远（今辽宁辽中县）。同时，来护儿的水军渡过渤海，在毕奢城大败前来迎战的高丽军队，并乘胜渡过鸭绿江，兵锋直指平壤。

此时的高丽，表面上还在顽抗，实则早已精疲力竭了。此前的两次大战固然拖垮了隋帝国，可同时也让小小的高丽元气尽丧。面对卷土重来的隋朝水陆大军，高丽王高元惶惶不可终日，最后只好低头妥协。

七月二十八日，高元遣使前往隋军大营，向杨广奉上降表。如果是前面两次，杨广一定会断然拒绝，并且亲自攻进平壤，活捉高元。但是这一回，杨广却不假思索地接受了高丽的请降，并即刻传令来护儿班师回朝。

杨广为何答应得这么痛快？

原因很简单：如今的隋朝天下已经不是过去那个繁荣富足的太平盛世了，面对风起云涌的叛乱和分崩离析的江山，杨广岂能再漠然置之？现在，只要能让高丽臣服，只要能把丢掉的面子捞回来，杨广就心满意足、别无所求了。

三征高丽就这么不尴不尬地落下了帷幕。

对于杨广来讲，这场来之不易的"胜利"或许足以抚慰他那受伤的心灵，可对于多数将领来说，这种充满自慰色彩的精神胜利却让他们感到极为难堪，甚至是感到万分耻辱——一征高丽大败而回，二征高丽无果而终，三征高丽不了了之，这算哪门子胜利？

对此，老将来护儿就曾当着部众的面扼腕长叹："大军三出，未能平贼，劳而无功，吾窃耻之！"（《资治通鉴》卷一八二）

大业十年十月底，杨广命令高元按照臣藩之礼入朝觐见，可是他万万没有料到，高元居然把他的诏令当成放屁，一点反应都没有。杨广发现自己被耍了，顿时暴跳如雷，对着满朝文武发出怒吼——老子要四征高丽！

然而，杨广还能四征高丽吗？这个千疮百孔、风雨飘摇的大隋帝国，还能经得起他的疯狂折腾吗？

答案是否定的。因为，此时的国库已然空空如也，再也不可能让杨广随心所欲地往高丽这个无底洞里砸钱了。意识到这一点的时候，杨广郁闷难当。为了消除自己的郁闷，杨广决定北巡——第三次北巡。

四征高丽的钱花不起，第三次北巡的钱他还是花得起的。

大业十一年（公元615年）八月初五，杨广向帝国的北部边境出发了。此时的杨广并不知道，一场比三征高丽更让他难以想象的噩梦，正悄悄匍匐在道路的前方。

准确地说，它匍匐在雁门郡。

大业十一年八月十二日，杨广的御驾抵达雁门郡（今山西代县）。此时，雁门以北的大地正滚过一阵剧烈的战栗——四天前，东突厥的始毕可汗已经率领数十万精锐骑兵从塞外呼啸南下，此刻正风驰电掣地朝雁门扑来。

他的目标是——杀死杨广。

杨广到达雁门的第二天，东突厥数十万铁骑就已将雁门团团包围。隋朝君臣惊恐万状，开始手忙脚乱地组织防御。此时，虽然雁门共有军民十五万人，足以抵挡一阵子，但问题在于——城中囤积的粮食只够食用二十天。

突厥人的攻势异常凌厉，短短几天便把雁门郡下辖的四十一座城池攻克了三十九座，只剩下杨广所在的雁门和齐王杨暕驻守的崞县。突厥人彻底扫清外围之后，开始集中兵力猛攻雁门。战斗十分激烈，一支流箭甚至射到了杨广面前，只差几步就把他射了个对穿。

杨广心胆俱裂，一把抱住幼子杨杲纵声大哭。

在突如其来的死亡面前，一个帝王刻意维系了大半生的骄傲和尊严瞬间坍塌。剩下的，只有与常人毫无二致的恐惧和软弱。

面对突厥人的强大攻势，宇文述力劝杨广挑选数千精骑拼死突围。可他的提议却遭到了重臣苏威、樊子盖等人的反对。他们认为，突厥人擅长野战，突围之策太过冒险。而今之计，只有一方面死守城池，一方面紧急发布勤王诏，命四方军队前来增援。

杨广也认为这样比较保险，可要命的是：突厥人已经把城池围得水泄不通，勤王诏怎么送出去？还有，粮食在一天天减少，虽然实行了压缩配给，但存粮已经不多，如果不赶紧把勤王诏送出去，大家很快就会饿死。

所有人绞尽脑汁地想了十天，始终一筹莫展。到了第十一天，杨广终于大腿一拍，想到了一个主意——浮木传诏。

八月二十四日，数百根浮木被抛到流经雁门的汾水河上，迅速漂向下游的各个郡县，每根浮木上都绑着一道用黄帛写就的勤王诏。

随后的日子，汾水下游的一些郡县长官相继接获诏书，于是纷纷募兵奔赴急难。然而，仓促之间，各郡县募集的兵力都很有限，就算在最短时间内赶到雁门，恐怕也不一定打得过兵强马壮的突厥人。当时，有一支勤王队伍的将领叫云定兴，他手下有个十七岁的小兵，就针对这个问题献上了一计。

这个小兵的意见是：让队伍携带大量的军旗和战鼓，一路上大张旗鼓，虚张声势，借此迷惑敌人。他说："始毕可汗胆敢以举国之师包围天子，必定认为我方短时间内难以集结大军。所以，我们应该大张军容，白天旌旗招展，夜晚钲鼓齐鸣，让敌人以为我方援军已大量集结，迫使他们闻风而遁。否则敌众我寡，万一突厥倾巢来攻，我军恐怕难以抵挡。"

云定兴觉得很有道理，当即欣然采纳。

这个献计的十七岁小兵，就是李世民。

在隋末乱世的舞台上，这是史书有载的李世民的第一次亮相。虽然他现在的身份还很卑微，但作为一个即将在几年后纵横天下的军事统帅，其见识和谋略已在此初露端倪。

杨广除了浮木传诏外，还采纳近臣萧瑀（萧皇后之弟）的建议，派密使从小道潜行至突厥王庭，向义成公主（与突厥和亲的隋宗室女）求救。义成公主闻讯，马上给始毕可汗送了一封急报，上面写着：北方边境告急！

始毕可汗不太相信，却又不敢断然否定。因为连日来，已经有斥候不断汇报：隋朝东都及各郡援军已大量集结，并正往雁门方向迅速移动，前锋已进抵忻口（今山西忻县）。也就是说，如果短时间内打不下雁门，就有可能反过来被隋军包了饺子。

始毕可汗越想越不安，不得不在九月十五日下达了撤军的命令。突厥人一撤，杨广如释重负，立刻派出两千骑兵一路尾追，在马邑攻击并俘虏了两千多名突厥的老弱残兵，总算出了一口恶气。

屈指一算，杨广在雁门总共被围了三十三天。

突厥人撤退之日，城中的粮食刚好告罄，杨广和所有人不禁长长地松了一口气——好悬！

大业十二年（公元616年）正月初一，杨广在东都举行新年朝贺，天下有二十余郡的贺使缺席。这是隋朝开国以来从未有过的事情。而之所以出现这种事，原因不外乎两个：要么是郡城已落入变民之手，要么是特使在中途被变民所杀。

杨广终于意识到了问题的严重性，开始派遣十二路招讨使分赴各地，负责征调军队镇压叛乱。到了五月，杨广在朝会上向大臣们询问叛乱的情形。宠臣宇文述等人都表示，大部分叛乱已被平定。杨广问叛贼还剩多少，宇文述从容奏答："只剩下不到十分之一了。"

杨广显然对这个回答非常满意。满朝文武中，只有老臣苏威硬着头皮对杨广说："对于叛乱情形，各地奏报多不属实。臣在此仅举一例：从前叛贼据有长白山，距洛阳一千余里；而今却近在汜水，距洛阳仅一百余里。请陛下想一想，如果叛贼越来越少，又怎么可能离东都越来越近？"

杨广闻言，勃然大怒，随即找了个借口罢免了苏威，并把他子孙三代的官爵全部罢黜，贬为庶民。

大业十二年，四方叛乱愈演愈烈，隋朝的文武百官都对此心知肚明，却无人敢言。因为，杨广更愿意相信宇文述的话——天下的盗贼只剩下不到十分之一了。

换句话说，杨广宁可相信天下无贼。

这年初秋，为了让自己忘却三征高丽和雁门被围的耻辱，杨广决定南巡，三下江都（今江苏扬州市）。

一些有良知的官员再也不忍心保持沉默了。右侯卫大将军赵才第一个站出来劝谏："今百姓疲劳，国库空虚，盗贼蜂起，政令不行，愿陛下早回西京，安抚万民！"

杨广不由分说地把赵才扔进了监狱，随即下令龙舟队扬帆起航，毫不迟疑地离开了烽火连天的中原，朝着歌舞升平的江都翩然而去。

途中，大臣任宗、崔民象、王爱仁相继劝谏，却无一例外地掉了脑袋。龙舟行至梁郡（今河南商丘市），当地百姓联名上书："陛下若执意南巡江都，天下将不再为陛下所有！"杨广二话不说，命人将他们全部砍杀。

从此，再也没人能阻止龙舟一帆风顺地驶向江都。

同时，再也没人能阻止杨广义无反顾地奔赴死亡。

离开洛阳时，杨广曾作诗向后宫嫔妃告别，其中一句是："我梦江南好，征辽亦偶然。"杨广所说的江南就是江都。他曾在江都坐镇十年，对这座繁华富庶又风情万种的城市怀有很深的情感。相比于洛阳，他显然更喜欢江都，也一直将其视为灵魂的故乡。这几年，杨广感觉自己走了背运，没有一件事情顺心，所以他满心希望，美丽的江都能够抚平他的焦虑，疗治他的创伤，成为他生命中又一个崭新的起点。

然而，历史很快就将证明，这只是杨广的一厢情愿。

因为，江都不是一个崭新的起点，而是一个可怕的终点——终将把属于杨广的一切全部埋葬。

李密：大佬是怎样炼成的

李密一直在逃亡。

几年来，李密觉得自己就像一条失去了方向的船，一直在隋朝末年的怒海狂涛中漂泊。

他先是投奔了郝孝德，可郝孝德当他是蹭饭的家伙，始终没给他好脸色看。李密又投奔了王薄，王薄对他倒还客气，可问题是客气得过了头，天天好吃好喝供着，却始终不让他参与山寨决策。李密很郁闷——看这情形，要想跻身长白山的领导层，少说也得等上一百年。

郁闷的李密只好下山继续漂泊。由于身无分文，一路上他只能以剥树皮、挖草根为生。后来，李密再也走不动了，就在淮阳郡（今河南淮阳县）的一个小山沟里落脚，改名刘智远，教几个农村孩子读书识字，聊以糊口。就这么过了几个月，郁郁不得志的李密写下了一首五言诗，借以抒发自己年华虚度、壮志未酬的痛苦和失落。诗的最后几句是："秦俗犹未平，汉道将何冀？樊哙市井徒，萧何刀笔吏。一朝时运会，千古传名谥。寄言世上雄，虚生真可愧！"诗成，李密仰望苍穹，不觉悲从中来，泣下沾襟。

李密的反常举止很快引起了乡民的怀疑，有人马上跑到淮阳太守那里告了密。官府立刻发兵前来搜捕，李密只好再度逃亡。

走投无路的李密最后逃到雍丘（今河南杞县），想投靠他的妹夫、雍丘县令丘君明。丘君明一看是李密，顿时吓了一大跳。这个大舅子眼下可是朝廷追捕的要犯，是人人避之唯恐不及的丧门星哪！谁要是敢窝藏他，谁立马仕途玩完，脑袋搬家！丘君明留也不是，不留也不是，最后只好把他送到密友王季才那里。所幸王季才是一个侠肝义胆之士，一向敬佩英雄豪杰，所以不但欣然收留，还把女儿嫁给了李密。

李密就这么捡了一条命，又意外地捡了一个老婆。如果不出现什么意外，他很可能会在这穷乡僻壤当一个循规蹈矩的倒插门女婿，日出而作，日落而息，平庸度日，直至终老。倘若如此，历史上就没有什么瓦岗英雄李密了。

不过，历史之所以精彩，就在于它不喜欢平铺直叙。尤其是对那些曾经胸怀大志的人，历史老儿更喜欢给他们制造灾难，好让他们摆脱平庸，在磨难中加速成长。所以，还没等李密享受完蜜月，命运马上又给他安排了一场灾难。

早在李密刚刚来到雍丘的时候，丘君明的堂侄丘怀义就马不停蹄地跑到朝廷告了密。杨广颁下一道敕书，命丘怀义用最快的速度把敕令交到梁郡通守杨汪手上，命他逮捕李密。杨汪接获敕令，立刻率兵包围了王季才家。

这一次，李密似乎在劫难逃了。可出乎所有人意料的是——李密这天恰好有事出门，居然让官兵扑了一个空。

尽管李密无意中躲过了一劫，可跑得了和尚跑不了庙。一无所获的官兵一怒之下，把王季才一家和县令丘君明一家灭门，杀得鸡犬不留。

一夜之间，几十条无辜的生命都成了李密的替死鬼。李密悲愤交加，再次踏上漫漫的流亡路。这条怒海狂涛中的破船，再次失去了生命的方向。

在一次又一次颠沛流离的逃亡生涯中，绝望的李密逐渐悟出了一个道理——对于一条没有方向的船来说，任何方向的风都是逆风。

所以，必须为自己的人生寻找一个坚定不移的方向！

可是，这样的方向在哪呢？

李密把历尽沧桑的目光再次投向帝国的四面八方，开始在隋朝末年弥漫的烽烟与熊熊的战火中重新寻找。最后，他的目光终于停在了一个地方。

这个地方，名叫瓦岗（今河南滑县南）。

瓦岗寨的首领名叫翟让，本来是东郡（今河南滑县）的法曹。大业七年的一天，这个翟法曹不知何故犯了死罪，被关在监狱里等候处斩。一个叫黄君汉的狱吏向来很仰慕他，就在半夜偷偷把他放了。

死里逃生的翟让随即跑到瓦岗，聚众拉起了反旗。附近变民纷纷来附，部众迅速发展到数万人。李密来到瓦岗后，通过旧友王伯当的引荐，正式加入了翟让的阵营。

由于此前空着双手到好几个山寨入伙，不招人待见，因此李密这回吸取教训，刚一加盟瓦岗，就向翟让主动请缨，提交了一个并购计划。然后空手套白狼，在不动用瓦岗一兵一卒的前提下，设计收编了瓦岗周边的多股变民武装，给老大送上了一份丰厚的见面礼。翟让喜出望外，当即让他进入了山寨的决策层。

取得翟让的赏识后，李密就迫不及待地劝翟让积极准备扩张，进而夺取天下。他说："刘邦、项羽皆以布衣之身成就帝王功业。如今主上昏庸无道，天下民怨沸腾，朝廷精锐之师尽丧于辽东，而主上却委弃东都，巡游江南，此乃刘邦、项羽奋起之时也！以足下之雄才大略，加之士马精良，足以席卷二京，诛灭暴虐，建立大业易如反掌，颠覆杨隋指日可待啊！"

翟让听完后，只是淡淡地笑了笑，然后向李密道了声谢，说："我们只是群盗而已，旦夕偷生于草莽之间，君之所言，非我所能及也！"

李密万万没料到，翟让居然是这么一个胸无大志的家伙。当今群雄并起，形势瞬息万变，像翟让如此安于现状、不思进取，其结果只能是不进则退，坐致败亡！自己怎么能把未来寄托在这种小富则安的草头王身上呢？

就在李密极度失望的时候，一个近乎疯狂的想法忽然跃入了他的脑海——既然翟让的格局如此狭小，何不干脆将他取而代之？

要做到这点似乎很难，但绝非不可能。因为，要论跃马横刀、上阵杀敌的本事，李密或许不敢称雄；可要论心机和谋略，李密自信整个瓦岗寨没有一个是他的对手。

主意已定，李密随即制订了一份大胆而周密的夺权计划。

计划的第一步是——制造舆论，收揽人心。

为此，李密锁定了一个人——翟让的军师贾雄。此人精通阴阳术数，翟让一向对他言听计从。李密相信，只要搞定这个人，就等于控制了翟让的大脑。

随后，李密千方百计结交贾雄，很快就与他成了好友。所以，当翟让向贾雄询问，是否应该听从李密的建议出去打天下时，贾雄立刻不假思索地说："此计吉不可言！"

翟让一听，顿时有些兴奋，可贾雄接下来的话却给了他当头一棒："不过……将军如果自己称王，恐怕不太吉利，要是拥立李密这个人，定当无往不利。"

翟让纳闷："照你这么说，蒲山公大可自立，又何必追随我？"

"将军有所不知。他之所以来追随将军，是因为您姓翟。翟者，泽之义也，蒲草非泽不能生长，因此他很需要将军。当然，将军也同样需要他。"

贾雄的话对翟让来讲就是天意。后来的日子，尽管翟让心里不大舒服，可他还是不得不对李密刮目相看。

差不多在这个时候，一个名叫李玄英的洛阳人也来到了瓦岗。此人据说走遍了四方群雄的山寨，为寻访李密的下落历尽了无数艰辛，现在终于找到了，眼中顿时闪动着激动的泪花。

瓦岗的老少爷们儿好奇地问他："为什么满世界找李密呢？"

李玄英答："因为这个人将取得隋朝天下。"

人们又问："凭什么这么说？"

李玄英答："就凭那首传遍天下的政治歌谣《桃李章》。"

人们又问："《桃李章》跟李密有什么关系？"

李玄英一笑，然后对歌谣作了一番极具说服力的诠释。他说："歌中唱道：'桃李子，皇后绕扬州，宛转花园里，莫浪语，谁道许？'这里的'桃李子'，指的就是姓李的逃亡人；'皇后绕扬州'，就是指天子逃到了扬州；'宛转花园里'，是说天子归来无日，最终会转死沟壑；'莫浪语，谁道许'就是一个'密'字。合起来解释，就是李密将取隋朝天下的意思。"

"哦……原来如此！"人们恍然大悟。后来，瓦岗的老少爷们儿每当看见李密，总会不由自主地仰视，目光中充满了敬畏之情。

不久，又有一个叫房彦藻的人领着几百号弟兄前来投奔李密。据说，此人本是宋城县尉，当初曾和李密一起追随杨玄感起兵。杨玄感败亡后，房彦藻就像个没娘的孩子，一直在苦苦寻觅李密的下落，如今总算找到了，自然是跟李玄英一样热泪盈眶……

瓦岗的老少爷们儿大为感叹：李密真是众望所归啊！

就这样，经过一番处心积虑的炒作，李密的人气指数迅速飙升，俨然成了瓦岗寨的明星人物。

第一步取得成功后，李密开始实施第二步计划——建立战功，树立威望。

他再次向翟让提出了向外扩张的建议。这次，翟让毫不迟疑地采纳了。随后，在李密的运筹帷幄和指挥之下，瓦岗军主动出击，迅速攻陷荥阳郡下辖的多数县城，极大地拓展了根据地。大业十二年（公元616年）十月，李密又在大海寺北（今河南荥阳市北）埋设伏兵，大败前来征讨的隋朝勇将张须陀，并将张须陀斩于阵中。

这些年，翟让与张须陀多有交手，却屡屡败北，没想到李密一出手，竟然轻而易举地杀了张须陀。经此一战，河南各郡县官兵闻风丧胆，瓦岗则声名大振，李密的个人威望更是如日中天。

为了表示对李密的感谢，翟让让李密建立了自己的番号和大营，所部号称"蒲山公营"。然后，翟让向李密提出了分手，并说："现在粮秣已足，我打算回瓦岗，先生如果不愿回去，听任先生自便，我们就此别过吧。"

翟让知道，李密断非久居人下之辈，而自己一时又不甘心拥他为首领，所以最好的办法就是分道扬镳。随后，翟让率主力与粮草、辎重东归瓦岗，而李密则率部轻装西进，迅速抵达康城（今河南禹州市西北），然后不费一兵一卒就逼降了附近的几座城池，获取了大量的财物、粮草和物资。李密把得到的金银财宝全部分给手下，自己始终保持节俭的本色，士众大为感动，越发效忠于他。

得到李密兵不血刃、连下数城的消息后，翟让后悔了。他不得不承认——李密确实是个天生的领袖，而且很可能真是负有天命之人。

看来，跟李密分道扬镳是不明智的。

思虑及此，翟让不得不掉转马头，命令大军回过头去追随李密。

看见翟让带着一脸尴尬的笑容来到面前时，李密知道，自己的计划基本上成功了。

此刻，李密的威望、功勋、军事才能、人格魅力都已跃居翟让之上，俨然已是瓦岗寨的精神领袖。然而，李密绝不满足于此，他要的是瓦岗的头把交椅——不折不扣、实至名归的头把交椅！

要走完这最后一步，李密知道自己必须再干一票大的。

大业十三年（公元617年）春，李密正式向翟让提出了"袭据洛口，攻取东都，亡隋社稷，号令四方"的战略计划。此时的李密，与其说是在向翟让请示，还不如说是在发布命令。翟让当然只能言听计从。

二月初九，李密与翟让率精锐攻克了兴洛仓（今河南巩县东），随即开仓赈粮，任百姓自取。兴洛仓是隋朝在中原最大的粮食储备基地（另一基地是回洛仓），瓦岗军占领此地，就等于扼住了东都洛阳的命脉。对此，隋东都留守、越王杨侗大为恐慌，急命虎贲郎将刘长恭、河南讨捕使裴仁基火速出兵，准备包围瓦岗军，夺回兴洛仓。

为了一战歼灭瓦岗军，刘长恭制订了一个分兵合击的计划：自己亲率两万五千人从正面进军，让裴仁基从汜水包抄瓦岗军后路，两军约定于兴洛仓南面会师，意欲将瓦岗军合围聚歼。

刘长恭的计划固然周全，但李密却不会坐以待毙。他通过侦察兵的报告，很快弄清了隋军的作战意图，遂兵分两路，一路在横岭埋伏，负责阻击裴仁基；自己则亲率主力，在石子河迎战刘长恭。

这一仗，李密身先士卒，率领亲自挑选的精锐从隋军战阵中拦腰切入，大破刘长恭部，斩杀了一万多人。刘长恭吓得脱下大将战袍，化装成小兵，一溜烟逃回了东都。风闻刘长恭战败，裴仁基慌忙退守百花谷（今巩县东南），再也不敢前进半步。

石子河一战，瓦岗军大获全胜，而李密的功勋和威望也在此刻达到了顶点。

形势发展到这一步，相形见绌的翟让想不下课都不可能了。很快，瓦岗寨的两个元老级人物就开始频频做翟让的思想工作，要求他让位给李密。

这两个劝翟让退位的人，一个是李密的旧友王伯当；还有一个，就是后来的初唐名将，名列"凌烟阁二十四功臣"的李世勣（李勣）。

李世勣本姓徐，字懋功，祖籍离狐（今山东菏泽西北），后迁居卫南（今河南滑县东），投奔瓦岗时年仅十七岁。据说，徐世勣是个富二代，家里佣人成群，积粮如山，可他没有一点纨绔习气，而是热衷于慈善事业，"拯济贫乏，不问亲疏"。

很显然，这样一个家境优越、乐善好施的富二代投身起义，绝不是迫于生计，而是为了实现他的人生抱负和自我价值。这样一种高起点，决定了徐世勣会比那些只知道抢钱、抢粮、抢地盘的人更富有远见，也比任何人都更能看出李密的领袖才能。

大业十三年二月十九日，在徐世勣和王伯当等人的劝说下，翟让终于下定决心，正式推举李密为盟主，上尊号"魏公"，并设立高坛，恭请李密即位，改年号为魏公元年。李密上位后，立刻设立行军元帅府，置三司、六卫，拜翟让为上柱国、司徒、东郡公，以单雄信为左武候大将军，以徐世勣为右武候大将军，其他部众各有任命。

瓦岗的新一任大佬就这样炼成了。

李密站在瓦岗的高坛上，踌躇满志地遥望着东都洛阳。他相信，杨广耗尽民力修建的这座雄伟壮丽的都城，很快就将成为他的囊中之物。

大隋帝国风雨飘摇

从大业十三年起，李密开始步入人生的巅峰阶段，而瓦岗寨也从此名扬天下，进入了一个飞速发展的全盛时代。

这一年春，赵魏（约今河南省）以南、江淮以北的变民军纷纷尊奉魏公旗号，如齐郡的孟让，平原郡（今山东陵县）的郝孝德、王德仁，济阴郡（今山东定陶县）的房献伯，上谷郡（今河北易县）的王君廓，长平郡（今山西晋城市）的李士才，淮阳郡（今河南淮阳县）的魏六儿、李德谦，谯郡（今安徽亳州市）的张迁、田黑社、田白社，济北郡的张青特，上洛郡（今陕西商州市）的周比洮、胡驴贼等，都不约而同地归附了瓦岗。

李密尽皆授予官爵，命其仍统原有部众，同时设立《百官名册》遥领各部。此外，远近四方的小股变民和青壮百姓也纷纷投奔瓦岗，部众激增至数十万人。瓦岗军一举成为当时声势最大的一支反政府武装，而李密也成了四方群雄中风头最健的人物。

由于部众激增，李密命人紧急修筑了一座方圆四十里的洛口城（今河南巩县东），作为元帅府所在地和新的根据地。随后，他又派遣部将房彦藻向东扩张，先后攻克了安陆（今湖北安陆市）、汝南（今河南汝南县）、淮安（今河南泌阳市）、济阳（今河南南考县东北）等郡。一时间，黄河以南的郡县悉数落入瓦岗军之手。接下来，李密自然把目光转向了那个最大的，也是最后的目标——东都洛阳。

这一年四月，李密命新附的孟让率部突袭东都，在东市整整劫掠了一夜，直到次日黎明才呼啸而去。等到隋军回过神来时，原本繁荣富庶的东市商业区早已被夷为平地。

此次行动虽然只是突袭，并未占领东都，却给东都的留守朝廷和周边郡县造成了极大的恐慌。数日后，巩县县令杨孝和举城投降李密。不久，负责把守虎牢关（今河南荥阳市西）的裴仁基也向李密献关投诚。李密大喜过望，马上封他为上柱国、河东公。

让李密感到欣喜的，还不仅仅是得到虎牢关和裴仁基，还有顺带得到他麾下的一员猛将——秦叔宝。

秦叔宝，名琼，以字行世。齐州历城（今山东济南历城区）人，早年在隋将来护儿帐下，深得来护儿赏识。秦叔宝的母亲过世的时候，来护儿还特地遣使慰问，令左右大感诧异："家中有丧事的人多了去了，将军从不过问，为何独独为秦叔宝之母吊唁？"来护儿回答："此人勇悍，加有志节，必当自取富贵，岂得以卑贱处之！"（《旧唐书·秦叔宝传》）

差不多在秦叔宝归附李密的同时，还有一个传奇人物也来到了瓦岗。在历代有关隋唐的演义和评书中，这个人一直具有很高的知名度，用"妇孺皆知"来形容他一点也不为过。

这个人就是程咬金。

时至今日，中国老百姓对"半路杀出个程咬金""程咬金的三板斧"这些俗谚依然耳熟能详、津津乐道。可在正史中，程咬金使用的武器却不是笨拙的斧头，而是灵活的长矛。他使用"程咬金"这个搞笑名字的时间也很短，加入瓦岗不久就改了一个很严肃的名字——程知节，此后也一直以此名行世。可是，程咬金这个名字基本上家喻户晓，但"程知节"在民间却鲜为人知。

虽然秦叔宝和程知节的生平不像演义描述的那么色彩斑斓，但是在隋末唐初波澜壮阔的历史上，他们也的确是响当当的人物。在此后很长的一段时间内，秦叔宝和程知节的名字也始终绑在一起，联袂演绎了一幕幕乱世英雄的成长历程——大业十四年（公元618年），瓦岗覆灭，他们一起归降了王世充；后来，他们不满王世充的为人，又向唐朝投诚，效力于秦王李世民；武德九年（公元626年），他们又追随李世民参与了玄武门之变；贞观十七年（公元643年），他们又一同进入了"凌烟阁二十四功臣"的行列。

秦叔宝和程知节来到瓦岗后，李密立刻任命他们为骠骑将军，统领麾下最精锐的八千名"内军"。李密时常对人夸口："我这八千精锐，足以抵挡百万大军！"

大业十三年，李密的麾下可谓兵强马壮、人才济济，然而，他一心想夺取的东都也不是一块好啃的骨头。因为，此时的东都还驻守着二十多万装备精良、训练有素的隋朝正规军。要消灭他们，谈何容易？

不过，在李密看来，这二十多万守军固然是东都留守朝廷的雄厚资本，但同时也是一个巨大的包袱。道理很简单——这二十多万人每天都要吃饭。

几年来，这支数量庞大的军队一直依赖于东都附近的两大军粮储备基地：兴洛仓和回洛仓（今河南偃师县北）。如今，兴洛仓早已被李密占据，下一步，只要李密再把回洛仓拿下来，就能把东都这二十多万军队活活困死！

这才是攻取东都的上上之策，李密想。

敌之要点即我之要点。大业十三年初夏，瓦岗军与隋军围绕着回洛仓展开了激烈的争夺战。

四月十三日，李密命裴仁基和孟让率两万人进攻回洛仓，迅速将其攻克。洛阳的隋军立刻出兵反攻，将裴仁基击败。

裴仁基撤退后，李密马上亲率大军击退隋军，再次占据回洛仓，随后分兵进攻偃师（今河南偃师县）和金墉（旧洛阳西北部）。李密的计划是一鼓作气占领这两座城池，然后与回洛形成战略协防的掎角之势，同时又能达到肃清洛阳外围、缩紧包围圈的目的。

然而，瓦岗军在偃师和金墉却遭到了隋军的顽强抵抗。眼看这两座城池在短时间内难以攻克，而回洛仓又无险可守，李密只好在四月十五日放弃回洛，撤回洛口。

李密的撤兵对东都而言无疑是一大福音，因为此时的洛阳城已经断粮数日了。越王杨侗当机立断，趁李密回洛口喘息休整的间隙，命军队前往回洛仓运粮。

为了防止瓦岗军突袭，杨侗一共派出了九支部队，在洛阳到回洛仓的一路上严防死守，终于把回洛仓中的一部分粮食运回了东都。当长长的车队满载而归的时候，杨侗长长地松了一口气。有了这些救命的粮食，他就能死守东都，和李密打持久战！

让隋军在眼皮底下运回了粮食，李密大为恼怒。四月十九日，李密亲率三万人马再次占领了回洛仓，并挖掘壕沟，修筑城墙，发誓不让隋军再从这里得到一颗粮食。

杨侗急命光禄大夫段达等人率七万大军进攻李密。四月二十一日，两军在回洛仓北面会战，隋军战败，撤回洛阳。

眼看东都已经岌岌可危，杨侗慌忙派遣太常丞元善达赶赴江都，向杨广告急。元善达不辱使命，穿越重重险阻抵达江都，终于见到了天子杨广，声泪俱下地汇报了东都的严峻形势，并请求杨广速还东都。

杨广一听，大为不悦。

近臣虞世基注意到了杨广阴郁的脸色。他知道，天子最不想听见盗贼猖獗的消息。过去，他也曾在这方面作过诤谏，可无一例外地触了逆鳞，后来虞世基就学乖了，只一心一意取悦天子，于是君臣关系变得十分融洽。

这一次，虞世基当然知道该怎么做。他轻描淡写地对杨广说："年少的越王被这些人给诳骗了！倘若形势果真如此严峻，元善达又何由至此？"

杨广大怒："元善达这小子，竟然敢当廷欺君！"于是立刻命他前往东阳郡（今浙江金华市），名义上是让他去征集粮草，其实是叫他去送死。很快，元善达就在半路上被变民军杀了。从此，再也没人敢跟天子提起东都的情况。

没人来报忧，天下自然就太平了。元善达带来的不愉快，转眼就被杨广抛到了九霄云外，江都的离宫依旧一派歌舞升平。

正当杨广沉浸在温柔乡中乐不思蜀的这一年，河东、陇西、河西、江南等地迅速崛起了一个个割据政权，他们是刘武周、梁师都、郭子和、薛举、李轨、萧铣。

这是意欲颠覆隋朝的第二波力量。

相对于大业七年到大业十二年的那一波反隋浪潮，大业十三年掀起的这一波，显然动静更大，来势更猛。而且，这几个核心人物的能量和号召力，也远比此前那些暴民更为巨大。

刘武周，马邑（今山西朔州市）人，少年时"骁勇善射，交通豪侠"，后随军东征高丽，以军功授建节校尉，后调任马邑郡鹰扬府校尉。马邑郡太守王仁恭视其为英雄，让他当了自己的亲兵队长。不久，刘武周因职务之便与王仁恭的侍妾私通，因担心事情泄露，便纠集同郡豪杰刺杀了王仁恭，然后自称太守，并投靠了东突厥。大业十三年三月下旬，刘武周登基称帝，改元天兴。

梁师都，夏州朔方（今陕西横山县）人，世代为郡中豪族，本人曾在隋军中担任鹰扬郎将。大业十三年春，梁师都率数十名徒众刺杀郡丞唐宗，据郡而反，并自称大丞相，北连突厥。同年三月，梁师都登基称帝，国号为梁，定都朔方，改元永隆。

郭子和，同州蒲城（今陕西蒲城县）人，曾在隋禁军任职，因罪贬谪榆林郡（今内蒙古托克托县）。正逢当地爆发饥荒，人心思变，郭子和便暗中结交了十八个不怕死的弟兄，攻击郡城，生擒了郡丞王才，以不恤百姓之罪将其斩首，并开仓赈粮，随后自称永乐王，改元正平，南连梁师都，北附东突厥。

薛举，河东汾阳人，随其父徙居金城（今甘肃兰州市），家财万贯，是边境一大富豪，早年任金城府校尉。大业十三年四月，薛举和儿子薛仁果发动兵变，占领县城，自称西秦霸王，改元秦兴。同年夏，薛举接连攻克枹罕（今甘肃临夏市）、岷山（今甘肃舟曲县西）、西平（今青海乐都县）、浇河（今青海贵德县）等郡，尽有陇西之地，部众增至十三万人。同年七月，薛举登基称帝。

李轨，武威姑臧（今甘肃武威市）人，原任鹰扬府司马，大业十三年，与好友曹珍、梁硕等人发动兵变，据守郡城，自称河西大凉王，改元安乐，设置百官，并于次年登基称帝。

萧铣，梁朝皇室后裔，早年落魄，靠替人抄书勉强糊口。杨广登基后，萧氏被立为皇后，萧铣才靠外戚的关系当上了罗川（今湖南湘阴县东）县令。大业十三年，萧铣在董景珍、雷世猛等少壮军官的拥立下，据巴陵郡（今湖南岳阳市）起事，自称梁王，改元凤鸣。次年四月，萧铣称帝，国号为梁，一切典章制度皆依梁朝旧制。

大泽龙方蛰，中原鹿正肥！

公元617年，大隋帝国山河裂变、乾坤倒转，一个又一个乱世英雄争先恐后地浮出了历史水面。很显然，这些来自帝国内部的军官、富豪、贵族、外戚起兵的目的，与前期造反的那些底层民众截然不同——他们不是为了向朝廷争取生存权，而是为了与杨广争夺统治权！所以一旦起兵，他们便会迫不及待地分疆裂土、称帝称王，向隋朝的统治合法性发起强烈的挑战。

此外，这些原本便已掌握了一定的政治和经济资源，并且拥有相当军事实力的新一波叛乱者，在战场上的表现也远非前期的农民军可比。换言之，大业七年到大业十二年间的农民起义，充其量只是拉开隋朝灭亡的序幕而已，最终颠覆隋朝社稷、重建帝国政治、决定历史走向的，只能是来自帝国体制内部的这批精英！

大业十三年，大隋帝国已经风雨飘摇，迷失的隋鹿正在等待着新的主人。

这一年五月，一个拥兵一方、实力雄厚的封疆大吏，在耐心地蛰伏数年，冷静地纵观天下大势之后，终于缓慢而坚定地出手了。

他，就是李渊。

第二章

潜伏的李渊，强悍的李渊

血缘传说与天命神话

李渊是典型的门阀世族出身。

按照李唐皇室自己的谱牒记载，他们有着极为高贵的氏族血统。其远古的祖先甚至可以追溯到五帝时代的颛顼高阳氏，而春秋时期的祖先则可以追溯到老子（李耳），西汉时的先人则是抗击匈奴的名将李广。这是李唐皇室自己记述的最早世系渊源，看上去十分辉煌。不过可惜的是，现在的学界已经彻底否定了这个说法，认为这只是李唐皇室为了"高远其来者"而精心编造的血缘神话，根本不可信。

久远的世系被证明是一个美丽的谎言，那么较近的世系呢？

很遗憾，同样经不起推敲。

据李唐皇室自称，李渊的七世祖是十六国时期的陇西成纪（今甘肃静宁县西南）人，西凉的开国帝王李暠；六世祖李歆是西凉后主；西凉被匈奴灭亡后，五世祖李重耳流亡南朝刘宋，后又归降北魏，任弘农太守；高祖父李熙任北魏金门镇将，率豪杰镇守武川（北魏"六镇"之一，宇文泰家乡，今内蒙古武川县），遂留居此地；曾祖父李天锡亦为北魏重臣。

因为西凉王李暠是西汉名将李广后裔，所以这段世系意在表明李唐皇室不但出自汉代名门，世代均为陇西望族，而且又是西凉王室之后和北魏的豪门显宦。这样一段家谱自然也是无比显赫的，但是它上面仍然笼罩着重重的历史迷雾。经现代学者研究认为，李氏家族与西凉王室绝无关系，并且据史学大师陈寅恪先生考证，他们也与陇西望族李氏毫无瓜葛。此外，李唐皇室之所以自称先祖曾留居武川，目的在于暗示他们与西魏的实际统治者、北周的开创者宇文泰同出一源，均为北朝后期至隋唐年间叱咤风云的武川军团的核心成员。可陈寅恪先生认为这样的说法同样是子虚乌有。

既然如此，那么李唐皇室的世系渊源究竟出自何处呢？

陈寅恪先生的看法是——河北赵郡李氏。虽然赵郡李氏也是中国北方屈指可数的名门望族，但李唐一族的先祖很可能只是其中没落衰微的一支。陈寅恪先生在《唐代政治史论述稿》中说："据可信之材料，依常识之判断，李唐先世若非赵郡李氏之'破落户'，即是赵郡李氏之'假冒牌'。至于有唐一代之官书其纪述皇室渊源，间亦保存原来真实之事迹，但其大部尽属后人讳饰夸诞之语，治史者自不应漫无辨别，遽尔全部信从也。"《剑桥中国隋唐史》的作者认为，虽然陈寅恪先生的说法不能被视为最终定论，但他的论证非常有力，至今尚无人能做出令人信服的反驳。

至此，李唐皇室高贵的出身渊源和美丽的血缘传说——破灭。

然而，不管最初的渊源何在，从李渊的祖父李虎开始，李氏家族的历史就脱离了传说，进入了货真价实的信史阶段。北魏末年，李虎追随宇文泰创建了西魏，官至太尉、尚书左仆射，封陇西郡公，并与太师宇文泰、太傅元欣、太保李弼（李密曾祖父）、大司马独孤信、大司寇赵贵、大司空于谨、少傅侯莫陈崇八人同为西魏的佐命功臣、柱国大将军。这就是历史上著名的西魏"八柱国"。

《周书》称："当时荣盛，莫与为比，故今之称门阀者，咸推'八柱国家'。"从此，李氏家族再也不是什么"破落户"和"假冒牌"了，而是一跃成为堂堂正正的贵族门阀。

按宇文泰创设的府兵制，在显赫的八柱国之下还设有十二大将军，隋文帝杨坚的父亲杨忠就是其中一员。这八柱国和十二大将军家族共同构成了一个空前强大的政治军事集团，成为西魏王朝当之无愧的中坚力量，并且在其后的中国历史上发挥了至关重要的作用，产生了无与伦比的影响。其中，宇文家族建立北周，吞并了北齐；杨氏家族建立隋朝并统一了中国；李氏家族建立唐朝，开创了大唐盛世……

这个在北朝后期强势崛起，并且对中国历史影响深远的军事贵族集团，被陈寅恪先生命名为"关陇集团"。该集团的几大核心家族不但是政治和军事上的同盟，而且还通过联姻缔结了一条特殊的政治纽带。这条纽带中的一个关键性人物就是西魏的八柱国之一、大司马独孤信。他的长女嫁给了宇文泰的长子，即北周明帝宇文毓；七女嫁给了杨忠的儿子杨坚，即后来的隋文帝；四女嫁给了李虎的儿子李昞，在北周天和元年（公元566年）生下了李渊。武德初年，李唐皇室追尊李昞为元皇帝，而李渊的母亲自然也就被追封为皇后。所以从理论上讲，独孤信就成了三个皇帝的岳父，而独孤家族也成了三个王朝的外戚。

这就是中国历史上"一门三皇后"的传奇。

北周建立后，已经去世的李虎被追封为唐国公，其子李昞承袭了爵位，并任安州总管、柱国大将军。北周建德元年（公元572年），李昞卒，年仅七岁的李渊袭爵唐国公。长大后，这个年轻的世袭贵族不但风流倜傥、一表人才，而且为人豁达宽容，毫无纨绔子弟的骄矜恶习（《旧唐书》称其"任性真率，宽仁容众，无贵贱咸得其欢心"）。很显然，从少年时代起，李渊就以其亲和力赢得了人心。一个开国帝王所应具有的人格魅力似乎在此时便已渐露端倪。隋朝建立后，姨父隋文帝杨坚和姨母独孤皇后对李渊恩宠有加，于开皇元年（公元581年）任命他为天子的近身侍卫——千牛备身，后来又让他在畿辅地区和西北的战略要地历练，辗转担任谯、陇、歧三州刺史。

在中国历代正史的帝王本纪中，大多数开国皇帝的头上都会笼罩许多匪夷所思的神话光环，修史者总是想借此表明他们是异于凡人、天命所归的真龙天子。比如汉高祖刘邦出生前，他母亲就曾在一个"雷电冥晦"的午后于野外打盹，一不小心就"梦与神遇"。她老公急急忙忙出去找她时，竟然目睹了一个很黄、很暴力的场面——一条张牙舞爪的巨龙正在强行与他老婆交配！史书没有记载，刘老爹戴上这顶"天龙"牌绿帽时的心情究竟是窃喜还是悲愤，只说刘大妈"已而有娠，遂产高祖"（《汉书·高祖本纪》）。

后世的修史者可能觉得这个黄暴场面过于粗俗，有碍观瞻，所以不敢抄袭，轮到为宋太祖赵匡胤作传时，笔墨就收敛了许多。他们说宋太祖在洛阳夹马营出生的那天，"赤光绕室，异香经宿不散"，而刚落地的天子则"体有金色，三日不变"（《宋史·太祖本纪》）。

赵匡胤的这个神话故事显然比刘邦那个干净，可后来的修史者又觉得它过于含蓄呆板，所以当他们在创作"历代帝王神话之朱元璋版"的时候，艺术手法上就有了很大的进步，既不失赵匡胤版的干净，又不失刘邦版的生动。故事是这么说的：朱元璋的母亲陈氏刚有身孕，就梦到一个神仙送给她一颗丹药。拿过来一看，通体放光；一吞进嘴里，口舌生香。分娩的那天晚上，老朱家的土房子忽然"红光满室"，而且红光蹿出房顶，整夜闪个不停。村里的乡亲们"惊以为火，辄奔救，至则无有"（《明史·太祖本纪》）。明明以为老朱家着火了，跑过来看却啥都没有，最后才知道是老朱家在生娃。实在是神奇啊！众人不约而同地想，看来此娃定非凡胎，日后必有一番惊天动地的造化！

关于历代开国皇帝的天命神话，就这么堂而皇之地记录在官方正史上，被民间后世传为美谈，或者传为笑话，让千百年来的读者顶礼膜拜，或者嗤之以鼻。

既然其他的真龙天子都有神迹，那么唐高祖李渊呢？

喜欢猎奇的读者也许会失望，因为李渊出生前后的故事非常朴素，既没有他母亲与巨龙郊外野合的黄色情节，也没有红光似火把隔壁邻居折腾一宿的生动记载。唯一让李渊显得与众不同的地方，就是《新唐书》中关于他生理特征的一个记载。

该书称李渊"体有三乳"，这真是让人百思不得其解。用我们现代人的眼光来看，男人（应该也包括女人）多出一乳能干什么呢？既多余又不美观，甚至还有点畸形和滑稽怪诞。

然而，就是如此畸形怪诞的体貌特征，在古人眼中却是千古不遇的"大吉之征"。《史记·周本纪》称："文王龙颜虎肩，身长十尺，胸有四乳。"《淮南子·修务训》说："文王四乳，是谓大仁，天下所归，百姓所亲。"《春秋繁露·三代改制质文》："天将授文王……有四乳而大足。"可见历代有关文献都将周文王的畸形四乳，看成天下归心、周之勃兴的天命征兆。

既然周文王都能比常人多出二乳，那么大唐开国之君李渊的身上比常人多出一乳就显得再正常不过了。然而我们却有理由怀疑，这第三乳极有可能不是老天爷所为，而是后世修史者强行"摁"上去的。一个比较明显的证据是：这个记载只见于《新唐书》，而该书修于北宋，属于后出的史料，先出的修于五代的《旧唐书》中并没有这个"体有三乳"的怪诞说法。所以我们只能说，这则"三乳奇谈"很可能出自后世史家的杜撰。

相对于《新唐书》的"三乳奇谈"，《旧唐书·高祖本纪》的记载就朴实了很多，它仅仅托相士之口，对李渊日后必将君临天下作出了某种暗示。该书称，一个名叫史世良的善相之人曾对李渊说："公骨法非常，必为人主，愿自爱，勿忘鄙言。"高祖从此"颇以自负"。

这则故事的真实性我们当然已经无从查考，但是相对于其他帝王的天命神话和《新唐书》的"三乳奇谈"来说，或者从李渊日后的种种作为和表现来看，《旧唐书》这则"相士预言"的可信度还是比较高的。换句话说，很可能早在担任地方刺史的时候，李渊的内心就已经暗暗生出问鼎天下的志向和使命感了。

李渊一直在潜伏

关陇集团内部流行政治联姻,这种做法自然延续到了李渊这一代。

李渊的父亲李昞娶的是鲜卑望族独孤信的女儿,而李渊同样娶了另一个鲜卑望族、隋定州总管窦毅的女儿(按《魏书·官氏志》,"窦氏"即鲜卑的"纥豆陵氏")。众所周知,这个后来被追封为太穆皇后的窦家女儿就是李建成、李世民和李元吉的生母。

据说这个窦家女儿出生不久便"发垂过颈,三岁与身齐"(《旧唐书·后妃列传》),如此一头美丽的长发实属罕见,因此自然是人见人爱。由于窦氏的母亲是北周朝的襄阳长公主(宇文泰的五女)、武帝宇文邕的姐姐,而宇文邕又特别喜欢这个美丽的小外甥女,因此一直把她养在宫中,视如己出。

其时北周王朝尚未统一中原,仍然与关东的北齐和江南的陈朝处于"三国鼎立"之局,因而不得不依附东突厥并与其联姻,以求得政治和军事上的支持。当时宇文邕娶的就是东突厥的公主。但是这种纯粹的政治婚姻毫无半点感情基础,所以宇文邕并不宠爱这个突厥皇后,对她极为冷淡。

也许是因为出生于鲜卑的名门望族,再加上在宫廷中的耳濡目染,窦氏从小就聪慧过人,而且具有非常敏锐的政治头脑。就是在突厥皇后这件事情上,年幼的窦氏特意找了一个没人的时候,郑重其事地向她的皇帝舅舅提出了自己的政治见解。她说:"而今四边未静,突厥尚强,愿舅舅抑制自己的感情,对皇后多加抚慰,如此才是以苍生为念!只要真正得到突厥的助力,那么江南、关东就不足为患了。"

宇文邕大为惊讶,没想到这个外甥女小小年纪,对政治形势的判断居然如此成熟老到!又惊又喜的宇文邕当即采纳了小外甥女的意见。

窦氏的父亲窦毅听说此事后,高兴地对妻子说:"此女才貌双全,不可轻易许人，当为之择一贤夫。"到了窦氏该出嫁的年龄，窦毅就在自家的屏风上画了两只孔雀，然后举行"佳婿海选"，向长安城的贵族公子们宣布：若有想求婚者，就给他两支箭，必须两箭各中一只孔雀一目，才有资格成为窦家的乘龙快婿。长安城的公子哥们听说著名的长发美女要选婿了，顿时蜂拥前来，但是一连数十个帅哥出手，却没有一个能够两箭各中一目。后来发生的事情就不言而喻了。英姿飒爽、玉树临风的李渊一到，啪啪两箭，各中一目，干脆利索，成功夺魁。众位帅哥黯然失色，窦毅夫妇笑逐颜开。没过多久，神箭帅哥李渊就在众人既羡且妒的目光中把长发美女窦氏娶过了门。

这则"雀屏中选"的故事从此在长安坊间流传开来，并且在后世传为美谈，成了择婿许婚的代名词。

北周大象三年，亦即公元581年，杨坚篡周，建立隋朝，并将幼主周静帝和北周宗室群王屠戮殆尽。面对宇文皇族遭遇的灭顶之灾，窦氏悲愤莫名，扑在床上痛哭，边哭边说："恨我不是男儿，无法拯救舅家的灾难。"窦毅夫妇当场吓得面无人色，赶紧捂住她的嘴，低声训斥道："你千万别乱说，这是会灭族的啊！"

从这件事情我们可以看出，窦氏身上具有一种巾帼不让须眉的胆识和血性。这也许与她身上流淌的鲜卑血液有关。

大业初年，李渊历任荥阳、楼烦、扶风等郡的太守。在担任扶风太守期间，李渊曾得到几匹骏马，就在他乐得合不拢嘴的时候，窦氏却蹙起了眉头。她告诉李渊："主上亦喜飞鹰骏马，此公之所知，所以这些马必须送入宫中，不可久留，否则一旦有人跟主上提起，它们必定成为负累，请公慎重考虑。"

李渊一听大为郁闷。他明知道妻子说得有道理，可又舍不得那几匹刚到手的宝马，一直犹豫不决。没想到几天后杨广果然知悉，马上对他进行责罚，搞得李渊追悔莫及。后来李渊汲取了教训，老老实实按妻子说的做，四处搜罗良马猎鹰，频频进献给杨广，终于讨得天子欢心，于大业十二年被擢升为右骁卫大将军。

可是，当李渊得到这个职位的时候，窦氏已经在三年前去世了，年仅四十五岁。李渊涕泪横流地对几个儿子说："若早听从你们母亲的话，我在这个官位上已经很久了。"

窦氏既没能看到李渊成为隋朝的大将军，更没看到李渊成为大唐王朝的开国之君，这不能不说是一个莫大的遗憾。

大唐开国后，秦王李世民就曾屡屡为此而黯然神伤。（《资治通鉴》卷一九○："世民每侍宴宫中，对诸妃嫔，思太穆皇后早终，不得见上有天下，或歔欷流涕。"）

如同我们前面所说的，出身鲜卑望族的窦氏从小就具有异常早熟的政治智慧，北周灭亡时又表现出"恨非男儿"的血性，嫁给李渊后成为李渊政治生涯中不可或缺的参谋和智囊，所以我们完全有理由认为，窦氏的确是当时一位不可多得、出类拔萃的政治女性。假如不是早亡，窦氏应该能在初唐的政治舞台上发挥相当大的作用和影响。

不过，虽然窦氏对大唐开国的这段历史没有产生直接影响，但是在李氏三兄弟的成长过程中，这位鲜卑母亲的影响肯定是不可小觑的。

除了李渊所提供的政治世家的教育和熏陶之外，李氏三兄弟应该也会从窦氏的言传身教中得到必要的政治启蒙并培养出相应的政治抱负，同时也能从母亲那鲜卑望族的血液遗传中获得精明强悍的性格基因。所以我们也可以说，窦氏虽然早亡，可她的影响力早已通过上述种种方式植入了李氏三兄弟的体内，不但为他们日后纵横沙场、争霸天下埋下了伏笔，并且最终为千古一帝李世民的横空出世埋下了伏笔。

大业九年（公元613年）初，李渊从地方太守的任上被调回朝中担任卫尉少卿。其时正逢杨广发动第二次高丽战争，李渊赶赴怀远镇负责督运粮草军需。旋即爆发杨玄感叛乱，李渊又被紧急调回弘化（今甘肃庆阳市）担任留守，并主持潼关以西十三郡的军事。

很显然，从大业中期开始，李渊已经成为隋炀帝杨广深为倚重的心腹大臣之一，所以他能不断获得从地方到中央的各个重要职位。正是在这个过程中，李渊的政治和军事能力得到了深入的历练，同时问鼎天下的雄心也在不断膨胀。史称其"历试中外，素树恩德，及是结纳豪杰，众多款附"。也就是说，李渊一直在这几年中有意识地培养自己的干部队伍，建立自己的势力集团，为日后夺取天下做充分的准备。

可是，杨广不是瞎子。

尽管李渊很谨慎，但是他的行为还是引起了这位大隋天子的怀疑和警觉。有一次杨广在行宫，故意传诏李渊前去觐见，李渊托病不去，杨广顿时大为疑惧。当时李渊的一个外甥女王氏是杨广的嫔妃，杨广就问她："你舅舅为何迟迟不来？"王氏回答说李渊病得很厉害。杨广深深地看了王氏一眼，似问非问地说了一句："会不会病死啊？"这句话很快就传进了李渊的耳中，李渊大为惊恐。皇帝的意思再明显不过了——他希望李渊死！

这是一个非常危险的信号。皇帝随时下一道诏书，李渊就可能富贵不保，甚至人头落地。

怎么办？是索性起兵造反，还是就这么坐以待毙？

李渊知道，虽然隋朝天下已经烽烟四起、人心思乱，但远不到分崩离析、轰然倒塌的地步。所以，此时起兵绝对不是时候。杨玄感就是前车之鉴！

怎么办？李渊陷入了痛苦的思索之中。

然而李渊并没有痛苦很久。在隋帝国的政坛上混了这么多年，这点应变的智慧还是有的。他最后想出的办法是——自秽。没有比自秽更好的保命办法了。

于是从大业九年的秋天起，差不多一年多的时间里，李渊终日沉迷酒色，并且大肆贪污受贿，生怕别人不知道他已经堕落了——从一个精明强干的朝廷重臣堕落成一个酒色财气的庸臣和昏官了。

李渊"堕落"的消息很快就通过朝廷的情报网落进了天子的耳朵。

杨广笑了，他悬了许久的一颗心终于放下了。一个酗酒、纵欲、贪财、好色的中年男人，还有多少觊觎天下、逐鹿中原的野心和能力呢？

　　所以杨广特别喜欢现在这副模样的表兄李渊。

　　大业十一年（公元615年）四月，终于重获天子信任的李渊被任命为山西、河东（约今山西省）讨捕使，负责镇压当地叛乱。在龙门（今山西河津县），李渊身先士卒，仅率少数骑兵便大破变民首领毋端儿的数千部众。大业十二年（公元616年）年底，李渊在历任右骁卫大将军、太原道安抚大使等职务之后，终于被擢升为太原留守。

　　太原（郡治在晋阳，即今山西太原市）是帝国北部边陲防御突厥的一座军事重镇，城高池深、兵强马壮，储存的粮饷可支十年。隋炀帝交给李渊的任务是让他镇守此地，负责清剿周边地区的叛乱，并与马邑（今山西朔县）太守王仁恭共同防御突厥。

　　可对心怀异志的李渊来说，这座太原郡无疑将成为他开创帝王大业最理想的根据地。因为它不但是一座给养充足、战略地位十分突出的军事重镇，而且是五帝时期圣君唐尧的发祥地，恰与李渊唐国公的爵衔相契，所以自从以安抚大使的身份进驻太原后，李渊就已经"私喜此行，以为天授"了（《大唐创业起居注》）。

　　所谓"天授"，也就意味着叛隋起兵、争霸天下的时机已经成熟。

　　为了这一天，李渊已经等待好几年了。

　　早在大业九年初，李渊前往怀远督运军需，途经涿郡的时候，就曾与他的朝中密友、隋炀帝近臣宇文士及进行过一次有关"时事"的密谈。宇文士及是隋朝重臣宇文述之子、隋炀帝的驸马，身处隋帝国的政治中枢。所以李渊和他的此次密谈，其意义自然非同小可。关于此次会谈的内容，史书没有记载，但是我们可以从武德初年李渊对裴寂所说的一句话中窥见端倪——高祖笑谓裴寂曰："此人与我言天下事，至今已六七年矣，公辈皆在其后！"（《旧唐书·宇文士及传》）

众所周知，裴寂是大唐的开国元勋、晋阳首义的第一功臣，连他都要排在宇文士及后面，可见李渊在大业九年与宇文士及所谈的"天下事"，实际上就是"问鼎天下"之事。

不久后杨玄感叛乱爆发，李渊被调任弘化留守，遂按下起兵之意，静观事态变化。其妻兄窦抗力劝其起兵，说："杨玄感已经抢先一步了！李氏名应图谶，应该趁势举义，这是天意啊。"

但是李渊拒绝了，因为时机还不成熟。

李渊深深懂得第一根出头的椽子先烂的道理。

果不其然，仅仅两个月后杨玄感便兵败身亡。

大业十一年，李渊前往山西讨伐叛乱，他的副帅兼好友、善观天象的夏侯端再次劝他："金玉床摇动，此帝座不安……天下方乱，能安之者，其在明公。但主上晓察，情多猜忍，切忌诸李，强者先诛。金才既死，明公岂非其次？若早为计，则应天福；不然者，则诛矣！"（《旧唐书·夏侯端传》）

夏侯端所说的"切忌诸李，强者先诛"，指的就是那则流传天下的政治歌谣《桃李章》让杨广深为忌恨，因而大肆诛杀李姓之人的事，时任右骁卫大将军的李金才就是因为隋炀帝的猜忌而惨遭灭门之祸。

应该说夏侯端的分析还是很中肯的。当时李渊确实处境不妙，虽然通过"自秽"成功地掩藏了心迹，但是杨广对他的猜忌仍然存在，稍有不慎就会重蹈李金才的覆辙。

但是李渊还是忍了下来，因为他认为自己的实力还远远不足以扫灭群雄，颠覆隋朝社稷。

所以，他仍然需要蛰伏，需要隐忍。

时间终于到了大业十三年（公元617年），站在晋阳城头的李渊望着千里黄云、北风吹雁，一股澄清宇内、舍我其谁的豪迈之情猛然在胸中激荡。

他仿佛看见天命正在向自己遥遥招手。李渊万分感慨地对次子李世民说:"唐固吾国,太原即其地焉。而今我等能得此地,绝对是上天的恩宠和赐予。予而不取,祸将斯及!"

在幽暗的深渊中蛰伏了许多年的这条大唐巨龙,终于缓缓地昂起了头颅。大野苍茫的太原上空,正隐隐滚过一阵惊雷。

一个人与一个时代的相遇

李渊与原配夫人窦氏共生有四男一女:长子李建成,次子李世民,三子李玄霸,四子李元吉;一女是平阳公主,女婿是隋东宫千牛备身柴绍。其中除三子李玄霸早亡外,其他的三男一女一婿全部参与了李渊起兵叛隋和开创大唐王朝的整个进程。

而其中表现最为突出的人,首推李世民。

公元599年1月23日,即隋开皇十八年十二月二十二日,李世民出生于武功(今陕西武功县)的一座别馆,也就是李氏家族在此地的一座别墅。相对于李渊来说,李世民的出生就多出了一层神秘色彩。史称其出生时,有两条龙在他们家门口嬉戏喧闹,整整闹了三天才离开。其情形类似于我们今天开业典礼时为了增添喜庆气氛请来的舞龙队。唯一的差别是:人家那是吞云吐雾的真龙,而且是不请自来的,纯属义务演出、友情捧场;我们舞的则是假龙,而且还要给人家舞龙队递茶、递烟、包红包。

李世民四岁时,又有一个神秘的相士来到他们家,对李渊说:"公是贵人,定有贵子!"一转眼又看见了李世民,这位相士顿时双目炯炯地说:"龙凤之姿,天日之表!年将二十,必能济世安民矣!"(《旧唐书·太宗本纪》)

李渊又惊又喜。喜的是他们父子二人均有天命,来日必将贵有天下;惊的是此事一旦泄露,必定惹来杀身之祸。李渊狠狠心,决定把这个不知来自何方的相士杀了。可就在他愣神的间隙,那个神秘人物忽然消失无踪。从此，李渊便以"济世安民"之义为次子取名李世民。不知道李世民在此之前是否有过别的名字，但是从这个时候起，这个寓意深远的名字就将伴随他的一生，并且注定要载入史册、彪炳千古了。

关于李世民的少年时代，各种相关史籍的记载都很简略。

贞观初年，李世民曾对时任尚书左仆射的萧瑀说："朕少好弓矢，自谓能尽其妙。"（《贞观政要》卷一）

贞观年间，李世民在写给魏徵的一道手诏中说："朕少尚威武，不精学业，先王之道，茫若涉海。"（《全唐文》卷九）

贞观十五年（公元641年），虚岁四十三的李世民在武成殿大宴群臣，曾回忆自己的过去说："朕少在太原，喜群聚博戏，暑往寒逝，将三十年矣。"（《旧唐书·太宗本纪》）

综合上述各种史料的零星记载，我们基本上可以还原出少年李世民的一个大致轮廓。乍一看，这是一个典型的贵族子弟，而且颇有些纨绔子弟的嫌疑。因为他"好弓矢""喜博戏""尚威武"，可偏偏就是不喜欢读书；能把弓矢、骑射之术玩得异常精妙，可对先王之道、圣贤学问却"茫若涉海"，两眼一抹黑！

这不是纨绔子弟是什么？

比起那个"好学，善属文"，七岁就能吟诗作赋，才华横溢、风华绝代的杨家二公子，这位李家二公子简直可以说是不学无术、冥顽鄙陋。然而，就是那位才华横溢、风华绝代的杨家二公子，却亲手葬送了一个繁荣富庶、四海升平的帝国，并把自己钉上了"无道暴君""二世而亡"的历史耻辱柱；而这位"不学无术、冥顽鄙陋"的李家二公子，反而开创了一个万邦来朝的"天可汗"时代，并最终缔造出一个中国历史上绝无仅有的大唐盛世！

这看上去似乎有点奇怪。

可其实一点都不奇怪。

因为杨广并不是一个合格的政治家，当然更谈不上是一个称职的统治者。他身上强烈的诗人气质和虚荣天性严重障蔽了他的政治理性，他对完美的病态追求和毫无节制的浪漫主义激情，让他的执政生涯始终贯穿着浮华二字。或许是在江都任总管的十年让他过多地被浮靡绮丽的江南文化熏染了，或许是他的天性原本就与之契合，总之，与其说杨广是一个政治家，还不如说他是一个"政治美学家"。而当一个帝王的人格特征与他的职业要求背离时，就注定他只能成为一个蹩脚的统治者。此外，杨广那种恃才傲物、好大喜功的一贯秉性又导致了一种致命的自负，使他在逆境中的坚韧性和抗挫折能力几乎为零。所有这一切共同驱使他最终走上了失败和灭亡的道路。

　　与杨广恰恰相反，李世民身上那种活泼强悍的尚武精神，那种质朴的、原生态的生命动能其实正是继承了关陇集团的优秀传统。在那个一切都要靠武力和实力说话的年代，李世民并不是从书本上学习那些大而无当的所谓"先王之道"，而是从父母亲的性格遗传和言传身教中潜移默化地得到了那些开创王道霸业所需的秉性和特质。《旧唐书·太宗本纪》中说："太宗幼聪睿，玄鉴深远，临机果断，不拘小节，时人莫能测也。"从李世民日后在历史上的种种作为和表现来看，我们有理由认为，这并非修史者的溢美之词。少年李世民的这些内在气质和性格特点，一方面继承了鲜卑民族的勃勃血性和强势基因，另一方面也与关陇集团那些军事上和政治上的成功者所具有的人格特征相契合。

　　同样作为关陇集团的后人，杨广背叛了传统，而李世民则继承了前人，也无愧于他身上流淌的鲜卑血液。就像陈寅恪先生所说的："李唐一族之所以崛兴，盖取塞外野蛮精悍之血，注入中原文化颓废之躯，旧染既除，新机重启，扩大恢张，故能别创空前之世局！"

　　我们可以说，对于即将到来的那一场场改朝换代的战争以及一幕幕惊险残酷的政治博弈，这个机智果断、骁勇强悍的年轻人早已做好了上场的准备，并且充分具备了角逐的资格。

换句话说，李世民注定要与这个波澜壮阔的大时代迎面相遇。

大约在大业十年（公元614年），十五岁的李世民娶了隋右骁卫大将军长孙晟的女儿。众所周知，这个长孙家的女儿就是后来初唐历史上赫赫有名的长孙皇后。她知书达理、深明大义，尽心辅佐而绝不干政，在李世民登基御极、治理天下的过程中默默无闻地作出了很多贡献，不愧为成功男人背后的伟大女性，也无愧于"母仪天下"之称，可以说是中国历史上最具有典范性和楷模意义的皇后之一。

长孙家族是北朝的豪门显宦，其先祖出于北魏皇族拓跋氏，因在魏宗室中建功最伟，且居宗室之长，故改姓长孙。到了长孙晟这一代，其地位依然显赫。他是隋朝的重臣和名将，从青年时代起就深受隋文帝器重。此后长年经略突厥，曾向隋文帝提出远交近攻之策，从而成功离间突厥各部，使其最终向隋朝称臣。在隋帝国的国防事务和外交战略上，长孙晟可谓贡献良多、功勋卓著。大业五年，长孙晟病卒。大业十一年，隋炀帝被突厥围于雁门，曾向左右感叹道："向使长孙晟在，不令匈奴至此！"（《隋书·长孙晟传》）

长孙晟死后，年仅八岁的长孙氏和哥哥长孙无忌一起被舅父高士廉收留抚养。高士廉出自北齐皇族，其祖父高岳是北齐的实际开创者高欢的堂弟，封清河王，官至左仆射、太尉；其父高劢是北齐乐安王，也曾任左仆射。高士廉从小博览群书，尤其在文史方面颇具造诣。在他的熏陶下，长孙氏和长孙无忌自然都喜欢上了读书。史称长孙无忌"好学，该博文史"（《旧唐书·长孙无忌传》），而长孙氏也是"少好读书，造次必循礼则"（《旧唐书·文德皇后长孙氏传》）。

长孙氏十三岁时，由于高士廉对李世民非常赏识，知道他不是久居人下之辈，因此就把长孙氏许配给了李世民。从此，高士廉和长孙兄妹的命运就与李唐家族，尤其是李世民紧紧绑在了一起。

大业十一年（公元615年），隋炀帝杨广被突厥围困于雁门，下诏命各地勤王。虚岁仅十七的李世民就应征入伍，并向主将提出了"赍旗鼓以设疑兵"的策略。虽说此后突厥退兵、雁门围解是四方勤王之师大举云集的结果，并非李世民此计的功劳，但这一策略足以表现出李世民过人的军事才华。

大业十二年（公元616年），李渊出任太原道安抚大使时，把李建成和李元吉安置在河东，唯独带着李世民到了太原。我们不知道李渊这么安排的具体原因是什么，但有一点可以肯定，那就是从这个时候起，李世民已经成为李渊军事上的得力助手。这一点在随后打响的李渊讨伐甄翟儿的战斗中就表现得极为明显。

当时外号"历山飞"的变民首领魏刀儿北连突厥、南寇燕赵，其势甚为猖獗。甄翟儿是他的部众，率两万余人屯驻西河郡（今山西汾阳市），并时常袭扰太原，曾在战斗中斩杀隋朝将领潘长文。大业十二年四月，李渊与李世民率步骑五千余人前往征讨，在西河的雀鼠谷与甄翟儿展开了一场激烈的遭遇战。李渊命精兵张开两翼，而让赢兵居中，大张旗鼓，布置出一个迷惑敌人的大阵。此举与李世民当年的那个策略如出一辙，很可能就是他提出的建议得到了李渊的采纳。

随后，李渊亲率数百名精锐骑兵深入敌阵，迅速冲乱了敌军的阵形，但是变民军仗着人多势众，很快就把李渊团团包围。就在这千钧一发的时刻，李世民"以轻骑突围而进，射之，所向皆披靡，拔高祖于万众之中。适会步兵至，高祖与太宗又奋击，大破之"（《旧唐书·太宗本纪》）。

此战官军完胜，迅速打出了李渊父子的声威。虽然这一战的主要指挥者是李渊，但是李世民在这场战斗中表现出来的机智、果敢和勇猛，已足以让世人眼前一亮。

雀鼠谷一战，可以说是李世民军事生涯的一个辉煌开端，也是他正式登上隋末历史大舞台的亮相之作。

伟大的人物和伟大的时代总是彼此孕育、相互创造的。

大业末年，未及弱冠的李世民当然意识不到会有一个怎样辉煌的时代在不远的将来等待着他，他也不可能预料到自己在这个时代中的位置，但是，这并不妨碍他清醒地看见一度繁荣强大的隋王朝已经彻底到了崩溃的边缘。同时这也并不妨碍他凝视着眼前这个行将就木的庞然大物，和他的父亲李渊一起相视而笑。此刻他们仍然蛰伏在历史的水面下，但他们手里已经悄悄搭上了一支箭。

没有人知道这历史性的一箭马上会从太原射出，然后直接命中旧王朝的心脏——长安。当然也没人知道，一个生机勃勃的新王朝就将从这里开始茁壮成长。

晋阳起兵的历史真相（上）

公元617年，中国历史上最大的事件莫过于李渊父子的晋阳起兵。

它就像一道劈裂天空的绚丽闪电，一举刺破隋帝国的茫茫黑夜；又像是一束穿越浓云的熠熠曙光，瞬间照亮了大唐王朝的早晨。

这个令天地为之变色、令历史为之改辙的大事件有诸多人物参与，这些人后来都成为大唐历史上赫赫有名的开国功臣。他们是裴寂、刘文静、长孙顺德、刘弘基、唐俭、柴绍、殷开山、刘政会、温大雅、武士彟（武则天的父亲）……

这些人是晋阳起兵最重要的一批骨干力量，正是有了他们的策划、推动和实施，这次起义才能获得成功，大唐王朝最终才得以横空出世。可不管怎么说，他们终究只是这个大事件的配角。

而晋阳起兵的主角，当然非李渊父子莫属。可问题是，在李渊父子当中，谁才是这次起兵的首谋？谁才是这个大事件真正的灵魂人物？谁才是开创大唐三百年基业的第一人？

对此，历代官方正史都异口同声地回答——李世民。

后晋刘昫修撰的《旧唐书》声称："太宗与晋阳令刘文静首谋，劝举义兵。"北宋欧阳修等人编撰的《新唐书》也断言："高祖起太原，非其本意，而事出太宗。"司马光主编的《资治通鉴》更是斩钉截铁地说："起兵晋阳也，皆秦王李世民之谋。""高祖所以有天下，皆太宗之功！"

然而，历史的真相果真如此吗？

首先让我们来看看，按照官方正史两《唐书》和《资治通鉴》的记载，李世民和李渊在晋阳起兵前夕都做了些什么。

李世民跟随李渊来到太原后，结交了一批江湖义士。《旧唐书·太宗本纪》称其"潜图义举，每折节下士，推财养客，群盗大侠莫不愿效死力"。《资治通鉴·隋纪七》说："世民聪明勇决，识量过人，见隋室方乱，阴有安天下之志，倾身下士，散财结客，咸得其欢心。"

长孙顺德与刘弘基就是在这个时候与李世民结成了生死之交。长孙顺德是长孙晟的族弟，与刘弘基原本都是隋宫廷的宿卫军官，因逃避辽东兵役，亡命太原投靠了李渊，而得以与李世民相结纳。这两个人后来在募集义兵时都发挥了关键作用。

此外，刘文静和裴寂也先后加入了李世民"潜图义举"的行列。

刘文静时任晋阳令，裴寂时任晋阳宫监，二人因职务交往而成为好友。他们目睹天下大乱，而自身前途未卜，时常相对而叹。有一次裴寂说："贫贱如此，又逢离乱，将何以自存？"当时刘文静还未参与李世民之谋，但是暗中已经对他极为倾慕，所以趁机游说裴寂道："李世民非寻常之人，其胸襟豁达类似汉高祖，天纵神武如同魏武帝，虽然年少，却是命世之才！"言下之意是让裴寂和他一起依附李世民，可裴寂对此却不以为然。

不久，刘文静因与李密有姻亲关系而坐罪，被关进郡狱。正当他对前途感到茫然之际，李世民忽然亲自来狱中探望他。刘文静大喜过望，马上向李世民发出试探，说："天下大乱，非汉高祖、光武帝之才华者，不可平定四海！"

李世民笑着说："先生怎么知道没有？只是常人不知道罢了。我之所以来看你，并不是像小儿女那样注重个人感情，而是来和先生图谋天下大事，不知先生有何见教？"

刘文静知道自己没有看错人，于是将自己的想法和盘托出："如今主上南巡江淮，李密围逼东都，天下群盗多如牛毛。值此之际，若有真命之主应天顺人、振臂一呼，取天下则易如反掌。今太原百姓为避战乱，皆入晋阳，文静为晋阳令数年，知其中豪杰之士众多，一朝啸聚，可得十万人。尊公所领之兵亦有数万，一声令下，谁敢不从？进而乘虚入关，号令天下，不出半年，帝业可成！"

李世民听完朗声大笑："君言正合我意。"

从此李世民与刘文静开始积极部署，准备起事。

而这个时候，李渊在做什么呢？

按照正史的说法："渊不之知也。"而李世民则是"恐渊不从，犹豫久之，不敢言"（《资治通鉴》卷一八三）。

李渊真的是这样浑浑噩噩，对李世民的起兵密谋一无所知吗？

这个问题我们留待后面探讨，现在接着来看在官方正史中，李世民是如何软硬兼施地"说服"李渊起兵，而李渊又是如何举棋不定、出尔反尔的。

由于裴寂与李渊的私交很好，李世民决定从裴寂的身上突破。他天天与裴寂交游，同时拿出私人的钱数百万，让人与裴寂赌博，每一次都诈输，把裴寂乐坏了。等到那些钱输得差不多的时候，李世民也顺理成章地和裴寂变成好友了。最后李世民把自己的密谋告诉了裴寂，同时让他想办法说服李渊。

吃人的嘴短，拿人的手短。此刻裴寂已经很清楚他那些钱是怎么到手的了，只好点头同意。

李世民和裴寂很快就想了一计。随后的日子里，裴寂天天去找李渊喝酒，喝完酒又顺便送上几位美女。一连数日，把李渊伺候得舒舒服服。几天之后，裴寂找了个四下无人的机会，不慌不忙地对李渊说："二郎暗中蓄养兵马，欲举义旗，恐大事泄露被诛，所以让我以晋阳宫女奉公，此乃情急之下迫不得已之计。如今众人心意已决，不知公意下如何？"

李渊一听，当场爆出冷汗。

原来这几天与他合欢的竟然全都是晋阳行宫的宫女——皇帝杨广的女人！这可是灭门之罪啊！没想到自己的儿子和老友居然使了这么一招把他绑上了"贼船"。这一招可真损哪！

李渊愣了很长时间，最后无可奈何地说："吾儿既有此谋，事已至此，为之奈何？只好从他了。"

李渊虽然一只脚踏上了"贼船"，可毕竟是被逼无奈，所以犹豫了几天后又把脚缩了回去。

不久后又发生了一件让他差点掉脑袋的事，再次把他逼入一个进退两难的境地。那就是东突厥的入侵。

从大业十二年底到次年正月之间，东突厥屡次出兵进犯马邑（今山西朔县），李渊派遣副留守高君雅会同马邑太守王仁恭出兵抵御，结果却吃了一场败仗。人在江都的隋炀帝杨广闻讯大怒，以"不时捕虏，纵为边患"为由，遣使赴太原将李渊就地拘押，并准备将王仁恭斩首。

李世民一见时机成熟，终于当面对李渊说："今主上无道，百姓困穷，晋阳城外皆为战场，父亲若再拘守小节，下有盗寇、上有严刑，危亡无日啊！不如顺民心举义兵，转祸为福，此天授之时也。"

李渊大惊失色："你怎能说出如此大逆不道之言？我现在就告发你。"然后找出纸笔，做出一副马上要奋笔疾书之状。

李世民一脸沉着，缓缓地说："世民观天时人事如此，所以敢说。倘若父亲一定要告发我，不敢辞死！"

李渊气得把笔一扔，说："我怎么忍心告发你呢？你要慎重，别再说这种话了。"

不料第二天一早，李世民又来了。李渊听见他锲而不舍地说："今盗贼日繁，遍布天下，父亲受诏讨贼，贼能讨得完吗？到最后还要承担讨贼不力的罪名。而且世人纷传李氏当应图谶，所以李金才无罪，却一朝族灭。

退一步说，即便父亲能将盗贼尽皆剿灭，自古功高不赏，届时危险更大！只有昨日之言，可以救祸，此乃万全之策，愿父亲勿疑！"

李渊仰天长叹："我昨天一整夜都在想你说的话，其实还是很有道理的。今日不管是家破人亡由你，化家为国也由你，一切都由你了。"

此时的李渊真是一副万般无奈、听天由命之状！

几天后，隋炀帝的使者又到了，准备把李渊和王仁恭一起押赴江都问罪。李渊顿时惊慌失措。于是，李世民和裴寂等人再次向李渊进言："今主昏国乱，尽忠无益。偏将副手战场失利，竟然也要归罪明公。危亡已经迫在眉睫，宜早定计。况且晋阳兵强马壮，行宫中又蓄积金钱、布帛巨万，以此举事，何患不成？今留守长安的代王幼弱，明公若击鼓向西，据有长安如同探囊取物，何必被区区一个朝廷使者囚禁，坐以待毙呢？"

至此，李渊终于下定决心，开始暗中部署。可没过几天，江都的天子使臣又到了，宣诏赦免了李渊和王仁恭的战败之罪，并且让他们官复原职。赦令一下，李渊立刻反悔，矢口不提举义之事。

接下来的日子，越来越多的人都在催促李渊起兵。如鹰扬府司马许世绪、行军司铠武士彠、前太子左勋卫唐宪、其弟唐俭等等。

然而，大伙把嘴皮子都磨破了，该说的话翻来覆去都讲烂了，李渊还是迟迟不动。

刘文静忍无可忍，只好向裴寂施压："先发制人，后发者制于人。你为何不快点劝唐公起兵，怎能一再借故拖延呢？再说了，你身为宫监，却以宫女私侍他人，你一个人死就算了，何必拖累唐公？"

裴寂被触到痛处了。是啊，假如李渊迟迟不起事，万一晋阳宫女陪侍之事泄露，那他裴寂就算有八颗脑袋也不够砍啊！

此后裴寂只好天天追着李渊，死缠烂打、软磨硬泡，终于把李渊彻底说服了。李渊随后让刘文静假造敕书，以朝廷准备四征高丽为名，命令太原、西河、雁门、马邑四郡凡二十岁以上、五十岁以下者全部要应征入伍，借此扩大武装力量，准备起兵。

这就是历代正史所记载的关于晋阳起兵的起因和内幕。在这里,李渊被描绘成一个平庸、怯懦、胸无大志、多疑反复的傀儡型人物,而年未二十的李世民则被塑造成一个目光远大、足智多谋、意志坚定的领袖,表现出了一种远远超越他年龄的成熟和稳重。在此,李世民毋庸置疑地成了晋阳起兵的"首谋之人",而李渊一开始就被蒙在鼓里,后来迫不得已卷入了这个事件,几乎是被人用绑架的手段弄上了这条起兵叛隋的"贼船",自始至终都表现得碌碌无能而且万般无奈。

难道,这就是历史的真相?

晋阳起兵的历史真相(下)

通过近年来诸多中外学者对这一事件相关史料的重新研究,晋阳起兵的真相已经得到了澄清。海外的研究人员普遍认为:"有些重要情况可能是在唐太宗统治时期因太宗本人的坚持而编造出来的……根据从前被忽视的唐代初年的史料《大唐创业起居注》,历史学家已经能对唐朝创立史的传统说法中某些偏见和歪曲之处作出订正。"(崔瑞德《剑桥中国隋唐史》)

国内的一些学者也认为:"由于官修史籍的不真实,晋阳起兵的内幕几乎被掩盖了。突出地颂扬李世民,而其他人则黯然失色,或者被埋没,或者被歪曲……同时,旧史籍里还塞进了一些虚构的情节,渲染李渊的荒淫无能,以衬托李世民的功德兼隆。"(赵克尧、许道勋《唐太宗传》)

新的研究结论指出,李世民在晋阳首义和唐朝创建的过程中并不像旧史籍所塑造的那么英明神武和居功至伟,而李渊也并不像旧史籍所描述的那么猥琐不堪。相反,"李渊此人雄才大略,读太原起兵时记室参军温大雅所记《大唐创业起居注》可知。从隋大业十三年太原起兵到武德九年玄武门之变以前,李渊一直是最高决策者和全局指挥者……只因玄武门之变后李渊的政权为李世民所夺取……贞观朝纂修《高祖实录》就把太原起兵说成李世民所主谋，统一天下也几乎全是李世民的功劳，李渊被诬为坐享其成"（黄永年《唐史十二讲》）。

事实表明，李世民很可能在贞观年间对相关"实录"的修纂工作进行了干预，从而篡改了某些重大的历史事实。而后来编修的国史以及承用国史的两《唐书》，包括更后出的《资治通鉴》皆因袭而不改，致使晋阳起兵和唐朝创立史的部分真相从此湮没不彰。

在众多学者的研究中，基本上都提到了初唐的一份重要史料——《大唐创业起居注》。

该书的作者温大雅是太原人，史称其"少好学，以才辩知名"，曾任隋东宫学士、长安县尉，后因父忧去职，回晋阳闲居，见天下大乱而不求仕进。李渊到太原后，和他成为朋友，并慕其文名而"甚礼之"。李渊起兵后，温大雅被任命为大将军府记室参军，"专掌文翰"（《旧唐书·温大雅传》）。

很显然，由这样一位晋阳起兵的亲历者所撰写的史料，其真实性肯定要远远大于唐朝建国后的那些官修正史。所以《剑桥中国隋唐史》称他为"唐朝建立的目击者"。

那么，这位历史现场的目击者到底都目击了一些什么呢？

前文说过，其实早在大业九年，李渊就已经有了起兵叛隋、建立帝业的念头，所以他才会在涿郡与杨广近臣宇文士及进行密谋，只是后来因时机尚未成熟而暂时隐忍。所以根据温大雅的记载，大业十二年，当李渊以安抚大使的身份进驻太原时，他才会"私喜此行，以为天授"。

大业十三年正月，李渊因兵败遭到免职处分并就地拘押。其实这个时候李渊就已经下定起兵的决心了。之所以没有发动，只是因为李建成和李元吉尚在河东，李渊投鼠忌器而已。按《起居注》记载，其实当时并不是李世民苦口婆心劝说李渊，反而是李渊主动对李世民说："隋历将尽，吾家继膺符命，不早起兵者，顾尔兄弟未集耳。今遭羑里（古地名，今河南汤阴县北，为殷纣王囚周文王处）之厄，尔昆季须会盟津之师，不得同受孥戮、家破身亡，为英雄所笑。"

很显然，此时的李渊头脑非常清醒，他本来是想等三个儿子齐集太原后再起事，不料却突然遭到囚禁，所以他告诫李世民：如果情况没有好转，那么他们三兄弟就必须迅速集结、立刻起兵，不能坐以待毙，遭天下英雄耻笑。

所以当后来隋炀帝又赦免他时，李渊便对李世民说："当见机而作！"随后立即行动起来，命李建成"于河东潜结英俊"，命李世民"于晋阳密招豪友"，积极建立起义的核心力量。

但是直到此刻，李渊还是没有动手。

因为他身边安插着两颗钉子——副留守王威和高君雅。

他们是隋炀帝杨广特意安插在李渊身边的两名亲信，目的就是监视和制约他。

李渊虽然是封疆大吏，但是日常能够调动的兵力也极为有限。按照隋制，原则上只有皇帝本人才有招募和调遣军队的权力，地方官吏如果擅自发兵千人以上，就要被处以死罪。所以李渊要想拥有足够的兵力起事，就必须获得王威和高君雅的支持，且必须有充足的理由征兵。但是，王威和高君雅都是对隋室忠心耿耿的人，要拉他们入伙几乎是不可能的，弄不好就会功亏一篑、引火烧身，所以李渊绝不能冒这个险。

如何才能获得充足的理由征兵并取得王威和高君雅的支持呢？

李渊一直在焦灼地等待机会。

大业十三年二月，马邑军官刘武周突然发动兵变，杀了太守王仁恭，占据郡城，自立为定杨天子。李渊笑了。

这真是天赐良机。他私下对王威和高君雅说："武周虽无所能，却敢僭称尊号。万一他占据汾阳行宫，而我等又不能将其剪除，此乃灭族之罪啊！"王、高二人也觉得此事非同小可。汾阳行宫所在的楼烦郡（今山西静乐县）与马邑郡相邻，里面不但储积了无数钱帛，而且住着很多宫女，很可能成为刘武周的下一个攻击目标。所以他们极力要求李渊赶紧征兵，以讨伐刘武周。

李渊心中暗笑。他知道王威和高君雅急了，可他不急。他慢条斯理地说："再观察观察吧，通知楼烦稍作防备就可以了，我们要以静制动，以免自扰军心。"三月中旬，刘武周果然攻破楼烦，并袭取汾阳行宫，将其中的宫女悉数俘获，献给了东突厥的始毕可汗。王威和高君雅大为震恐。下一步，刘武周的兵锋绝对是直指太原了。

可李渊依旧气定神闲。他召集众文武将官说："命士兵戒严，加强城池布防，拨粮赈济流民。这三件事如今废一不可，其他的事情，就看诸位的了。"

早已急不可耐的王威和高君雅立刻拜请说："今日太原士庶之命，悬在明公。公若推辞，谁能担此大任？"

李渊知道，现在招募和调遣军队的理由已经非常充分了，而且王、高等人的心情都比他更为迫切，只等着他一声令下了。可李渊仍旧面露难色，说："朝廷有令，将帅出征，一举一动都要向朝廷禀报，接受朝廷节制。眼下贼兵在几百里内，江都却在三千里外，加上道路险阻，一路上又有其他贼兵据守，一来一往，不知要到什么时候。率领这支事事要听从遥控指挥的军队，抵御狡黠诡诈、来势凶猛的贼兵，就像是叫书生去扑火，能扑得灭吗？诸公皆为国之藩篱，应当同心协力，以除国难。大家都是为了报效朝廷，最好不要相互猜疑。我今天之所以召集诸位，是想商议一个最妥善的办法，并不是消极怯战、推卸责任。"

王威等人连忙说："公之文韬武略，远近皆知，并且兼具国亲和贤臣的身份，应当与国家休戚与共。如果事事奏报，如何应付突发事变？只要是为了讨伐叛贼，专擅行事亦无不可！"

要的就是这句话。李渊心头掠过一阵狂喜。可他脸上却装出一副无奈之状，勉强同意了王、高等人的请求，下令征兵。

命令一下，旬日之间便募集了近万人，这支队伍很快就将成为晋阳起兵的主力军。李渊命他们驻扎在兴国寺，私下对李世民说："纪纲三千，足成霸业！处之'兴国'，可谓嘉名。"同时分别遣使至河东和长安，催促李建成兄弟和女婿柴绍迅速前来太原集结。

万事俱备。

接下来的事情就是如何收拾王威和高君雅了。

然而，王威和高君雅也不是等闲之辈——能成为皇帝亲信并接受特别任务的人绝不会是笨蛋。

李渊的举动已经引起了他们的强烈怀疑。

因为李渊把招募来的军队分派给了三个人：李世民、长孙顺德和刘弘基。李世民是李渊的儿子，没什么好说的。问题出在后面这两个人身上。他们是什么人？他们都是逃避兵役的罪犯啊！早就应该处决了。本来没有告发他们就算是很给李渊面子了，现在李渊居然把军队交到这种逃犯手上，这是什么性质的问题？李渊到底想干什么？

王、高二人打算逮捕长孙顺德和刘弘基，以防生变。可他们的想法马上被一个人劝阻了。

他就是武士彠。

武士彠说："这两个人都是唐公的座上宾，如果你们一定要动手，恐怕会激起事变。"王、高二人想想也有道理。如今刘武周和突厥人虎视眈眈，倘若这时候引发内讧，对谁都没有好处。于是他们只好暂时按捺下来。几天后，又有一个叫田德平的军官准备建议王威和高君雅调查李渊募兵的内情。武士彠知道后，又制止他说："剿匪的军队全部隶属于唐公，王威和高君雅虽然挂着副留守的头衔，手中却没有实权，有什么能力调查！"田德平只好作罢。

可是随着局势的发展，王威和高君雅越来越觉得不对劲了。李渊的一举一动都让他们满腹狐疑并且心惊胆战。他们觉得李渊很可能要发动叛乱！王威和高君雅最后横下一条心，决定先下手为强。

由于当时的太原多日不雨，王、高二人就提出要在晋阳城南五十里处的晋祠举行祈雨大会，请李渊主持，准备在会上伺机将李渊干掉。

与此同时，李渊也一直在想办法解决王威和高君雅。双方都在暗中磨刀霍霍，是你死还是我亡，就看谁的出手更快了。

千钧一发之际，一个名叫刘世龙的当地乡长秘密来到李渊府上，把王威和高君雅准备在晋祠祈雨时动手的消息告诉了李渊。

刘世龙平日与高君雅颇有往来，所以他的消息应该是可靠的。李渊当即与李世民、刘文静等人紧急制订了一个行动方案。

大业十三年五月十四日夜，李渊命李世民和长孙顺德率领五百名士兵埋伏在晋阳宫城的东门。十五日晨，李渊召集王威和高君雅在宫城中的办公厅议事。众人刚刚坐定，刘文静就领着开阳府（禁军征兵府）司马刘政会来到厅前。刘政会的手里拿着一道诉状，大声禀报有事要奏。李渊示意王威和高君雅去接诉状，刘政会却说："我要告的人正是两位副留守，只有唐公可以看！"

王威和高君雅猝不及防，顿时大惊失色。

李渊也装出一脸的惊诧，说："怎么会有这种事？"接过诉状一看，立刻高声宣布："王威与高君雅暗中勾结突厥，准备里应外合进攻太原。"

直到这一刻，王威和高君雅才意识到发生了什么。高君雅一下就跳了起来，卷起袖子破口大骂："这是有人要造反，故意陷害我们！"

可是，一切都由不得他们了。此刻李世民的士兵早已控制了宫城外的所有重要路口，王威和高君雅已经毋庸置疑地成了瓮中之鳖。刘文静、长孙顺德、刘弘基等人迅速冲上来，将王、高二人当场逮捕，关进了监狱。

至此，所有准备工作全部就绪。与此同时，李建成、李元吉、柴绍等人也正在马不停蹄地向太原赶来。李渊再也没有顾虑了，只要李建成等人一到，晋阳起兵的历史大幕就会轰然拉开。

这就是晋阳起兵的动因和真相。

根据温大雅的记载，我们可以清楚地看到——李渊绝非胸无大志、庸庸碌碌之人，而是"素怀济世之略，有经纶天下之心"（《大唐创业起居注》），并且是一位"勇敢的领袖、刚烈的对手和足智多谋的战略家"（《剑桥中国隋唐史》）。

也就是说，晋阳起兵的首谋之人，包括整个过程的组织者和全局总指挥，正是李渊本人。

但是在肯定李渊的同时，我们却不能轻易抹杀李世民在这次起义中所发挥的重要作用。虽然贞观史臣出于人所共知的原因美化了李世民，夸大了他的功绩，可我们在还原历史真相的时候却不宜矫枉过正。应该说，从"密招豪友"建立核心力量，到募集义兵组建军队，再到"伏兵晋阳宫"控制王威和高君雅，李世民在整个起兵过程中的表现都是可圈可点的。起码相对于来不及参加晋阳起兵的李建成和李元吉来说，李世民的首义之功就是他们无法相比的。此外，李世民所表现出的年轻人特有的锐气和进取精神，也恰与李渊老成持重、顾全大局的性格形成一种微妙的互补。

按照王夫之的说法，李世民的表现是"勇于有为"，而李渊的表现则是"坚忍自持"（《读〈通鉴〉论》卷二十）。

从某种程度上说，也正是由于李渊父子在起兵叛隋、缔造大业的进程中既能保持战略思想上的一致，又有性格和行为方式上的互补，才能确保起兵的成功，并迅速崛起于群雄之间，最终开创大唐王朝。

在钢丝上跳舞：李渊的崛起

李渊虽然以"勾结突厥"的指控逮捕了王威和高君雅，但是，任何指控都是需要证据的。李渊的证据在哪里呢？

李建成等人还在路上，所以李渊还不敢正式起兵。在此情况下，如果李渊始终拿不出证据，很可能会引起人们的怀疑，导致兴师举义之事节外生枝。

让李渊料想不到的是，在这个紧张而微妙的时刻，老天爷居然帮了他一个大忙。

准确地说，是突厥人帮了他大忙。

大业十三年五月十七日，也就是李渊逮捕王、高二人的两天之后，数万突厥骑兵突然呼啸南下，以闪电速度对晋阳城发动了一场奇袭。

由于晋阳守兵猝不及防，突厥人得以迅速突破外城，在北门与东门之间纵横驱驰，如入无人之境。面对来势汹汹的突厥骑兵，李渊喜忧参半。喜的是自己随口栽在王威和高君雅头上的罪名居然出人意料地坐实了，而今铁证如山，王、高二人就算是跳进黄河也洗不清了；忧的是自己尚未举事便有强敌来犯，如果与他们开战，自己刚刚募集的这支军队就会被消耗掉。万一把老本赔光，还拿什么起兵？

情急之下，李渊决定唱一出空城计。

他一边命裴寂、刘文静等人在宫城（内城）各门暗中布防，一边下令将所有城门全部打开，将城头上的旗帜全部撤下来，同时严禁城墙上的士兵探头外看，严禁发出半点声响。

正在来回驱驰、耀武扬威的突厥人瞬间全都静了下来。

因为他们看见晋阳宫的城门居然朝他们完全洞开，而且城头上看不见一名隋军士兵，整座宫城悄无声息，寂静得让人头皮发麻。

突厥人不敢贸然进攻内城，也不甘心就此离去，于是一边在外城继续劫掠，一边仍旧对内城虎视眈眈。

李渊登上东南城楼，发现突厥兵虽然人多势众，但是往来驰骋、人员分散，于是命部将王康达等人率一千余人潜行至外城北门处设伏，准备袭击突厥散兵。一方面劫掠一些马匹，一方面做一些战略试探。

但是王康达的行动失败了。他们刚一动手就被突厥兵团团包围，一千多人大部分战死，王康达阵亡，只有一百多人逃了回来。军民顿时大为恐惧，于是把怨气全都集中到"勾结突厥"的王威和高君雅身上。李渊顺势将王、高二人当众斩首，既平息众怒，又彻底根除了这两个心腹之患。

城中的军队本来就不多，现在又损失了一千人，看来硬打是不行了，而且这出空城计也唱不了多久。李渊随即又设下一个疑兵计，命部队在夜色掩护下潜出城外，然后第二天凌晨再旌旗招展、钲鼓齐鸣地从另一个方向进城。

突厥人一看就慌神了，看上去这是一支援兵，而且人数还不少！满腹狐疑的突厥人又逗留了两天，却一直不敢进攻，最终在外城饱掠一番后引兵北去。

晋阳虽然暂时解围了，但是对即将起兵的李渊来说，北方的突厥人始终是他背后的一个巨大威胁。万一他挥师长安，突厥人趁势进犯太原，那无疑会使他陷入腹背受敌、进退失据的困境。所以，必须暂时向突厥人低头，除此之外没有别的办法。

李渊亲自给始毕可汗写了一封词义谦恭的信，说："当今隋国丧乱，苍生困穷，若不救济，终为上天所责。我今大举义兵，欲安定天下，远迎君上还都，恢复与突厥和亲，就像开皇时代一样。如果能与我一同出兵南下，希望不要侵害百姓，金钱玉帛，皆为可汗所有；如果因为路途遥远不能南下，只愿和亲，也可坐享丰厚的财物。该怎么做，任凭可汗选择。"

写完后，李渊在信封上用了"某某启"的字样，以示谦卑。负责送信的官员看了那个"启"字觉得很不舒服，建议多给突厥人送一些财物，然后把"启"改为"书"。

李渊听了，大笑说："这事你就不懂了，古人云：'屈于一人之下，伸于万人之上！'况且'启'字又不值钱，你连钱都舍得多给，还舍不得这一个字吗？"

东突厥的始毕可汗见信大喜。对他来讲，马邑的刘武周、朔方的梁师都、蒲城的郭子和都已经归附他了，如今太原留守李渊再来投靠，这就意味着隋帝国北部边境的军事重镇都已经向他豁然洞开了。日后一旦举兵南下，岂不是一路畅通无阻，如入无人之境了吗？

始毕可汗立刻给李渊回了一封信，表示全力支持他，可以给他提供士兵和战马，但条件是让他像刘武周等人那样自称天子，公开反隋。其实也就是让李渊向突厥称臣，成为突厥人的附庸。收到回信后，李渊的左右都很高兴，唯独李渊不以为然。他并不是不想获得突厥的支持，而是不想这么早就即位称尊，公然与隋朝决裂。

他的政治智慧告诉他——现在打着"尊隋"的旗号要远比"反隋"的旗号更安全，也更有利。

因为在胜败未卜、天下大势尚不明朗的情况下，"尊隋"要比"反隋"能获得更多闪转腾挪的余地和空间，而过早僭位称尊就会背负乱臣贼子的骂名，更会成为众矢之的。此外，李渊也不愿意像刘武周他们那样接受突厥的所谓"天子"册封，公开成为突厥人的附庸。道理很简单，与突厥人的合作本来就是迫于时势，不得已而为之的，或者说是只能一夕不能长久的。说白了，这是各取所需的政治一夜情。既然是一夜情，又怎么能大张旗鼓、广而告之呢？再说了，最起码在名义上，在现阶段，李渊仍旧倾向于把自己定位在隋朝的国戚和重臣的角色上。这样既不会过度伤害自己的民族自尊心和道义感，又能为自己的叛隋起兵抹上一层"匡扶社稷、安定天下"的政治保护色，并且为壮大自身的实力赢得更多宝贵的时间。

有鉴于此，李渊认为自己目前最恰当的姿态应该是在隋朝与突厥之间取得某种微妙的平衡，既不与隋朝决裂，也不与突厥为敌。

换句话说，他必须在隋王朝与突厥人之间走钢丝。

而且还要在钢丝上跳舞。

裴寂和刘文静等人看见李渊迟迟不答复突厥人，万分焦急地说："而今士众已全部集结，最缺的就是战马。胡人的士兵我们不一定需要，但是胡人的马却不能不要。您如果迟迟不接受他们的条件，恐怕他们会反悔。"

李渊依旧不同意，说："你们再想一个折中的办法。"

六月初，李建成、李元吉和柴绍终于抵达太原。裴寂与李建成、李世民等人商议之后，一起向李渊提出了一个在钢丝上跳舞的办法："废皇帝而立代王，兴义兵以檄郡县，改旗帜以示突厥。"如此则"师出有名，以辑夷夏"（《大唐创业起居注》）。

李渊笑了。

首先，宣布废黜杨广，拥立长安留守、年幼的代王杨侑。这样既能顺应天意人心，还能抢占政治制高点，挟天子以令诸侯，为造反披上一件正义与合法性的外衣。其次，有了这件美丽的外衣，就能堂而皇之地传檄天下，团结一切可以团结的力量，缔结一个最广泛的统一战线，争取不战而屈人之兵，用最小的代价换取最佳的结果。最后，为了获得突厥人在政治和军事上的支持，不妨在军队的旗帜上改用突厥人所用的白色，以此向突厥示好。

很显然，这是一套既务实又灵活，既不偏不倚又左右逢源的师出有名的起兵方案。李渊几乎原封不动地接受了。

他只修改了其中一个小小的细节。在军旗的颜色上，李渊既没有使用隋朝的红色，也没有使用突厥的白色，而是使用红白相间的双色。

在钢丝上跳舞！

李渊决定将这个政治理念贯彻到底。

大业十三年六月初五，在经历了一连串惊险和曲折之后，以李渊为首的这个政治军事集团终于在太原正式起兵。

隋亡唐兴的历史大幕就此拉开。李渊的战略目标非常明确，就是隋帝国的政治心脏——西京长安。要进军长安，首先必须攻克西河郡。

李渊把这个首战的重任交给了李建成和李世民兄弟，他说："你们年轻，未经历练，先以此郡看你们的表现和作为，现在所有人的眼睛都看着你们，自己努力吧！"说完李渊又下了一道命令：除了往返路程之外，只给你们三天军粮。

这就是说——如果李建成和李世民在三天内拿不下西河，就意味着失败。

对初出茅庐的李氏兄弟来说，这绝对是一个严峻的考验。

而且更要命的是，他们率领的是一群根本没有经过训练的新兵。

然而，李建成和李世民还是信心百倍地上路了。一路上，他们与士卒同甘共苦，一发现敌情立刻挺身在前；士兵凡有盗窃乡民菜蔬瓜果的，他们就找到主人，给予赔偿，而且并不责罚偷盗的士兵；沿途凡是有父老贡献食物，他们一律与部众分享，从不独自享用；要是有人特别殷勤地送上牛酒等物，他们则婉拒说："此隋法也，吾不敢。"

凭着这种廉洁自律和宽仁待众的作风，年轻的李氏兄弟迅速赢得了部众的拥戴，并赢得了远近百姓的心。

"义师"的风范和声誉立即传播开来，并且传播的速度比他们行军的速度还快，马上就落进西河官民的耳中，所以守城的隋军官兵毫无斗志，唯独郡丞高德儒企图据城顽抗。六月初十，义军兵临西河城下，云梯刚刚架上城头，士气高涨的士兵就蜂拥而上，不费吹灰之力就攻克了城池，逮捕了郡丞高德儒。

李氏兄弟当即将高德儒斩首，此外不杀一人，对西河官民秋毫无犯，让百姓各安其业。

初出茅庐的李氏兄弟不负众望，几乎是兵不血刃地拿下了西河郡，轻而易举地完成了他们军事生涯的处女作，同时也在开创李唐江山的征程上迈出了漂亮的第一步。

军队凯旋后，屈指一算，前后仅历时九天。李渊大喜过望地说："如此用兵，足以横行天下了！"

首战告捷。李渊更加坚定了"南下关中、西取长安"的决心。

西河平定后，李渊随即开仓赈粮，远近各地的青壮年纷纷来附，每天有数以千计的人加入义军，很快部众便增至数万人。随后裴寂又打开晋阳宫的府库，献上米九万斛、彩帛五万匹、甲四十万领，以供军用。

人马、物资、粮饷都已齐备，李渊接下来要做的事情，就是给自己一个恰当的名分，同时也给所有追随他的人一个合适的名分。

对于现在李渊集团的每一个人来说，名分太重要了。有一个新名分，就意味着他们将与过去的人生彻底告别，与旧王朝一刀两断，从此拥有一个崭新起点，并且在即将来临的新王朝中拥有属于自己的位置。

大业十三年六月十四日，唐国公李渊自立为大将军，并开设大将军府，以裴寂为长史，刘文静为司马，唐俭和温大雅为记室，武士彟为铠曹，殷开山为户曹，长孙顺德、刘弘基等人为左右统军；同时以李建成为陇西公、左领军大都督，统率左三军；以李世民为敦煌公、右领军大都督，统率右三军；以柴绍为右领军府长史……

这就是李渊开创大唐王朝最初的政治和军事班底。

一群来自五湖四海的人就在这一刻选择了相同的历史使命，并且攒成了一个铁拳。

它能顺利地挥向长安，对旧王朝的心脏实施致命一击吗？

天才政治家：李渊的慷慨

大业十三年六月十八日，突厥大臣康鞘利奉始毕可汗之命来到了太原。除了带来可汗的慰问信外，他还带来了一千匹战马。

太原官兵顿时兴奋得两眼放光。

不过他们很快就兴奋不起来了。

因为这些马不是白送的，它们是康鞘利专程拉来卖的。

这情形跟我们今天的国际事务有些类似。世界上每一个战火纷飞的热点地区通常都有一些政治大国在台前幕后积极活动。表面上他们都宣称是在维护世界和平与地区稳定，时不时还会敦促联合国粮食计划署给战争中的难民发放点粮食什么的，可他们热心掺和的目的无非是两个：一、扩大本国在国际事务中的影响力，谋求政治利益；二、暗中兜售军火，牟取经济利益。

因为政治大国通常也是武器大国，所以每一个热点地区都是他们求之不得的军火市场。

现在康鞘利就是来兜售军火的。在冷兵器时代，突厥的战马无疑就是当今世界上最先进的战斗机。

看着这些身形彪悍的"战斗机"，李渊的双眼也不能不放光。

但是这批货的价格实在高昂，要全部买下需要一笔巨款。

这笔钱李渊当然有，要全部买下不是问题。

可李渊不干。

因为以后花钱的地方还很多，李渊不想让自己的钱都变成突厥人的利润。

为此他想了一个办法——赊欠。

这在我们今天就叫分期付款、信贷消费。李渊只挑了其中最健硕的五百匹，把钱付了，然后对康鞘利做出一副囊中羞涩之状。他手下的官兵见状，以为唐公缺军费，纷纷要求自掏腰包把剩下的五百匹马也买下来。李渊笑着冲他们摆摆手，私下说："胡人的马很多，而且贪得无厌，我们买完一批，他们还会拉来一批，你们买得完吗？我之所以只要一半，一方面是向他们表明手头紧，再一个是不让他们觉得我们的需求很迫切。你们放心好了，那五百匹我也要，只不过不付现钱，而是用赊欠的办法，不用你们花钱。"官兵们恍然大悟。

营业额只完成了50%，康鞘利犯难了：难道还要把这剩下的五百匹马千里迢迢地拉回去不成？那不仅麻烦死了，而且回去还会遭人耻笑。康鞘利犹豫了好几天，最后只好让李渊用首付五成、尾款赊欠的办法把一千匹马全都留了下来。

李渊心中暗笑，说是先付一半、尾款赊欠，其实尾款最后肯定是不了了之的。这真是一笔好买卖！

这一年六月底，李渊的麾下已经兵强马壮，随时可以举兵南下了。

可在南下之前，李渊必须确保大后方的安全，也就是防止突厥人和刘武周乘虚进攻太原。为此，李渊特意派遣刘文静出使突厥，表面上的目的是请求突厥给予军事上的支持，实际上是观察突厥人的态度和动向，同时防范和牵制刘武周。刘文静行前，李渊特意叮嘱他："胡骑进入中国，对百姓是一大祸患。我之所以要向突厥借兵，用意就是防止刘武周为患边境。所以你要记住，与突厥联兵只是虚张声势而已，只要几百人就足够了，多了没用。"

刘文静心领神会——与突厥联合只是为了稳住他们，而不是真要倚重他们！

为了达到稳住突厥人的目的，刘文静抵达突厥王庭后，就给始毕可汗开出了非常有利的合作条件，他说："一旦贵军协助我军进入长安，民众土地归唐公，金银玉帛归突厥。"

始毕可汗大喜。

这真是一笔好买卖啊！只要给李渊区区几百人就能换取长安的大量财富，突厥人何乐而不为呢？

始毕可汗当即遣使告诉李渊：这交易成了！他的兵已经上路了！很显然，李渊和刘文静是在"慷他人之慨"。因为长安的财富并不属于李渊，而是属于杨广。

但是这并不妨碍李渊把它当成一张空头支票开出去。

能不能兑现不知道，反正先开了再说。

后顾之忧都已解除，李渊终于可以全力南下了。

大业十三年七月初四，李渊任命李元吉为镇北将军、太原留守，把军政大权全部交给这个小儿子，让他镇守后方根据地。初五，李渊在晋阳誓师，发布了声讨隋炀帝杨广的檄文，同时传檄四方郡县。李渊在檄文中痛斥杨广，说他"饰非好佞，拒谏信谗""巡幸无度，穷兵极武"，才落入"亲离众叛"的境地，并且导致"十分天下，九为盗贼"的可怕局面。最后李渊宣布，自己身为"典骁卫之禁兵、守封唐之大宇"的社稷重臣，目睹"四海波振而冰泮，五岳尘飞而土崩"的危亡之局，不得不"举勤王之师"，"废昏立明"，拥立杨广的孙子、时年十三岁的代王杨侑为帝，然后"放后主（杨广）于江都，复先帝（杨坚）之鸿绩"（《大唐创业起居注》）。

同日，李渊亲率三万精兵从晋阳出发，正式踏上帝业的征程。

李渊于初八抵达西河郡。一到西河，李渊马上就做了一件他认为最重要的事情。

那就是——收拾人心。

他一边慰劳百姓，一边给老百姓大举封官。据史书记载，李渊这天总共封了一千多个官。这也许是他一生中封官最多的一天，直到他后来当上皇帝，直接任命的官员全部加起来恐怕也没这天多。

这一天，李渊首先给当地所有七十岁以上的老人都封了散官，亦即有官称无官权的荣誉官职。接下来，李渊又不辞辛劳地给所有蜂拥而来的青年才俊——封官。

凭什么知道他们是青年才俊，不是鸡鸣狗盗之徒呢？

据说李渊的办法是口询，也就是亲自面试。他一边询问对方有什么能力，一边大笔一挥，就在一张纸上写下与他能力相应的官职名称，然后这个人就算当官了。换句话说，只要你不是弱智或哑巴，能够随口说出你有什么才干，你就能获得相应的官职。所以一天下来，这座小小的西河城就有了一千多个大大小小的官员。

所有人都乐坏了，从来没想到当官这么容易啊！

所以这一天西河城的气氛热闹非常，个个欢天喜地，笑逐颜开。那一千多个青年才俊捧着那张轻飘飘的任命状回家后，估计很是自豪了一把，在人前人后肯定也没少嘚瑟。

用一千多张字条就收买了西河全城的心，李渊此举可谓高明。说白了，他无非是开了一千多张空头支票。再说得难听点，这又是慷他人之慨！要知道，大业十三年还是隋朝的年号，李渊自己尊奉的也仍然是隋朝的正朔，此时的西河郡虽然被李渊占领，可原则上还是隋朝的天下，所以——李渊封的理所当然都是隋朝的官。

不久后，义军相继占领霍邑、临汾等郡，每到一地，李渊皆如法炮制。左右忍不住规劝李渊："会不会封官太滥了？"李渊的回答是："隋朝廷就是太吝啬官爵，所以失去人心，我们何必效法？再说了，用官位收拾人心，岂不比用刀枪更好？"

九百年后，西方的马基雅维利说："如果你正在夺取王权，那么，被人誉为慷慨是十分有利的……对于那些既不是你的东西，也不是你的老百姓的东西，你尽可以做一个很阔绰的施主……你慷他人之慨，只会为你增添名声，而不会对你的名声造成损毁。"（《君主论》）

很显然，在这一点上，马基雅维利绝对是李渊跨越时空的知音。

七月十四日，李渊率军进驻贾胡堡（今山西汾西县北）。此堡南面五十多里处，就是隋虎牙郎将宋老生重兵据守的霍邑（今山西霍州市）。在霍邑后面，则有隋朝名将、左武候大将军屈突通于黄河东岸的河东郡（今山西永济市）严阵以待，并与宋老生遥相呼应。

李渊父子和将士们都很清楚，摆在面前的将是一场真正的考验。

打霍邑绝对不可能像打西河那么轻松。

所以一贯谨慎的李渊并没有急于发动进攻。正巧又连续多日天降大雨，不利于攻城作战，李渊就趁这个间隙补充给养，命人回太原押运一个月的粮草过来。在等待雨停的这些日子，李渊并没有歇着，他对自己当前面对的战略形势作了一个综合的判断。

然后李渊想到了一个人。

一个牛人。

一个在当时的割据群雄中风头最健的义军领袖。

他就是李密。

李渊知道自己如果要顺利地西进关中，就必须稳住潼关东面的李密，就像从太原南下之前必须先稳住北方的突厥人一样。

为此李渊试探性地给李密写了一封信。

他知道李密这个牛人向来自视甚高，所以他已经想好了对付李密的办法。

果然，李密很快就回了一封牛皮烘烘的信。信中说："我与兄虽不是同支，却是李姓同宗。我知道自己实力不够，只是承蒙四海英雄厚爱，推为盟主，希望你能从旁辅助，让我们同心协力，执子婴（杨侑）于咸阳，杀商辛（杨广）于牧野，岂不是好事一桩？"言下之意，你打你的西京，我打我的洛阳，咱井水不犯河水！

他还在信中补充说："如果要签一份互不侵犯条约也可以，那你只能带几千步骑，亲自到河内郡（今河南沁阳市）来，你我当面缔结盟约。"

李渊见信大喜，李密的反应正是他最想得到的结果。他笑着对左右说："李密自我膨胀，以老大自居。我正要全力进取关中，如果马上跟他决裂，那是多树了一个敌人，不如态度谦卑，拍拍他的马屁，让他更骄傲一点，帮我们把守虎牢的关隘、拖住东都的军队，让我们专心西征。等我们平定了关中，据守险要，养精蓄锐，观鹬蚌相争，收渔人之利，到时候再收拾他也为时不晚！"

李渊马上命温大雅回了一封信，说："当今天下大乱，需要一位共主。这个人除了你，还能有谁？老夫已年过半百，志不在此，但我很高兴能拥戴老弟，攀龙鳞，附凤翼，希望老弟早应图谶，安定万民！你是盟主，但愿你看在我们同宗的分上，依旧把我封在陶唐故地，这样我就很满足了。"

李密见信，骄矜之情溢于言表，让人把信拿给将领们传阅，说："连唐公都如此推举我，看来天下指日可定啊！"

李密从此对李渊大生好感，双方信函往来十分频繁。

李渊笑了。

就在这鸿雁往返、笔墨往来之间，他已经用廉价的糖衣炮弹成功消除了一个潜在的劲敌。或者说，成功地化敌为友了。

真正的高手往往是低调的，而且从不吝啬给别人戴高帽。

真正的政治家也往往是慷慨的，从不吝啬给人们开空头支票。

李渊就是这样的高手和政治家。

而无论是高帽还是空头支票，都具有一个相同的特征——廉价。

将欲取之，必先予之。古往今来的高手和政治家们都很善于把老子的这个哲学思想运用到实践当中，并且有所深化。他们的深化体现在——所"予之"的东西往往是廉价的，譬如高帽和空头支票；而所"取之"的东西则往往价值巨大，甚至无价，譬如人心与天下。

就在人们迷醉于廉价赠品的一瞬间，高手已经收获了人心，政治家已经玩转了天下！

从这个意义上说，在隋末这场群雄逐鹿的生死游戏中，李密之所以快速出局，李渊之所以最终胜出，其原因绝非偶然。就军事能力而言，孰高孰低很难定论；但是在政治上，李密绝对玩不过天才政治家李渊。

走向长安

雨一直下。

从李渊带着军队来到贾胡堡时就始终没有停过。

军营中的粮草快告罄了，太原的补给却迟迟没有到。

出使突厥的刘文静也还没有回来，突厥人许诺的士兵和战马至今未见踪影。

于是一个令人不安的消息便开始在军营中悄悄流传。消息说——突厥人和刘武周正准备进攻太原。

这是真的吗？

李渊不愿相信它是真的。

可又不敢确定它是假的。

这支离开太原还没打过一场仗的军队，就这么在大雨、粮荒和流言的多重困扰中踟蹰不前、人心浮动。连日来，李渊的心情也跟这雨水连绵的天气一样潮湿而阴郁。

最后李渊只好召开一个紧急会议，讨论到底是要打霍邑，还是要回太原。

与会的一些将吏提出了四条必须班师的理由：

一、我们的粮草快完了，而宋老生和屈突通遥相呼应、据险而守，一时半会儿绝对攻不下来。

二、李密虽然口头上说与我们联合，可这到底是不是一个阴谋还很难说。

三、突厥人贪而无信、唯利是图，刘武周历来与其狼狈为奸，所以他们企图进犯太原的消息不可不信。

四、太原是我们唯一的根据地，义兵的家属都在那里，不如先回去保住大本营，然后再从长计议。

此言一出，多数人都投了赞成票。

李渊不置可否，把目光转向一直闷声不响的李建成和李世民，说："你们意见如何？"

此时此刻，他只能把希望寄托在两个儿子身上了。因为众位将吏的意见让他有些失望。

诚然，李渊也认为他们的说法有一定道理，万一出师未捷而老巢被占的话，那么后勤补给就会中断，将士们就会丧失斗志，队伍就会陷入进退失据、腹背受敌的困境。这种危险的确是存在的，李渊心里何尝没有相同的担心和顾虑？但是换个角度来看，义军自从大张旗鼓地南下以来，至今未打一仗、未下一城，倘若稍遇挫折就当缩头乌龟，那还奢谈什么平定海内、问鼎天下？到时候不但会遭天下英雄耻笑，而且好不容易凝聚起来的人心和士气也会溃散瓦解、功亏一篑！太原固然重要，可始终龟缩在老巢中就能高枕无忧了吗？恰恰相反，这更危险！因为这么做等于是在向隋朝的军队示弱，向突厥人和刘武周示弱，向四方群雄示弱！到时候这些人四面来攻，太原就能保得住吗？就算勉强保住了，日后还要不要争霸天下？要不要再度出征？如果再度出征，那么来自后方的突厥人和刘武周的威胁不是照样存在吗？除非永远龟缩在太原一隅，否则这个"前进还是后退"的问题就会像一场可怕的梦魇一样永远缠绕在李渊和所有人的心头。

所以，选择后退实际上是在逃避问题，而不是在解决问题。

既然这个问题不可能自动消失，既然前进和后退都存在危险，那么为什么不选择前进、放手一搏呢？

想到这里，李渊实际上决心已定。

但是这些话李渊不能说。

他必须让两个儿子来说。

所幸李建成和李世民没有让李渊失望。他们针锋相对地提出了四条反对班师的理由：

一、眼下遍地都是庄稼，何必担心断粮？宋老生轻率急躁，一战便可将其生擒。

二、李密一门心思守着东都的大粮仓，一直在与东都军队进行拉锯战，根本无暇做长远的打算。

三、刘武周表面上投靠突厥，背地里却和突厥人互相猜疑，虽然贪图太原，可他更担心自己的老巢马邑被人抄了后路。

四、我们之所以举义，就是为了奋不顾身拯救苍生，先入长安、号令天下！如今遇上小小的挫折就遽然班师，恐怕义军会一朝解体。我们就算困守太原一城之地，到头来还是一小撮盗匪而已，拿什么保命？

最后，李建成和李世民瞟了众人一眼，毫不客气地说："定业取威，在兹一决！诸人保家爱命，所谓言之者也；儿等捐躯力战，可谓行之者

也……雨罢进军，若不杀老生而取霍邑，儿等敢以死谢！"（《大唐创业起居注》）

这是李渊集团内部在军事战略上发生的第一次分歧。

李渊看了看这兄弟俩，又看了看他的一大帮文武将吏。一边两票，一边N票。他最终咬咬牙作出了决定——多数服从少数。

打！

自助者天助之。

或许是李渊父子的坚持最终也感动了上苍，七月二十八日，太原粮草运到。

八月初一，天空放晴。

八月初二，李渊命全军在太阳下曝晒铠甲、武器及其他衣服装备。

八月初三，天色刚亮，李渊率全军开拔，沿着东南山麓的小道直插霍邑。

"如果宋老生拒不出战，你们说该怎么办？"在路上，李渊问李建成和李世民。

兄弟俩胸有成竹地说："宋老生有勇无谋，我们只要派小股骑兵在城下挑战，他没有理由不出战。假如他仍然固守城池，我们就散布消息，谎称他消极怯战，正暗中准备向我们投降。宋老生担心被同僚告发，不战也得战！"

李渊点点头："你们的判断没错。宋老生没有趁我们被困于贾胡堡时发动攻击，我就估计这个人没多大能耐了。"

部队迅速进抵霍邑。李渊率数百名骑兵在霍邑东面数里等待步兵主力，李建成和李世民率数十名骑兵驰至霍邑城下，一边扬鞭挥手制造攻城假象，一边高声诟骂，试图激怒宋老生。

有勇无谋的宋老生果然一下就被激怒了，率领三万人分别从东门和南门出击。李渊急命殷开山召集后续的步兵主力进入战场，随后命李建成在城东列阵，命李世民在城南列阵。

为了一战消灭宋老生，防止他逃回城中据守，李渊决定佯装败退，吸引宋老生更远地脱离城池。

宋老生首先对东面的义军发起进攻。李渊与李建成假装受挫，开始往后退却。李世民与部将段志玄立即率骑兵从南面直冲宋老生军阵，攻击他的后面。

双方短兵相接，战斗异常激烈。李世民冲锋在前，一连砍杀数十人，手上的两把刀都砍出了缺口，鲜血溅满了他的衣袖。李世民甩甩袖子，继续作战。

在李世民的冲击下，宋老生的阵势开始散乱。李渊趁机命人在阵前大呼："宋老生已经被活捉了！"

隋兵闻言斗志全失，瞬间溃散，宋老生不得不转身而逃。李渊率军追至城下，城内守军慌忙紧闭城门，放下一条绳索救宋老生。

宋老生攀上绳索，刚刚爬了几米高，李渊的部将卢君谔就从后面纵身跃起，将他硬生生拽了下来，随即一刀砍下了宋老生的首级。

这一战，隋军的三万人马全军覆没，李渊这边也付出了极大的伤亡。两军的尸体层层堆积在霍邑城外的原野上，一直绵延了好几里。

到了这一天的黄昏时分，略作休整之后，李渊下令军队开始攻城。当时义军还缺少大型的攻城器械，士兵们都是强行攀上城墙，经过一番鏖战，终于将霍邑攻克。

这是李渊南下以来取得的第一场胜利，虽然付出了一定代价，但是极大地鼓舞了士气。进入霍邑后，李渊开始论功行赏。军中负责授勋的官吏提醒他："奴仆出身的人，似乎不该跟一般战士有同等待遇。"李渊说："飞石流箭之间，不分谁贵谁贱，为何评定功勋的时候，却要分尊卑等级呢？应该完全平等，有什么功受什么赏！"

攻克霍邑之后，李渊迅速南下，一路势如破竹，八月初八占据临汾郡

（今山西临汾市），八月十三日攻克绛郡（今山西新绛县），八月十五日进抵黄河东岸的龙门（今山西河津市）。就在这一天，刘文静和康鞘利也带着五百名突厥士兵和两千匹马赶到了。李渊大喜，对刘文静说："马多人少，正合我意！"

终于站到黄河岸边了。望着奔腾咆哮的黄河水，李渊心中感慨万千，只要一步跨过黄河，就能进入关中直取长安了。

梦想中的皇皇帝业似乎已经越来越清晰地呈现在李渊面前。

就在这个时候，关于下一步的进军路线，军队中再次出现了两种不同的声音。

刚刚投奔义军的河东户曹任瑰等人认为：不要攻击屈突通重兵驻守的河东，应该从龙门直接渡过黄河，招降当地义军，同时夺取潼关北面的永丰仓。如此一来，在攻克长安之前就可以把整个关中握于掌心。李渊本人也倾向于这个意见。

但是他手下的多数将领却表示反对。他们认为应该先把河东郡这颗钉子拔掉，再渡河入关，以免后患。

谨慎的李渊决定暂不渡河，先与关中义军取得联络后再作打算。

八月十八日，李渊给当时关中势力最强的义军首领孙华写信进行招抚。六日后，孙华渡河前来晋见。李渊大喜过望，当即任命他为左光禄大夫，封武乡县公，兼冯翊郡（今陕西大荔县）太守。随后命左统军王长谐、右统军刘弘基等人率步骑六千，与孙华一起渡河，在黄河西岸扎营，等待大军主力。

临行前，李渊对王长谐说："屈突通手下精锐不少，跟我们相距才五十余里，如今却不敢出战，说明他的军心已经动摇。可屈突通担心朝廷责罚，又不敢不出战。他如果渡河攻击你们，我就进攻他的老巢，河东就绝对守不住。如果他据城坚守，你就烧掉河东与黄河西岸连接的索桥（蒲津桥），阻断他的退路，到时候我从前面扼住他的咽喉，你从后面攻击他的背部，定可将其生擒！"

九月初七，屈突通担心腹背受敌，不得不派遣虎牙郎将桑显和率数千精锐骑兵，于深夜渡河，袭击王长谐的军营。王长谐猝不及防，接战失利。危急之时，孙华亲率骑兵前来救援，大破隋军。桑显和仓皇败退，为了阻止义军追击，渡河之后自己烧断了蒲津桥。

九月初十，李渊见时机成熟，遂率领大军将河东城团团围困。

可屈突通毕竟是身经百战的将领，义军多次攻城都被他击退。

李渊意识到这座坚城不可能轻易攻克，遂准备放弃河东，渡河入关，然而裴寂等人却坚决反对。他说："屈突通手握重兵，固守坚城，就算今天绕开他，万一我们不能攻下长安，撤退时就会遭到河东的阻击，到时候腹背受敌，形势将万分险恶。不如先全力拿下河东，然后西进。河东是长安的门户，屈突通一旦战败，长安城指日可下！"

裴寂等人话音刚落，李世民马上又针锋相对地反驳。他说："不然。兵贵神速，我们拥有连战连捷的余威和四方来附的部众，如果快速西进，长安必定震恐，很可能在他们来不及作出反应的时候，我们就已经像秋风扫落叶一样把城池攻了下来。如果逗留在坚城之下，自陷于疲敝之境，使长安有充分的时间加强防御，而我们自己却白白贻误战机，一旦军心离散，那大事就不可为了！"

这是李渊集团内部在军事战略上发生的第二次分歧。

这一次，李渊既没有完全听从李世民的建议，也没有纯粹采纳裴寂等人的意见，而是双管齐下，兵分两路。

他命令各将领留下来继续围攻河东，而他则与李建成、李世民亲率主力渡河入关。

九月十二日，李渊一进入关中，各地隋朝官吏立刻望风而降，纷纷献出所辖郡县。其中，华阴县令李孝常献出了下辖的永丰仓，极大地满足了义军的粮草和物资需求。此外，京兆府所属各县也纷纷派遣使者来向李渊投降。

九月十六日，李渊抵达朝邑（今陕西大荔县东）。九月十八日，李渊命李建成、刘文静、王长谐等各军进驻永丰仓，并扼守潼关，防备东方可能出现的隋朝援军；同时又命李世民、长孙顺德、刘弘基等各军进攻渭水以北的泾阳、云阳、武功、鳌屋（今陕西周至）诸县，从北面对长安包抄。

至此，隋朝的帝京长安已经完全暴露在李渊面前，几乎已成囊中之物。李渊走向帝座的道路只剩下最后一小段了。

尽管李渊进入长安后并没有立即称帝，可毋庸置疑的是，从现在这一刻开始，一切都已经进入倒计时状态了。

短短八个月之后，大唐王朝的一轮旭日就将彻底挣脱黑夜的禁锢，从崩裂的隋朝天空中喷薄而出，照彻寰宇。

第三章

李渊攻入长安，挟天子以令诸侯

李密陷入泥潭

从大业十二年初秋到大业十三年夏末，天地走完了一个四季的轮回，而杨广也在莺歌燕舞的江都当了一年的鸵鸟。

这一年里发生了太多事情——太多惊天动地的大事。

可它们基本上都被杨广的"鸵鸟术"成功屏蔽掉了。

但是让杨广郁闷的是，自从大业十三年四月那个叫元善达的使臣带来了关于东都的坏消息后，他维系了将近一年的屏蔽网就仿佛被撕开了一道口子。尽管他很快就把元善达处理掉了，可更多让人讨厌的坏消息还是像苍蝇一样嘤嘤嗡嗡地钻进了杨广的耳中。

这些消息都是关于东都的。

杨广听说，那个破落贵族李密真的攻占了洛口仓和回洛仓，像一个穷凶极恶的疯子一样紧紧咬着东都不放，不但把它啃得遍体鳞伤，而且随时有可能把它一口吞掉。

杨广很生气。他不得不从温柔乡中抬起他那高贵的头颅，狠狠地关注了一回现实。

大业十三年五月下旬，杨广命监门将军庞玉和虎贲郎将霍世举率关中部队增援东都。同年七月初，杨广再命江都通守王世充率江淮精锐，将军王隆率邛地黄蛮（四川西昌少数民族），河北大使韦霁、河南大使王辩等人各率所部驰援东都，共同讨伐李密。

东都洛阳曾经是杨玄感人生中最大的一场噩梦。

为了得到它，杨玄感付出了一切，包括最后葬送了自己的生命。

而对如今的李密来说，东都洛阳也正在成为他生命中最大的一个泥潭。眼前的洛阳城看上去是那么近在咫尺、唾手可得，可李密的数十万大军围着它打了好几个月，却始终一无所获。

李密会不会因为这座东都而变成第二个杨玄感？

有个人对此产生了疑虑，他就是李密的帐下幕僚柴孝和。

就像当初李密劝杨玄感西进关中一样，大业十三年五月，柴孝和也向李密提出了相同的建议。他说："秦地山川险固，秦朝与汉朝皆凭借它而成就帝王霸业。而今之计，最好是命翟让留守洛口，命裴仁基留守回洛，由您自己亲率精锐，西进袭取长安。一旦攻克西京，大业的根基稳固，然后再挥师东下、扫平河洛，如此天下可传檄而定。方今隋失其鹿，四方群雄竞逐，若不趁早下手，恐怕会有人抢先，到时候后悔都来不及啊！"

可令人遗憾的是，当年的杨玄感拒绝了李密，而今天的李密也同样拒绝了柴孝和。人是会变的，当年的李密只是一个幕僚，现在的李密却是一个领袖。

屁股决定脑袋，位子决定思维。此时的李密当然会有一些新想法，他说："此计诚然是上策，我也想了很久。但昏君还在，他的军队也还很多，我的部属都是山东人，见洛阳未下，谁肯跟我西进关中？况且军中的多数将领皆盗匪出身，如果我独自西进，把他们留在这里，我担心他们谁也不服谁，万一产生内讧，大业会瞬间瓦解。"

不能不说，李密的担心是有道理的。

他的情况与当年的杨玄感有所不同。杨玄感出身政治豪门，而且本身又位高权重，在帝国政坛和军队中都拥有巨大的影响力和号召力，所以他起兵后对自己的部属和军队也具有绝对的控制力。在此情况下，他没有听从李密的建议及时入关，导致隋朝大军把他围困在四战之地，这肯定是失策的。

而李密呢？在来到瓦岗之前他只是一个穷困潦倒的落魄贵族，一个四处漂泊的失业青年，仅仅是凭借他的心机、智谋和运气，再加上一则语焉不详的政治谣言，才使他后来居上地篡夺了瓦岗的领导权，说难听点就叫作"鸠占鹊巢"。因此他对瓦岗群雄的控制力实际上是很有限的，他的领袖地位也并不像看上去那么稳固。在此情况下，如果放弃洛阳，西进关中，很可能就会导致他所说的两个问题：一、属下的山东豪杰不听号令，各行其是；二、瓦岗内部产生内讧，自相残杀。其实还有第三个最大的隐患李密没有说出来，那就是——如果他独自西进，就完全有可能会丧失瓦岗的领导权，更别提什么四方群雄的盟主地位了。

所以，明明知道西取长安才是上策，明明知道洛阳是一个危险的四战之地，可他却毫无办法。

在攻下洛阳之前，李密和瓦岗军哪里也去不了，这是李密的无奈。

就在柴孝和与李密说这番话的同时，李渊正在太原招兵买马、摩拳擦掌，随时准备挥师南下，西取关中。

李密的无奈最终成全了李渊的辉煌。

用古人的话说，这叫天意。

用今天的话说，这叫时势。

而无论是天意还是时势，都有一个共同的特征，那就是——很难以个人的主观意志而转移。

为了拿下东都，李密可以说拼尽了全力。

在大业十三年五月，他多次亲率大军攻入东都的西苑，与顽强的隋朝守军进行了一次比一次更惨烈的厮杀，然而每一次都被隋军击退。最后李密甚至身中流箭，不得不在回洛仓的大营中疗养了多日。

这一年五月二十八日，庞玉、霍世举等第一批隋朝援军抵达东都。越王杨侗当天就命庞玉、霍世举、段达等部于夜晚出城，对回洛仓发动奇袭。李密和裴仁基仓促应战，结果被打得大败，士卒死伤被俘的超过一半。李密只好放弃回洛，退守洛口。庞玉和霍世举一路乘胜追击，最后进驻偃师，与瓦岗军对峙。

六月十七日，经过休整的李密对隋军发起反攻，在洛阳东北的平乐园与隋军会战。这一战李密几乎出动了全部精锐，把骑兵置于左翼，步兵置于右翼，中军则全部使用弓弩兵，对隋军发起了猛烈进攻，终于大败隋军，再次夺回了回洛仓。

九月初，隋武阳（今河北大名县）郡丞元宝藏献出郡城，投降了李密。李密当即任命他为上柱国，封武阳公。元宝藏为了表示感谢，命自己帐下一位文采出众的宾客给李密写了一封信，在信中提议改武阳为魏州，并愿亲率部众西攻魏郡（今河南安阳市），再南下与李密会合，攻取黎阳仓。李密大喜，随即任命元宝藏为魏州总管。

这个替元宝藏写信的宾客，就是后来大唐历史上乃至中国历史上赫赫有名的"千古第一诤臣"——魏徵。

魏徵的父亲魏长贤是北齐的一个小官，曾担任屯留（今山西屯留县）县令，在魏徵年少时便已过世，所以魏徵是在"孤贫""落拓"的环境中长大的。贫寒的家境导致魏徵的人生起点很低。如果是一般人，很可能会找一个贩夫走卒的职业糊口，然后庸庸碌碌地了此一生。可魏徵不干，他"不事生业"，偏偏出家当了道士。关于魏徵当道士的动机和具体经历，史书上没有记载，但有一点可以肯定：当道士就不用为衣食奔波，并且有大量的闲暇时间可以用来读书。所以《旧唐书·魏徵传》称他"好读书，多所通涉，见天下渐乱，尤属意纵横之说"。

通过元宝藏与李密的书信往来，魏徵的文采和学养得到了李密的赏识，随即被调到总部，担任元帅府文学参军、掌记室，也就相当于现在的办公室主任之类的职务。对于一介布衣魏徵来说，这绝对可以称得上时来运转了。魏徵很珍惜这个崭露头角的机会，随后就向李密献上了安定天下的"十策"。

可结果却令他大失所望，因为李密一条也没有采用。

此刻的魏徵对于未来一定颇为茫然。他绝对料想不到，若干年后他会成为唐帝国政治舞台上举足轻重的人物，并与唐太宗李世民共同演绎一段"明君诤臣"的千古佳话。

大业十三年九月初六，李密派遣徐世勣率五千人北渡黄河，与元宝藏、郝孝德等部会师，一举攻占了黎阳仓。

黎阳仓是隋帝国在河北最大的粮食储备基地，其规模之大、储粮之多，不亚于东都的洛口仓与回洛仓，所以攻占此仓的战略意义十分重大。短短十天之间，便有二十多万河北的青壮年投奔了瓦岗军。与此同时，武安郡（今河北永年县东南）、永安郡（今湖北新州县）、义阳郡（今河南信阳市）、弋阳郡（今河南光山县）、齐郡（今山东济南市）的隋朝将吏也纷纷举城向李密投降，甚至包括已经称王的几大义军首领，如窦建德和朱粲等人都忙不迭地派遣使节去晋见李密，表示归附之意。李密随即任命朱粲为扬州总管，并封他为邓公。

就在瓦岗军攻克黎阳仓的同时，以王世充为首的第二批隋朝援军也已在东都完成了集结。九月十一日，越王杨侗命部将刘长恭率东都部队，与庞玉、王世充等部共计十万人，大举进攻李密据守的洛口。

隋军与瓦岗军就在洛水隔河对峙。

杨广从江都发出了一道诏令，命所有讨伐李密的部队皆受王世充一体节制。在接下来的日子里，李密和王世充就在东都附近展开了一场旷日持久的拉锯战和消耗战……

就在他们打得热火朝天、难解难分的时候，李渊已经悄然入关了。

长安城的末日

李渊进入关中就像蛟龙游进了海。

他所受到的欢迎和拥戴连他自己都始料未及，基本上可以用"盛况空前"来形容。史称其"舍于朝邑长春宫。三秦士庶衣冠子弟、郡县长吏豪族、弟兄老幼，相携来者如市"（《大唐创业起居注》）。

当了这么多年的帝国高官，他被人们大力追捧和热烈欢迎也不是头一回了，再怎么热闹的场面他也见识过。可这一回却有所不同，除了热闹之外，李渊发现人们仰望他的目光是他从来没有见过的。

他依稀记得，过去人们只把这种目光投给杨坚，曾经有一段时间也把它投给了杨广。而现在，成百上千个在乱世中找不到命运方向的关中士民则像一群迷途的羔羊一样，把一种渴望获得拯救的目光齐刷刷投到了他的身上。

说老实话，李渊很喜欢这种目光，被人视为救世主的感觉真好。

屈突通得知李渊已经渡过黄河直扑长安，立刻命鹰扬郎将尧君素坚守河东，然后亲率数万精锐南下潼关，准备经蓝田驰援长安。

可是刘文静早已按照李渊的部署挡在了他的必经之路上。

屈突通抵达潼关时，原驻守在此的隋将刘纲早已被义军斩杀，潼关已经陷落。屈突通在此遭遇了刘文静的顽强阻击。双方相持月余，屈突通始终不能越过潼关半步。最后屈突通命部将桑显和夜袭义军营寨，刘文静仓促应战。双方混战至次日凌晨，隋军连续攻破了义军的两座营寨，只剩下刘文静的一座大营还在坚守。桑显和随即率部对刘文静的大营发起更为猛烈的进攻，好几次都险些将其攻破。混战中刘文静身中流矢，将士们顿时士气大挫，最后这座堡垒也已岌岌可危。

可就在这生死攸关的时刻，隋军的攻势却忽然停了。

桑显和发现士兵经过一整夜的鏖战之后都已精疲力竭，所以传令部队暂停进攻，先吃早饭，准备等士兵们恢复体力后再对刘文静发起最后的攻击。

很显然，桑显和认为自己已经胜券在握，不差这一顿饭的工夫。

可他错了。

他低估了义军的反击能力，对形势的判断也过于乐观了。就在隋军生火做饭的短暂间隙里，负伤的刘文静已经调整了兵力部署，分兵潜入已被攻破的两个营寨，杀死隋军哨兵，重新夺回了阵地。

刘文静是想据险而守，尽量拖延时间以待援兵。

此时的他绝对不敢奢望自己能反败为胜。

可接下来发生的事情却再次出乎他的意料，隋军还没吃完饭，一支义军却鬼使神差地出现在隋军阵地的后方。他们并不是援兵，而是一支只有几百人的四处巡弋的游骑兵。可谁也没料到他们竟然会在这关键时刻"游"到了桑显和的背后，并且对毫无防备的隋军发起突然袭击。面对这支从天而降的敌方"援兵"，隋军士兵顿时惊慌失措、阵脚大乱。与此同时，刘文静抓住战机，下令士兵从三个营寨同时出击。隋军大败，或死或降，基本上全军覆没，桑显和险险逃过一劫，只身逃回大军驻地。

桑显和功败垂成并且损兵折将无数，令屈突通大为懊丧。前面的去路被堵，后面的根据地被围，屈突通彻底陷入了进退两难之境。

他意识到长安的陷落已经不可避免，而隋王朝覆灭的日子也已经屈指可数了。可他却只能眼睁睁地看着这一切，既不能挽狂澜于既倒，也无力扶大厦之将倾。屈突通感到了绝望。

随后的日子，义军不断遣使劝其归降。屈突通仰天恸哭，说："吾蒙国厚恩，历事两主，受人厚禄，安可逃难？唯有一死而已！"那段时间，他经常摩挲自己的脖颈，慨然长叹道："当为国家受人一刀耳！"（《旧唐书·屈突通传》）李渊多次招降不果，最后找到了屈突通的一个家童，命他前去劝降。结果那人不但没有说服屈突通，反而被他一刀砍了。

当一个庞大的帝国轰然倒塌的时候，任何试图阻挡的个人努力都注定是微弱的、渺小的，甚至是徒劳的。然而，当一个旧王朝业已分崩离析，人人自求富贵唯恐不及的时候，屈突通在绝境中所表现出的坚定与忠诚却无疑是难能可贵、令人钦佩的。从这个意义上说，屈突通不愧是隋朝的忠臣。

然而，我们后面就将看到，即便是这样的忠臣，即便一直在努力和挣扎，短短三个月后，屈突通还是无可奈何地归降了李渊。

也许这就叫覆巢之下，焉有完卵？

也许这就叫大势所趋，人心所向。

在隋末的历史大舞台上，在竞逐"隋鹿"的四方群雄中，李渊绝对可以称得上天之骄子。

因为他占尽了天时、地利、人和。

所谓天时，也就是他起兵的时机把握得很好。如果太早，他有可能会像杨玄感那样成为最先烂掉的出头橼子；如果太晚，隋朝的大蛋糕就有可能被别人瓜分一空。而李渊起兵的时候，隋帝国的各方军队已经在野火燎原的大起义中陷入了各自为战的困境，再也无力调集优势兵力进行围剿，所以李渊的进兵就比较顺利。与此同时，西京长安尚未被任何一支义军占领，仍然向所有人（当然也包括李渊）敞开着。李渊在这个时候起兵并抢先入关，占据关中的形胜之地和长安的政治制高点，其时机可谓把握得恰到好处。

所谓地利，也就是李渊得到了太原这块宝地。这个地方是"陶唐故国"，与李渊的爵衔相契，所以从精神上给予了李渊莫大的鼓舞和必胜的信念，而对于一个准备开创帝王大业的人来说，这样的精神力量是不可或缺的。同时太原又是一座军事重镇，能在兵源、军需、给养等各方面给李渊的起兵提供必要的物质条件和坚实的后勤保障。

所谓人和，是指李渊在起兵之初，其麾下便人才济济。他拥有裴寂、刘文静这样的谋臣，又有长孙顺德、刘弘基这样的武将，同时又有建成、世民、元吉这三个虽然年轻，但是骁勇强悍，皆能独当一面的儿子。除此之外，特别值得一提的是李渊的女儿。这个后来被封为平阳公主的女儿既继承了父亲李渊精明务实的政治头脑，又继承了她母亲窦氏那种"巾帼不让须眉"的胆识和血性。在隋末唐初这个兵戈横行、以武力争胜的大乱局中，平阳公主绝对可以称得上是不可多得的女中豪杰、巾帼英雄。

下面就让我们来看看，在李渊挥师南下、西进关中的同时，这位胆识过人、智勇双全的平阳公主在长安附近都做了一些什么。

大业十三年五月，即李渊起兵前夕，在长安任职的柴绍收到了李渊托人送来的一封密信，让他火速赶往太原。接到即将举事的消息后，柴绍既感到兴奋和喜悦，又感到了一种强烈的不安。他担心的并非起义能否成功，而是他这一走，他的妻子怎么办？

柴绍不得不向平阳公主吐露了自己的不安："尊公举兵，我们一道同行不太可能，你独自留在这里又有危险，怎么办？"

"郎君只管速行，"平阳公主不假思索地说，"我一妇人，容易藏匿，会自己想办法，你不用担心。"

就这样，柴绍走了。

可是，平阳公主并没有远逃异地，也没有就近躲藏，而是做了一件让柴绍、李渊以及其他所有人都意想不到的事情——举兵。

她第一时间赶回位于鄠县（今陕西户县）的庄园，变卖了所有家产，然后用这笔钱开始招兵买马，积极建立自己的武装力量，一方面响应李渊的晋阳起兵，同时又做李渊进兵关中的内应。

当时的长安附近已经有多支变民军在活动。其中势力最大的有两支，一支以李渊的堂弟李神通、长安侠士史万宝为首，部众一万余人；另一支是西域商人何潘仁的变民军，部众三万余人。除此以外的小股变民军还有李仲文（李密的堂叔）、向善志、丘师利等。面对如此错综复杂的形势，平阳公主的判断和行动与他的父亲李渊如出一辙，那就是建立统一战线，团结一切可以团结的力量。

平阳公主对形势的判断是：李神通反正是自己人，没有问题；李仲文等人势力不大，可以先搁在一边；当务之急，就是说服何潘仁，表面上与其结盟，实际上将其收编。

主意已定，她立刻派遣家童马三宝前去游说何潘仁，对他晓以利害。何潘仁听说李渊即将入关的消息后意识到，只有与平阳公主结盟才是他目前最好的选择，否则一旦李渊入关，关中绝对没有他的立足之地。

经过短暂的权衡之后，何潘仁作出了选择——归附平阳公主。

何潘仁归附之后，平阳公主当即命他与李神通联兵进攻鄠县，迅速将其攻克，建立了自己的根据地。其后，平阳公主又命马三宝先后说服了李仲文、向善志、丘师利等部。至此，长安附近的变民军全都投到了平阳公主的麾下。李渊绝对没料到，他的兵锋尚未进抵关中，他女儿就已经在隋王朝的心脏附近狠狠插上了一颗钉子。此后，隋朝的长安留守频频派遣军队前来进攻鄠县，却屡屡被马三宝和何潘仁击败。

当李渊的军队一路势如破竹地向关中挺进的同时，平阳公主也在长安外围攻城略地，先后攻克鄠屋、武功、始平等地，一时间声威大振。平阳公主治军严明，所到之处对百姓秋毫无犯，所以远近少壮纷纷奔赴到她的义旗之下，部众迅速增至七万人。

平阳公主随后将她在关中举义并节节胜利的消息送到了李渊的军营中，李渊大喜过望。李渊渡河之后，立刻命柴绍前往南山（秦岭）迎接平阳公主。李世民进军渭北时，平阳公主与柴绍率精锐一万余人北上与他会师。在围攻长安之前，李渊授予了平阳公主与柴绍"各置幕府"的权力，也就是让他们夫妻各自拥有自己的直系部队。

平阳公主所率领的这支部队，其番号就是"娘子军"。

这就是中国历史上第一支有正式建制及正式番号的娘子军。而平阳公主也从此成为中国历史上最杰出的女性军事统帅之一。

今天，位于山西、河北两省交界处的太行山脉西侧，有一座名闻天下的关隘，那就是长城第九关——娘子关。此关原名苇泽关，正是因为平阳公主曾率领娘子军驻扎于此，所以改为现名。

大业十三年深秋，长安上空乌云低垂。无尽的落叶在长安坊间恓恓惶惶地飞舞，像极了葬礼上漫天飘撒的纸钱。隋朝刑部尚书、京兆内史卫文升望着天空中越来越浓重的阴霾，忍不住发出一声凄怆的长叹。

黑云压城城欲摧。

长安城的末日就快到了，隋王朝的末日还会远吗？

卫文升最后终于在一片难以排遣的抑郁和哀伤中一病不起。

京兆内史就是目前首都长安的最高行政长官。如今这个身负重任的老臣倒下了，守卫长安的职责便落到了左翊卫大将军阴世师和京兆郡丞骨仪的肩上。当然，还有那个名义上的西京留守——年仅十三岁的代王杨侑。

瓦岗危机

大业十三年十月二十五日。夜。洛水。

一支军队正在夜色的掩护下紧张渡河，向李密驻守的洛口方向急速前进。王世充一马当先，神色凝重。这些日子他一直在思考一个问题——李密究竟是一个怎样的对手？

此人来到瓦岗不久就夺取了领导权，短短半年部众就发展到数十万，接连占据帝国的三大粮仓，让洛阳守军焦头烂额，令大河南北的官军闻风丧胆，被四方变军推举为盟主。和这样的一个对手过招，自己能有多少胜算？

王世充感到一片茫然。

是日深夜，王世充的部队进驻黑石（今河南巩县南）。次日清晨，王世充留一部分兵力守卫大营，亲率精锐在洛水北岸布阵。李密接到战报，立刻率部迎战。

瓦岗军刚刚渡过洛水，还未站稳脚跟，王世充就下令严阵以待的士兵发起进攻。结果瓦岗军大败，士卒纷纷落水，包括那个曾建议李密西进关中的柴孝和也在这一战中溺水身亡。

李密大怒，一边集合步兵残部，命他们退保月城（防卫洛口仓的要塞），一边亲率精锐骑兵直奔隋军的黑石大营。

结果就出现了一个戏剧性的场面：王世充追着瓦岗残部向北而去，准备进攻月城和洛口；而李密则带着骑兵往南去了，准备端掉洛水南岸的隋军大营。

双方好像要各打各的。

不过这么打，王世充肯定是吃亏的。因为李密的月城经营日久，城防异常坚固；可王世充的黑石大营却是昨晚刚刚建的，绝对经不起李密的冲锋。

果不其然，李密的骑兵刚刚攻上去，守营的隋军就慌忙燃起烽火。而且怕王世充看不见，一燃就燃了六柱。

正在围攻月城的王世充顿时傻眼了。他此次出征所带的粮草、物资、辎重可都在黑石大营里，要是让李密给烧了，那他就等于不战自败了。王世充不得不匆忙解围，回师自救。李密一看"围魏救赵"之策成功，立刻回头迎击王世充。

由于隋军仓促回师，奔跑之中早已散了阵形，而李密所率领的都是麾下最精锐的骑兵，此战王世充大败，损失三千多人。

这一战是王世充与李密的第一次较量，结果让王世充得出了一个结论——李密是一个可怕的对手。

洛水战败之后，王世充一直紧闭营门，一连十几天拒不出战。

说实话，他现在已经对李密产生了一丝恐惧心理。

前方的王世充按兵不动，东都的越王杨侗心里马上犯了嘀咕——皇帝把你从江都调到这里，可不是让你来度假的！何况又给了你节制各军之权，你王世充要是当了缩头乌龟，这仗还怎么打？

于是杨侗天天派使者前往黑石大营，说是慰问王世充，实际上是催他出战。

王世充迫于无奈，只好给李密下了一道战书。十一月初九，双方于夹石子河（河南巩县东南洛水支流）进行了一场大规模会战。此战李密全军出动，旌旗南北绵延达数十里。两军列阵之后，瓦岗军的前锋翟让首先对隋军发起攻击，结果一战即溃，迅速向后退却。王世充奋起直追，不料却一头钻进李密给他张好的口袋。

王世充刚刚冲到瓦岗军的中军前方，王伯当和裴仁基就忽然从两翼杀出，横切他的军阵，生生割断了他的后军与前军的联系，而李密则亲率中军猛攻他的正面。隋军被切成两段，首尾不能相顾，而王世充又三面受敌，士众失去指挥，霎时溃散。王世充拼死突围，扔下无数士兵的尸体，带着残部向西而逃。

从军事角度而言，瓦岗军的战斗力绝对是一流的，但是从政治上来说，瓦岗集团的内部却始终潜伏着一个巨大的隐患。

那就是——权力结构的不稳定。

说白了，就是谁也不服谁。

在这一点上，李密比任何人的感受都更加深刻。所以他不得不睁大眼睛，对周围的人和事始终保持着高度警觉。

大业十三年冬天，最让他担心的事情终于出现了。

有一小撮人正蠢蠢欲动，试图挑战他的权威。

准确地说，这是一个小集团。而这个小集团的核心人物就是瓦岗寨过去的领袖——翟让。

翟让从一把手的岗位上退下来之后，日子倒也过得轻松自在。他仍然挂着司徒的头衔，过去的弟兄们照样尊重他，衣食住行的待遇也一点都没变。

翟让本来就没有问鼎天下之志，对于权力也没有什么野心，所以退居二线后，一直很享受这种养尊处优、闲云野鹤的生活。他什么事也不用操心，又不愁吃、不愁穿，人生至此，夫复何求？翟让时常在心里发出这样的感慨。

然而，翟让可以满足于这种闲云野鹤的生活，他身边的人却不甘心翟让就此大权旁落。

跟着翟老大出来混就是图个大富大贵，而今老大你居然早早退居二线，把军政大权拱手送给了李密，这算怎么回事？你自己不要富贵不打紧，可弟兄们怎么办？跟了你这么些年，结果却竹篮打水一场空，这口气叫大伙如何咽得下？

所以翟让让权这件事，自始至终都让他的手下人想不通。

司马王儒信就一直劝翟让从李密手里重新把权力夺回来，自立为大冢宰，总揽全局。可翟让却一口回绝。一看翟让如此不争气，他的老哥、时任柱国的荥阳公翟弘马上跳了起来。这个翟老哥是个粗人，说话从来不绕弯，一开口就喊："皇帝你应该自己当，凭什么要让给别人？你要是真不想当，我来当！"

翟让闻言大笑，把他老哥的话当成了笑料。这句话很快就落进了李密的耳中。在李密听来，这可不是笑料，而是一个巨大的威胁。

李密全身的神经立刻绷紧了。此后他的左长史房彦藻又向李密禀报了一件事。房彦藻说他前不久攻克汝南郡（今河南汝南县）时，翟让曾向他警告："我听说你在汝南得到了大量金银财宝，却全都送给了李密，什么都没给我！李密是我一手拥立的，以后的事情如何，还很难说啊。"言下之意，他既然可以拥立李密，当然也可以随时把李密废了。

房彦藻和左司马郑颋遂劝李密干掉翟让。他们说："翟让贪财好利，刚愎自用，又不讲仁义，根本没把您放在眼里，应该早作打算。"李密说："现在局势还不稳定，如果自相残杀，会给远近一个什么榜样？"郑颋说："毒蛇螫手，壮士断腕，为的是顾全大局。万一翟让抢先下手，后悔都来不及！"

李密就这么下定了决心。

十一月十一日，李密摆了一桌丰盛的酒席，邀请翟让、翟弘和他儿子、司徒府长史翟摩侯、司马王儒信一同赴宴。席间有裴仁基、郝孝德陪坐，房彦藻和郑颐在往来张罗，翟让背后则站着单雄信、徐世勣等一干侍卫。众人一坐定，李密就开口说："今天宴请高官，不需要太多人，左右留几个人伺候就够了。"说完，他左右的侍卫都走了出去，可翟让的侍卫却站着不动。

没有翟让的命令，他们不会动。

李密和房彦藻对视一眼，房彦藻连忙堆着笑脸请示："今天大家要饮酒作乐，天气又这么冷，司徒的卫士们都辛苦了，请主公赏赐他们酒食。"

李密瞟了瞟翟让，说："这就要请示司徒了。"

翟让一声干笑，说："很好。"

随后房彦藻就把单雄信、徐世勣等人领了出去。宴会厅里除了主宾数人之外，就只剩下李密的一个带刀侍卫蔡建德。

众人寒暄片刻，菜还没上齐，李密就命人拿了一张新造的良弓出来，让翟让试射。翟让接过去，刚刚把弓拉满，李密就给蔡建德使了一个眼色。蔡建德突然抽刀，从翟让的背后一刀砍在他的脖子上。翟让一头栽倒在地，从鲜血喷涌的喉咙口发出牛吼一般的惨嚎。还没等众人反应过来，蔡建德就已经把翟弘、翟摩侯和王儒信三人全部砍死。

外面厢房的单雄信、徐世勣等人听到号叫声，立刻跳起来夺路而逃。跑到大门口时，徐世勣被守门卫士砍伤了脖子。王伯当从远处看见，大声喝令卫士住手。单雄信等人慌忙跪地求饶，其他的侍卫惊恐万状地站在那里，不知如何是好。

李密很快走了出来，高声道："我与诸君同起义兵，本来就是为了除暴平乱，可是司徒却专横贪虐，欺凌同僚。今日只诛杀翟姓一家，与诸位没有干系。"说完命人把受伤的徐世勣搀扶进去，亲自为他敷药。

翟让的部众风闻翟让已死，都准备各奔东西。李密先是命单雄信前去宣慰，随后自己单人独骑进入翟让军营，一再劝勉，终于说服了他们，然后命徐世勣、单雄信和王伯当分别接管了翟让的部众。至此，整个瓦岗军营的恐慌和骚动才逐渐平息。

翟让之死是瓦岗高层权力斗争的一个必然结果，也是集团内部矛盾的一次集中体现。

从表面上看，李密成功消灭了内部最大的一支异己势力，顺利收编了翟让的心腹和部众，使自己的权力和地位得到了巩固。可实际上，瓦岗内部的隐患和不稳定因素并未就此消除，反而有愈演愈烈之势。因为经过这场流血事件之后，李密身边的将吏都变得人人自危，几乎每个人都在担心自己会成为第二个翟让。

一种看不见的忧虑和恐慌就像一场可怕的瘟疫一样，从此在瓦岗军中迅速蔓延。

从这个意义上说，翟让之死并没有为瓦岗的历史掀开新的一页，反而成为瓦岗从全盛走向衰落的一个转捩点。

虽然此后的瓦岗军在战场上仍然是所向披靡、胜多败少，但是败亡的危机却已经在表面的强大之下悄悄酝酿。

得知翟让被李密干掉后，王世充发出了一声怅然若失的叹息。

因为他知道瓦岗高层始终存在矛盾，尤其是翟让和李密，绝对不可能长期在同一个屋檐下共存共荣。所以王世充一直认为这是他消灭瓦岗的一个机会。他在心里默默把宝押在了翟让这边，希望翟让能把李密收拾掉，然后他再轻松地收拾翟让。

可结果却与他的希望截然相反。

通过多次交手和这段时间的观察，李密这个对手越来越让王世充感到可怕。他在一声长叹后，说了这么一句话："李密天资甚高，做事聪明果决，来日是一条龙还是一条蛇，实在难以预料！"

李渊"匡扶帝室"

李世民进入渭北之后，远近各地的士民、隋朝官吏、变民首领络绎不绝地前来归附，史称"归之如流"。就在这些人当中，李世民精心挑选了一批才俊之士作为自己的左右手。房玄龄就在这时候投到了李世民的麾下。

房玄龄出身于官宦世家，自幼博览经史，在文学和书法上均有很高造诣。少年时代曾随父亲、泾阳令房彦谦游京师。其时国家安定，天下太平，人人都认为隋王朝一定会国祚绵长、江山永固。可房玄龄在长安逛了几天后，却从鼻孔里重重地哼了一声，对他父亲发表了一番时政感言，把人人称颂的隋文帝杨坚狠狠数落了一回，骂他"混诸嫡庶，使相倾夺"，到头来必定"内相诛夷，不足保全家国"。他父亲听了这番大逆不道之言，本来就已经吓得不轻，没想到房玄龄紧接着又说了一句："今虽清平，其亡可翘足而待！"（《旧唐书·房玄龄传》）

最后这句灭九族的话彻底把他父亲吓得魂飞魄散。

房彦谦张口结舌地看着自己的儿子，无论如何也不敢相信这些话是从他嘴里说出来的。

十八岁那年，房玄龄中了进士。当时的吏部侍郎高孝基见过房玄龄后，大为惊叹，忍不住对同僚说："我阅人无数，从未见此少年，将来必成伟器，只可惜看不到他'耸擢凌霄'的那一天啊！"

高孝基的确眼力不凡。这个年轻人日后果然成了唐太宗李世民最为得力的心腹重臣，并且最终成为初唐的一代名相，贞观之治的主要谋臣，被誉为中国历史上"十大贤相"之一，的确堪称伟器！

来投靠李世民的这一年，房玄龄还只是一个小小的隰城（今山西汾阳县）县尉。但是李世民在军营前第一眼看见他的时候，马上有一种一见如故之感，随即任命他为记室参军，引为智囊。而房玄龄也将李世民视为知己，从此尽心竭力地辅佐这位英主。

大业十三年九月末，李渊集团展开了一系列军事行动，开始缩小对长安的包围圈。刘弘基、殷开山率军六万，西进扶风（今陕西凤翔县），南渡渭水，进驻长安故城（汉长安）。与此同时，李世民率所部十三万人进驻阿城（秦阿房宫故址）。

九月二十七日，驻守永丰仓的李建成也奉李渊之命，率部从新丰（今陕西临潼县）直驱长安。

同日，延安郡（今陕西延安市）、上郡（今陕西富县）、雕阴郡（今陕西绥德县）全部投降李渊。

九月二十八日，李渊率大军从冯翊郡（今陕西大荔县）西进，沿途凡是隋政府兴建的离宫、别苑、园林等一律拆毁，所有宫女全部放归。

十月初四，李渊抵达长安，在春明门外扎营，各路人马全部集结，共计二十余万。李渊不断遣使到城下，向隋朝廷和卫文升等人表明自己"匡扶社稷"的立场，可卫文升不予理睬。

十月十四日，李渊下令军队开始围城。军中各部纷纷砍伐驻地周围的树木，修造了大量攻城器械。长安附近的林木因此而砍伐一空。

十月二十七日，李渊大军开始攻城。李渊下令：任何人不准侵犯隋朝宗庙以及代王杨侑和所有皇室成员，违者诛灭三族。

这场攻城战几乎是没有悬念的。虽然义军也付出了血的代价，比如刚刚归附李渊的孙华就在这场战役中阵亡，但是仅仅十多天后，亦即十一月初九，李渊的部将雷永吉就率先攻上了城墙。

当天，李渊的军队攻克长安。李渊命李建成和李世民封存宫廷府库，收取隋朝的档案图籍，严禁士兵烧杀掳掠。

十三岁的代王杨侑躲进了东宫，身边的所有侍从全部作鸟兽散，只有侍读姚思廉一个人留在杨侑身边。义军士兵攻进东宫，准备冲上大殿时，姚思廉挡在面无人色的杨侑前面，厉声呵斥："唐公举义是为了匡扶帝室，尔等不得无礼！"

到了这一步，姚思廉为了保住代王的小命，也只好代表朝廷承认现实，老老实实陪李渊玩一场"匡扶帝室"的政治秀了。

李渊入城后，毕恭毕敬地把代王杨侑从东宫接到了大兴宫，然后自己住到了旧长安的长乐宫，以示君臣之别；同时废除了隋朝廷原来的所有法令，另行颁布了过渡时期的十二条约法。

李渊起兵的时候，西京的留守长官曾经挖掉了李渊的祖坟，捣毁了李氏五庙（天子可立七庙，公爵立五庙）。现在李渊进城了，这笔账肯定是要算的。此时的老臣卫文升已经在忧惧中一病而亡，剩下来的这些隋朝高官自然成了李渊报复的对象。

十一月十一日，李渊逮捕了西京副留守阴世师、骨仪等十多人，宣布了他们"贪婪苛酷、抗拒义师"等多条罪状，随后将其斩首。除了这十几个"首恶元凶"之外，李渊对朝中百官都极力加以安抚，对长安百姓也是秋毫无犯。

但是几天后军队逮捕了一个人，李渊马上下令要把他砍了。

因为李渊获知，早在他起兵之前，这个人就打算跑到江都向杨广告密，揭发李渊暗中募兵、准备造反的事情。

对付这种告密者，李渊当然不会心慈手软。

当这个告密未遂的人被五花大绑地带到李渊面前的时候，他并没有痛哭流涕、跪地求饶，而是扯着嗓子高喊："公起义兵，本为天下除暴乱，难道不想成就大业，只为了一点怨恨就要砍杀壮士吗？"

这个死到临头还气壮如牛的人是谁？

他就是日后威震天下的初唐名将李靖。

李靖是雍州三原（今陕西三原县）人，祖父李崇义官居北魏殷州刺史，封永康公；父亲李诠任隋朝赵郡太守。李靖姿貌魁伟，从少年时代起就颇有文韬武略，经常对家人说："大丈夫若遇主逢时，必当立功立事，以取富贵。"（《旧唐书·李靖传》）李靖的舅父是隋朝名将韩擒虎，每次

与李靖论兵，皆大为赞叹，时常抚着他的头说："可与言将帅之略者，独此子耳！"（《资治通鉴》卷一八四）

大业末年，李靖任马邑郡丞，察觉太原留守李渊行动可疑，估计有起兵之意，于是准备亲往江都禀报杨广，不料路过长安时，关中已经大乱，道路阻绝，不得不滞留于此，所以才会被李渊逮捕。

此刻，当李靖在屠刀之下喊出那番话时，李渊已经感觉此人定非无能之辈，而李世民更欣赏李靖的胆识，于是力劝李渊留下此人。

李靖就这么死里逃生，随后被纳入李世民麾下，从此踏上一代名将的辉煌征程。

攻克长安六天后，即十一月十五日，李渊奉代王杨侑即皇帝位，是为隋恭帝；同时改元义宁，遥尊远在江都的杨广为太上皇。

十七日，新天子杨侑授予李渊黄钺、符节，任命他为大都督中外诸军事、尚书令、大丞相，进封唐王，以武德殿为丞相府。

十八日，榆林郡（今内蒙古托克托县）、灵武郡（今宁夏宁武市）、平凉郡（今宁夏固原县）、安定郡（今甘肃泾川县）等郡皆派遣使节入京，尊奉新天子和新朝廷，实际上就是归附了李渊。

十九日，杨侑下诏：帝国所有政治、军事事务，全部文武官吏的任免，朝廷的一切法令刑赏，全部交由丞相府管辖；只有祭祀天地和宗庙社稷的事务，才向天子奏报。

同日，李渊任命裴寂为丞相府长史，刘文静为司马。

二十二日，李建成被封为唐王世子；李世民任京兆尹，封秦公；李元吉封齐公。

一场"匡扶帝室"的政治秀就这么轰轰烈烈地开演了。

虽然所有人都知道，十三岁的小皇帝杨侑只不过是这场政治表演中的一个道具，唐王李渊才是这个新朝廷真正的主宰，但是这场演出却不是可有可无的。

因为这是中国历史上每一个篡位夺权的人都必须遵循的潜规则。

更何况李渊比谁都清楚——自己称帝的时机还不成熟。

首先，真正的隋朝天子杨广还在江都。尽管他的政治威信和人气指数已经降到了即位以来的最低点，可毕竟他人还活着；而只要杨广还在一天，李渊就要尊奉隋朝的正朔一天，否则他就变成了篡位谋反的乱臣贼子，他的所有行为就丧失了合法性和道义基础。倘若如此，李渊就无法建立起一条最广泛的统一战线，无法把旧统治阵营中的那些人全部团结到自己的身边。

其次，李渊只据有关中一隅之地。虽然他抢占了长安这个政治制高点，能在新朝廷的势力范围内"挟天子以令诸侯"，但是天下仍然四分五裂，大部分地盘要么被四方群雄割据，要么依旧掌握在隋朝的官吏和军队手中，最终究竟鹿死谁手还很难说。如果李渊在此时称帝，势必授人以柄，成为各种势力攻击的焦点。这无异于把自己架在火炉子上烤，显然是不明智的。

所以，李渊不能急于称帝。只有当杨广从这个世界上消失，而自身的势力足够强大，天下的形势也足够明朗的时候，李渊才可能把小皇帝轻轻抹掉，堂而皇之地登上天子的宝座。

李渊想，这一天应该不会太远。

要不要当皇帝？

一切都显得太平静了。

从大业十三年十一月初到十二月末，在长达一个半月的时间里，原本打得如火如荼的东都战场却忽然沉寂了下来。

这样的平静意味着什么？

连日来李密一直在思考这个问题。王世充难道就甘心这么耗下去，光吃粮不打仗？

不，李密觉得王世充一定会有什么动作。

带着这样的疑虑，李密命人召来了最近刚刚逃奔瓦岗的隋军降卒。

"王世充在干什么？"李密问。

"最近他一直在募兵，一再设宴犒劳将士，不知道在搞什么鬼。"

李密盯着那几个降卒的脸看了很久，心里忽然掠过一阵惊悸。

"二十二三，月出半夜天。"李密不由自主地想起了这句农谚。也就是说，每逢下旬，尤其是在二十二、二十三这几天后，前半夜没有月亮，后半夜月亮才会慢慢升起。这就意味着，在每个月最后的这几天，夜里几乎没有月光。

今天是几号？

十二月二十四。

月黑风高夜？

杀人放火天！

李密全身的神经立刻绷紧了。

"我几乎着了王世充这小子的道了，"李密对裴仁基说，"你想到没有，我们这么久没有发动攻击，而王世充军营中的粮草将尽，他急于一战，所以才会一再募兵、犒劳将士，目的就是想趁月末天黑，偷袭我们的仓城！传令下去，在今天日落之前，必须完成防御部署。"

命令一下，郝孝德、王伯当、孟让等人立刻率部进入仓城周边的阵地设伏。

是夜三更，王世充的军队果然出现了。当他们进入王伯当的埋伏圈时，王伯当马上发起攻击，但是遭到隋军的顽强抵抗，王伯当反而失利。隋军进而开始攻城，瓦岗守将鲁儒率众力战，扼制住了隋军的势头。王伯当重新组织兵力再度攻击，终于大败隋军。王世充的麾下骁将费青奴战死，士卒被杀一千余人。

王世充连遭败绩，连精心策划的偷袭也彻底落空，顿时灰心丧气。

东都的越王杨侗连忙遣使慰劳。王世充大发牢骚，说他兵力太少，而且长期作战已经疲惫不堪云云。杨侗不得不又给了他七万人，才算堵住了他的嘴。

王世充得到了这支生力军，顿时有了底气，于大业十四年（公元618年）正月初大举反攻，终于在洛水北岸击败李密，迅速将部队推进到巩县北郊。这是王世充与李密交手数月以来取得的第一场胜利，令他不禁大为振奋。正月十五日，王世充命各军在洛水上搭建浮桥，准备乘胜进攻洛口仓。

然而人多不见得是好事。

军队数量的庞大与番号的错杂极有可能导致号令不一、指挥失灵。正在抢渡洛水的隋军现在就出了这个问题。还没等王世充下达总攻命令，先行架好浮桥的部队就率先发起了进攻。虎贲郎将王辩一马当先，率领部队一下就攻破了李密大营的外围栅栏。瓦岗守军顿时一片慌乱。

此时只要隋军坚持进攻，李密马上就会溃败。

可就在这节骨眼上，王世充却突然下令吹响收兵的号角。

因为他只看见大军在渡河的时候行动错乱、步调不一，根本不知道前方的王辩已经成功突破了敌人大营。

正在奋力突进的王辩听到号角声，不得不率部后撤。李密乘机带领敢死队发动反击，隋军大溃。为了争夺浮桥逃命，隋军光落入河中溺毙者就有一万多人，王辩战死，士卒各自逃散，大军瞬间瓦解。王世充带着自己的嫡系部队逃离战场，不敢回东都去见越王，只好北上河阳（今河南孟县）。

王世充就这样与唾手可得的胜利擦肩而过。

这天夜里，王世充的部队在横渡黄河时，突然天降暴雨，狂风大作，天气变得极度寒冷，士卒又冻死了一万多人。等到达河阳时，十几万的部队只剩下几千人。王世充把自己关进了监狱，以此向越王请罪。

得到大军惨败的消息后，越王杨侗也只能苦笑。要是在平时，一个败得这么惨的将帅早该被砍成肉酱了，可眼下，越王能杀王世充吗？

不能。

不但不能杀，还要慰劳他、犒赏他、捧着他、哄着他。

要不然怎么办？有王世充在，好歹还能牵制李密，还能把李密拒于东都之外；要是没有王世充，东都可能转眼就会被李密吃掉。

虽然王世充屡战屡败，可还是要鼓励他屡败屡战。

所以，越王杨侗不但丝毫不敢责备王世充，反而派使节前去向王世充宣布特赦令，又赏赐他金银、绸缎、美女，百般劝慰，让他回洛阳。

吃了败仗还能得到赏赐，不知道王世充有没有感动得热泪盈眶。不过既然朝廷如此厚爱，王世充也就实在没什么好说的，随后纠集残部一万余人回了东都，驻扎在含嘉城（洛阳北城内），只求自保，不敢出战。

李密连败王世充，士气大振，遂乘胜进攻东都，一举夺取了金墉城。李密命人将城门、城墙、官邸、民房等全部修葺一新，将瓦岗总部迁进城内，以此对东都进行威慑。随后，李密拥兵三十余万，在邙山南麓列阵，进逼洛阳上春门。

正月十九，杨侗命金紫光禄大夫段达、民部尚书韦津出城御敌。段达率部出城后，远远望见李密军容盛大，心中恐惧，未及接战便撤出战场。李密挥军进击，韦津兵败身亡。

眼看李密的场面越搞越大了，东都附近的一大批隋朝官吏赶紧率部投降了李密，而远近的义军首领如窦建德、朱粲、孟海公、徐圆朗等人也纷纷遣使奉表，鼓动李密登基称帝，属下的裴仁基等人也劝李密早正位号。

要不要当这个皇帝？

形势一片喜人，耳中一片阿谀之声，稍微不淡定的人，很可能就心花怒放地笑纳了。

可李密就跟李渊一样，他知道属于自己的春天还没到。

他还知道，劝他当皇帝的人基本上都是心怀鬼胎。

就说窦建德这帮人吧，他们如此殷勤劝进的目的，无非是想让他李密结结实实地成为隋朝的靶子，最好是把四面八方的官军都吸引到他李密身边，好让他们躲在背后茁壮成长。等瓦岗和官军斗得两败俱伤，他们再坐收渔人之利，轻松摘走胜利果实。

这就是他们的花花肠子！

至于说手下的裴仁基这些人，倒也不能完全抹杀他们的拥戴之意。只不过他们的拥戴也不可避免地掺杂了私心。因为李密要是当了皇帝，这瓦岗就成了一个朝廷，那瓦岗的老少爷们儿不也立刻跟着升格了吗？或许一不留神还能混个宰相尚书什么的当当，所以他们才会把小算盘打得哗哗响，一心想把李密鼓捣成皇帝。

这些小心思李密也都心中有数。

所以，面对所有人的劝进，李密只说了八个字——东都未克，不可议此。

李渊——最强劲的对手

大业十三年末，自称秦帝的薛举击败了李弘芝（自称楚帝）和唐弼（自称唐王），吞并了他们的部众，一时声威大振，号称拥有大军三十万。不久，薛举命长子薛仁果出兵进围扶风（今陕西凤翔县），准备与李渊争夺关中。

李渊立即作出部署，命军队兵分两路：一路由李世民率领，攻击薛仁果；一路由姜谟和窦轨率领，自散关（今陕西宝鸡市西南）出发，进攻薛举的根据地陇右（陇山以西）。在对付薛举的同时，李渊又命李孝恭率领一支军队，越过终南山（秦岭），向山南和巴蜀地区扩张。

十二月十七日，李世民在扶风大破薛仁果，并一直将他追到了陇山。薛举大为震恐，担心李世民越过陇山前来攻打，连忙问他的属下："自古以来，皇帝有没有投降的？"

黄门侍郎褚亮回答："远有赵佗归附西汉，刘禅入仕晋朝；近有萧琮，子孙迄今犹享富贵！转祸为福，古已有之。"

卫尉卿郝瑗急步上前，大声道："陛下不应该问这种话，褚亮之言又是何等荒谬悖逆！从前汉高祖刘邦经历了无数失败，刘备甚至连妻儿都不保，但是最终都能成就大业，陛下岂能因为一次小小的失利就作亡国打算？"

薛举顿觉失言，干笑了几声，说："我不过姑且试探一下各位的态度，并无他意。"随后便重重赏赐了郝瑗，并引为心腹智囊。

十二月下旬，平凉郡（今宁夏固原县）留守张隆、河池郡（今陕西凤县）太守萧瑀、扶风郡太守窦琎等人相继归附李渊。李渊旋即任命窦琎为工部尚书，封燕国公；任命萧瑀为礼部尚书，封宋国公。

与此同时，西路军的姜谟和窦轨进抵长道（今甘肃礼县东），遭到了薛举军队的阻击，结果兵败，不得不撤回长安。南路军的李孝恭进军秦岭以南，击败了盘踞在此的朱粲。部将建议将俘虏全都杀了，李孝恭说："不行，要是把他们全杀了，日后谁肯投降？"随即将俘虏全部释放。此后李孝恭继续南下，从金川（今陕西安康市）进入巴蜀，檄文所到之处，有三十多州归降。

长安被李渊攻陷之后，屈突通唯一的感觉是——天塌了。

因为李渊一进城就逮捕了他的所有家人，显然是要以此为筹码，迫使他就范。

屈突通悲痛欲绝，可是他没有就范。当长安的那个家童哭哭啼啼地前来诉苦和劝降时，屈突通毫不犹豫地把他杀了。他要以行动向李渊表明——为了当一个隋朝的忠臣，他准备牺牲他的全部家人。

屈突通随后命桑显和镇守潼关，自己率军东下，准备投奔东都。

可他前脚刚走，桑显和后脚就打开关门投降了刘文静。

刘文静立刻命窦琮和桑显和率轻骑兵一路尾追，终于在稠桑（今河南灵宝市北）追上了屈突通。屈突通命军队列阵，坚守不动。窦琮再次打出了亲情牌，命屈突通的儿子屈突寿去阵前劝谕。屈突通远远地对着他儿子破口大骂："此贼何来？昔日与你为父子，今日与你为寇仇！"随即下令左右弓箭手射杀屈突寿。

眼看一场恶战一触即发，桑显和策马飞奔到阵前，对屈突通的部众高喊："京城已经陷落，你们都是关中人，离开家乡又能去哪里呢？"

桑显和的这句话立刻产生了令人震撼的效果。屈突通的部众互相看了看，然后齐刷刷放下了武器。

屈突通彻底绝望了。他下马跪地，朝东南方向一下又一下地叩拜，嘶声哭喊道："臣力屈至此，非敢负国，天地所知，神明共鉴！"

随后屈突通被押解到长安，李渊大喜，对他极尽礼遇，并当即任命他为兵部尚书，封蒋公，兼任秦公（李世民）元帅府长史。

然后李渊就交给屈突通一个任务——回河东，劝降他的部将尧君素。屈突通带着复杂、沉重而又万般无奈的心情来到了河东。

在这样的情形下见面，这两个大男人忍不住相对而泣、涕泪沾襟。屈突通说："我军已败，而今义旗所指，天下莫不响应，事势如此，卿当早降，以取富贵！"

尧君素悲愤莫名，说："公为帝国大臣，主上将关中托付与公，代王更倚仗您保卫社稷，您怎能偷生投降，其至还替别人当说客呢？公所乘之马，即代王所赐，公有何面目乘之？"

屈突通哀叹道："唉，君素，我是力屈而来啊！"

尧君素说："而今我力犹未屈，你何必多言？"

屈突通惭悚不已，只好黯然离去。

屈突通无功而返后，李渊军队加紧了对河东城的进攻。

尧君素决意死守。

其时道路断绝，尧君素为了把整个关中与河东的危急形势告知东都朝廷，只好写了一份奏表，然后命人制造了一只木鹅，将奏表挂在鹅脖子上，最后让木鹅顺流东下。

木鹅漂到河阳，被守军拾获，交给了东都的越王杨侗。杨侗见信，叹息良久，于是以朝廷名义拜尧君素为金紫光禄大夫，命人走小路将任命状送到了河东。

后来，东都守将庞玉、皇甫无逸等人归降李渊，途经河东时也曾一再对尧君素晓以利害，劝他投降，可尧君素始终不为所动。

再后来，他在长安的妻子又来到城下，泪流满面地对他说："隋室已亡，天命有属，郎君何必自苦，自取祸败呢？"

尧君素在城头上大喊一声："天下事非妇人所知！"然后亲手搭弓上箭，一箭射了出去。他妻子应声而倒，死在了自己丈夫的手中。

尧君素知道隋王朝气数已尽，每谈及国事，必泫然泪下，对将士说："我是皇上（杨广）的藩邸旧臣，累蒙奖擢，今出于君臣大义，不得不死！城中粮食还可支持数年，等吃完了，天下事也尘埃落定了。倘若隋室覆亡，天命有归，我当自断头颅付与诸君也！"

尧君素情愿为隋王朝守节尽忠，可他的部众却不甘心成为隋朝的殉葬品。他们一直想叛逃，可尧君素军纪严明且统驭有方，所以将士们一直找不到机会。

河东城就这么坚守了一年有余。到最后，江都传来了杨广被弑的消息，而城中的粮食也快吃光了，每天都有人吃人的惨剧发生。部众们忍无可忍，不得不杀了尧君素，开门投降。

也许尧君素早就在等这一天了。

也许在他眼中，富贵和生命并不是一个人最重要的东西。比它们更值得捍卫的，是人的操守、信念和价值观。

为了捍卫他心目中的君臣大义，尧君素宁可用自己的生命献祭。

对今天的我们来讲，这似乎是一种典型的愚忠——一种毫无意义、不可救药的愚忠！

可是，就像我们不能以尧君素的"君臣大义"去要求并责备屈突通一样，我们也不能用"识时务者为俊杰"的标准来评价尧君素。

当然，像尧君素这样为一个不得人心、大势已去的旧王朝殉葬的做法固然不值得效仿，但是他勇于捍卫信念的这种精神本身却值得我们崇敬和仰望。

毕竟他的心中有一种高于富贵和生命的东西。其实不管这样的东西是什么，只要有这样的东西在，人性的高贵与尊严就能在苦难与死亡面前傲然挺立。怕只怕世上的人们丧失了这样的东西，并且还以丧失这样的东西为荣。

从这个意义上说，与其说尧君素是一个旧王朝的殉葬品，还不如说他是自身信念的殉道者。这种人，不应该被历史遗忘。

大业十三年最后的那些日子，李渊的势力在急剧扩张。南面的巴蜀地区已经完全归附，而刘文静向关东（潼关以东）进军也大有斩获，短短时间内，弘农（今河南灵宝市）、新安（今河南新安县）以西的土地城邑全部纳入了李渊的势力范围。

大业十四年正月初一，隋恭帝杨侑下诏：唐王李渊可以"剑履上殿、赞拜不名"。这就是说，从此李渊上殿不需要解下佩剑，不需要脱靴，奏事时无须由侍臣唱名。中国历代权臣都曾经拥有过这种特权，远的不说，隋文帝杨坚在篡周前夕也享受过这样的待遇。

在新年的第一天，李渊被授予了这种特权，这似乎表明李渊已经向不远处的那个皇帝宝座又迈进了一步，同时也等于向天下人发布了一则政治预告——隋王朝寿终正寝的日子为期不远了。

正月二十二日，李渊任命世子李建成为左元帅，秦公李世民为右元帅，率诸路兵马十余万人进军东都。二月初四，李渊再命太常卿郑元璹进军南阳郡（今河南邓州市），命左领军司马马元规进军安陆郡（今湖北安陆市）及荆襄地区。

大业十四年的日历刚刚掀开，正在热火朝天竞逐隋鹿的四方群雄便不约而同地感觉到，一个最强劲的对手出现了！

他的实力之雄厚，声势之浩大，发展之迅猛，让所有参与逐鹿的选手都暗暗捏了一把汗。

他们不约而同地想到了一个问题——

下一个出局者是谁？

| 第四章 |

公元618年：李渊称帝，大唐开国

江都政变

公元618年是一个奇特的年份，因为这一年的隋朝天下有不下二十个年号，并且很可能还是不完全统计。

这一年首先是隋炀帝杨广的大业十四年，同时也是隋恭帝杨侑的义宁二年，稍后还是唐高祖李渊的武德元年。

此外，东都的越王杨侗也在这一年被王世充等人拥立为帝，所以又称皇泰元年。

还有，那些大大小小的草头王对这一年也各有各的叫法：陇西的秦帝薛举称秦兴二年，河西的凉帝李轨称安乐元年，马邑的定杨天子刘武周称天兴二年，朔方的梁帝梁师都称永隆二年，河北的夏王窦建德称五凤元年，魏县的许帝宇文化及称天寿元年，江南的梁帝萧铣称鸣凤二年，东南的楚帝林士弘称太平三年……

实在是令人眼花缭乱！

然而，不管这一年有多少个年号，历史最终只会承认其中一个。

换句话说，这些如同雨后春笋一样冒出来的年号注定要一个接一个被淘汰掉。

而第一个被淘汰出局的，就是杨广的"大业"。

大业十四年，杨广五十岁。

知天命之年。

杨广现在的天命是什么？

是及时行乐。

既然一切都已无可挽回，那么除了及时行乐，除了不停地用酒精和女人来麻醉自己之外，杨广还能做什么呢？

今朝有酒今朝醉，管他明朝酒醒何处！

这就是杨广在生命最后的日子里身体力行的人生哲学。

他在江都的离宫中开辟了一百多座精致的别院，每一座院落都美轮美奂，而且美女常住，美酒佳肴常备。杨广每天让一座院落做东，然后带着萧皇后和宠幸的嫔妃们一院一院地宴饮作乐，天天和她们一起喝得酩酊大醉。

杨广通晓天象，并且喜好吴语。某个春天的夜晚，华枝春满，天心月圆，杨广与萧皇后坐在璀璨的星空下，静静地仰观天穹。突然，杨广粲然一笑，对萧皇后说："外间大有人图侬（我），然侬不失为长城公（陈叔宝），卿不失为沈后（陈朝皇后沈婺华），且共乐饮耳！"

是啊，星光如此美丽，岁月如此静好，杨广有什么理由悲观呢？

人生何妨长醉，杯中自有乾坤！山河破碎又怎么样？社稷覆亡又怎么样？只要能像陈叔宝一样保有爵禄和富贵，只要美女、美酒和美景常在眼前，他的下半辈子就可以过得与世无争、自在逍遥！

然而，最让杨广难以承受的是，再怎么烂醉也有醒来的一刻。

在那些宿醉乍醒的夜晚，江都的离宫中玉体横陈、杯盘狼藉，杨广一个人怔怔坐着，看蜡烛泪尽，听更漏声残。每当这样的时刻，那些被他苦苦压抑的痛苦、忧郁和感伤，就会像决堤的洪水一样汹涌袭来，把这个心事苍茫的帝王一口吞没。

还会有多少日子让他这样忧郁和感伤呢?

没有多少了。

公元618年的春天,在半梦半醒之间踉跄行走的杨广知道,在自己的生命中,不独快乐变得越来越珍贵,就连感伤也变得越来越奢侈了。

于是就有另一些夕阳西下的黄昏,许多宫人看见她们的天子穿着短衫,拄着手杖,像一个飘然遗世的行吟诗人一样,独自游荡在雕梁画栋的亭台楼阁之间。

他一遍又一遍地走过它们。

从不疲倦。

从不厌烦。

没有人知道,杨广是想把这些良辰美景深深地烙印在心间。

没有人知道,就算死神在下一刻马上把他从世界上剔除,他也要在这一刻把属于自己的世界收藏。

杨广一生中一直保持着一种习惯,即使是在这个迷乱而颓废的春天里也依然保持。他经常会长时间地揽镜自照——长时间地凝视甚至是欣赏着铜镜中的那个人。

这几乎可以说是一种自恋。不过有点遗憾的是,在这个春天里,杨广看见的不再是那个玉树临风、英气逼人的潇洒帝王,而是一个鬓发散乱、面目浮肿、神情倦怠、目光空洞的中年男人。

尽管这个镜中人已经变得让杨广感到陌生,但是他并没有过于失望。因为这个镜子里的人仍然拥有一个宽阔饱满的额头,一个端正挺拔的鼻梁以及一个微微扬起的下颌。

够了。纵使失去所有,杨广相信自己依然能拥有一个帝王最后的高贵与尊严!

杨广到最后似乎也看淡了死亡。有一天他忽然似笑非笑地对着镜中人说:"好头颈,谁当斫之?"

萧皇后大惊失色,问他为何说出如此不祥之语。杨广凄然一笑,幽幽

地说:"贵贱苦乐,更迭为之,亦复何伤?"(《资治通鉴》卷一八五)

公元618年,杨广知道自己已经回不了那个烽火连天的中原了。他现在唯一能做的就是保住江东而已,为此杨广准备迁都丹阳(今江苏南京),以防李密兵锋越过长江。

杨广把此事拿到朝会上讨论,文武百官立即产生激烈的争执。以内史侍郎虞世基为首的大臣都极力赞成,表示没有比这个更好的计划了;而右武候大将军李才等人却坚决反对,认为杨广应该立刻返回西京,借此安定天下。

最后心直口快的李才说不过巧舌如簧的虞世基,愤然离殿。门下录事李桐客依然坚持说:"江东低洼潮湿、地势险恶,而且耕地太少,如果要对内奉养皇家,对外供应三军,百姓难以负荷,恐怕最终仍将激起变乱!"李桐客话音刚落,御史们立刻发出弹劾,说他毁谤朝政。

反对的声音就此被彻底打压。公卿们纷纷阿附杨广,说:"江东之民盼望圣驾已久,陛下南下长江,亲临安抚,此乃大禹之事功也!"

迁都之议就这么定了下来。丹阳郡随即破土动工,开始修建皇宫。

可是,杨广已经无福消受丹阳的这座新皇宫了,因为军队早已离心离德。

一场震惊天下的江都政变马上就将爆发。

刚开始,将士们想到的还仅仅是叛逃。

因为他们都是关中人,思乡心切,见杨广毫无西返之意,只好三十六计走为上。禁军郎将窦贤首先率部西逃,结果被杨广的骑兵追了回来,马上把窦贤斩首示众。

然而杀一却不能儆百。将士逃亡的现象仍然有增无减、屡禁不止。

杨广绝对想不到,就连他最为倚重的心腹将领也有了叛逃之心。

这个人就是虎贲郎将司马德戡。

司马德戡不光想一个人逃,而且想煽动大家一起逃。他首先对他的两个好友发出了试探。一个是虎贲郎将元礼，一个是直阁将军裴虔通。司马德戡说："如今士兵人人都想逃亡，我打算告发，又怕先被士兵杀了；要是不报告，一旦事发，也难逃灭族之罪。到底该怎么办？还有，听说关中已经沦陷，李孝常就因为献出华阴叛降，皇上就逮捕了他的两个弟弟，准备处死。我们的家属都在关中，万一有人步李孝常之后尘，那我们岂不是大祸临头？"

元礼和裴虔通也是一副恐惧无奈之状，只能愁眉苦脸地说："事已至此，该怎么办？"

司马德戡盯着他们的眼睛，说："和士兵一块逃！"

元礼和裴虔通相视一眼，重重点头："善！"

一个大规模的逃亡计划就此启动。越来越多的朝廷官员和军队将领迫不及待地加入了他们的行列。这些人包括内史舍人元敏，虎牙郎将赵行枢，鹰扬郎将孟秉，符玺郎李覆、牛方裕，直长许弘仁、薛世良，城门郎唐奉义，医正张恺，勋侍杨士览等。几乎各个级别、各个部门的文武官员全都卷入了这个计划。

由于参与的人数众多，逃亡计划逐渐从秘密转为公开。最后将吏们甚至在大庭广众之下也毫不避讳地讨论他们的叛逃行动。有个宫女再也看不下去了，只好报告萧皇后："外间人人欲反！"萧皇后面无表情地说："任汝奏之。"宫女随即向皇帝禀报，杨广勃然大怒。

皇帝很生气，可后果并不严重。

因为只有一个人掉了脑袋，就是那个告密的宫女。

杨广认为这是她危言耸听，所以二话不说就把她砍了。

后来又有人忍不住向萧皇后禀报，萧皇后说："天下事一朝至此，无可救者，何用言之？徒令帝忧耳！"（《资治通鉴》卷一八五）

从此就再也没人多管闲事了。

杨广既然执意要当鸵鸟，那么叛逃计划当然就没有半点阻力了。

虎牙郎将赵行枢很快就把计划告诉了一个人，要拉他入伙。

正是这个人导致这个叛逃计划瞬间升级成了政变行动。

他就是宇文述的次子、时任将作少监的宇文智及。

司马德戡等人原计划于大业十四年三月十五日逃亡，可宇文智及却告诉他："主上虽然无道，但威信尚存，命令也还有人执行。你们一旦逃亡，恐怕会像窦贤那样自寻死路。而今上天欲亡隋室，四方英雄并起，既然同心逃亡之人已有数万，不妨干一票大的，此乃帝王之业！"

司马德戡豁然开朗，与宇文智及和赵行枢等人商议之后，决定拥护宇文智及的兄长、时任右屯卫将军的宇文化及为领袖，发动政变，杀掉杨广。

宇文化及是一个典型的纨绔子弟，仗着他父亲宇文述在朝中的地位，骄矜狂暴、贪赃枉法，所以打从少年时代起就被长安百姓称为轻薄公子。当众人把政变计划向他和盘托出，告知他这是帝王之业，并暗示将由他取代杨广成为天子时，宇文化及的冷汗唰的一下沁满了他的额头、鼻尖和掌心。

帝王之业？

宇文化及的心脏在剧烈地搏动。

这是一种恐惧与兴奋交织的搏动。

帝王之业？这位朝野知名的轻薄公子这辈子从没想过自己有朝一日也能开创帝王之业。

这可能吗？

但是众人的目光是那样热情和殷切，又是那样满怀信心、不容置疑。

宇文化及一颗骚动的心在足足狂跳了一炷香的工夫之后，终于跳回了原位。他最后一咬牙、一跺脚，用尽全身的力气说——好！

杨广的末日就此降临。

杨广与隋朝的忌日

政变行动开始了。

司马德戡命令许弘仁和张恺进入禁军军营，对将士们说："陛下听说你们即将叛逃，就准备了大量毒酒，打算举办宴会，在宴席上把你们全部毒死，只跟南方人留在江都。"众人闻言，大为恐惧，纷纷相互转告，一致决定响应司马德戡等人的政变行动。

三月初十，司马德戡召集全体禁军军官，正式宣布了他的行动方案，众人齐声高呼："愿听将军号令！"是日下午，司马德戡盗取了宫中御马，连同早已准备好的武器一同分发给了政变官兵。当天夜里，元礼和裴虔通在宫中当值，负责做内应；城门郎唐奉义负责将宫城的所有城门虚掩，接应政变部队。三更时分，司马德戡在东城集结了数万名士兵，燃起火把互相呼应。杨广半夜忽然醒来，看见火光照亮了江都的夜空，问左右发生了什么事。裴虔通不慌不忙地答道："草坊失火，士兵们正在扑救。"

与此同时，宇文智及和孟秉等人也在宫城外集合了他们的部众一千余人，随后劫持了仍忠于杨广的将军冯普乐，命令士兵迅速封锁各个主要路口。深夜，住在宫城外的燕王杨倓（杨广的孙子）发现军队有异动，意识到将有重大事变，急忙从芳林门旁边的水洞进入宫城，准备禀报杨广，可他走到玄武门时就进不去了。

因为裴虔通早已守卫在此。

杨倓只好向城楼喊话，说："臣今夜突然中风，命在旦夕，希望能见皇上最后一面。"

年少的杨倓尽管胆色过人，可如此粗糙的谎言恐怕连他自己都不会信！裴虔通立刻打开城门，不过不是放他进来，而是将他逮捕囚禁。

三月十一日凌晨，司马德戡把军队交给裴虔通，命他控制宫中各城门。裴虔通随后率领数百名骑兵冲进了成象殿，殿上的宿卫士兵大喊："有反贼！"裴虔通随即下令关闭所有城门，只开东门，勒令所有宿卫士兵放下武器，然后把他们从东门驱逐了出去。右屯卫将军独孤盛察觉情势有变，未及披上铠甲，慌忙带着十几名侍卫从营房冲了出来，迎面碰见裴虔通，厉声质问道："哪里来的军队？为何情形如此诡异？"

裴虔通冷冷地瞥了他一眼，说："形势所迫，不关将军的事，请将军不要轻举妄动！"

独孤盛大骂："老贼！说什么屁话！"随即带着手下人冲了上去。

可他们才十几个，裴虔通这边却有几百人。片刻之后，独孤盛和他的手下就全部倒在了血泊中。

惊闻宫内发生政变，左千牛（御前带刀侍卫）独孤开远迅速带着几百名士兵赶到玄览门，准备入宫保卫皇帝。可宫门早已紧闭。独孤开远敲门大喊："陛下，我们手里还有军队，足以平息叛乱，只要陛下亲自出来督战，人心自然平定，否则就大祸临头了！"

然而，任凭独孤开远把宫门擂得山响，宫中却悄无声息，始终没有半点回应。士兵们本来就没什么斗志，见此情状，只好各自散去，独孤开远最后也被变军逮捕。

至此，政变军彻底控制了整座皇宫。司马德戡率领军队从玄武门大摇大摆地进入宫城。杨广慌忙脱下御袍，换上便装，仓皇逃进西阁。裴虔通等人带兵冲到了东阁，司宫（宫廷女官）魏氏马上打开阁门。这个魏氏也是杨广的心腹，可早已被宇文化及收买，包括玄武门的卫兵也是被她矫诏调开了，才会让裴虔通等人轻而易举地占据了玄武门。

政变军从东阁进入永巷，逢人便问："陛下在哪儿？"一个宫女用手指了指西阁，校尉令狐行达立刻拔刀，率先冲向了西阁，裴虔通等人带着士兵紧随其后。

此刻，清晨的阳光已经把整座皇宫照亮。

杨广站在阁楼上，看见他最亲信的几个大臣和将军带着一队全副武装的士兵用最快的速度进入了他的视野。他们目光如刀、面色如铁，锃亮的铠甲和刀剑在温暖柔媚的阳光下闪烁着森冷而坚硬的光芒。

一个凄凉的笑容在杨广的脸上缓缓绽开。

他知道——这就是终点。

这就是他一直在等待，也一直在逃避的那个宿命的终点。

而眼前这个美丽的春天就是一座巨大的坟墓，终将把属于他的一切彻底埋葬。无论是他的生命、他的功业、他的江山，还是他的诗歌、他的醇酒、他的美人，一切的一切，都将在这个万物生长的春天里终结、腐烂、消亡……

杨广从阁楼的窗口看着率先迫近的令狐行达，忽然用一种平静的语气说："你是想杀我吗？"

令狐行达迟疑了一下，躲开杨广的目光，说："臣不敢，臣只想奉陛下西还。"

杨广被令狐行达从阁楼上带了下来，然后他的目光就一直定定地看着裴虔通。从杨广当晋王的时候起，这个裴虔通就始终跟随在他左右，是他最为宠信的几个心腹之一，而今连他也反了，杨广不禁有些伤感。他对裴虔通说："卿难道不是我的故人吗？是何怨恨促使你谋反？"

裴虔通低着头说："臣不敢反，只是将士思归，准备奉迎陛下回京师而已。"

杨广叹了一口气，说："朕也想回去，只因上江（长江中上游）的运粮船没到，才一直延迟，现在就和你一道动身吧。"

十一日上午，裴虔通让士兵把杨广看押起来，然后命孟秉等人出宫迎接宇文化及。

宇文化及跟着孟秉等人策马朝宫中奔去。不知是因为激动还是害怕，此时的宇文化及居然抖成了一团，连一句完整的话也说不出来。一路上不断有人前来晋见，宇文化及都是扶着马首，低着头，嘴里喃喃地说："罪过、罪过……"

司马德戡在宫门迎接宇文化及上大殿，尊称他为"丞相"。

裴虔通对杨广说："百官都在朝堂上了，陛下必须亲自出去慰劳。"随即把自己的坐骑牵了过来，逼杨广上马。杨广嫌鞍辔破旧，不肯上马，裴虔通只好换了一副全新的，杨广才不情不愿地骑了上去。裴虔通一手持刀一手牵马，把杨广带到了大殿前。变军兴奋得呐喊号叫，鼓噪之声响彻宫城。

宇文化及一见杨广，冲着裴虔通一边摆手一边大喊："何必把这个东西牵出来？赶紧带回去做掉！"

杨广神情黯然地问裴虔通："虞世基在哪里？"

变军将领马文举在一旁冷冷答道："已经砍了。"

杨广终于被带回了寝殿。当时萧皇后、嫔妃以及一干宗室亲王都已经被政变军软禁，杨广的身边只剩下他最宠爱的幼子，十二岁的赵王杨杲。司马德戡和裴虔通等人刀剑出鞘地环视着他们父子二人。杨广一声长叹，说："我有何罪，一至于此？"

马文举说："陛下违弃宗庙，巡幸无度，外勤征讨，内极奢淫，使青壮死于刀箭，女弱亡于沟壑，四民失业，盗贼蜂起；并且专宠佞臣，文过饰非，拒绝劝谏，还说没罪？"

杨广苦笑着说："要说我辜负了百姓，这是实情；至于说你们，荣华富贵，应有尽有，为何要做得这么绝？今日之事，谁是主谋？"

"普天同怨，何止一人！"司马德戡冷冷地说。

片刻之后，宇文化及又派遣内史舍人封德彝前来历数杨广的种种罪状。杨广伤心地说："卿是士人，为何也参与谋反？"封德彝无言以对，惭悚而退。

最后的时刻到了。

由于害怕，站在杨广身边的赵王杨杲一直在号啕大哭。裴虔通手起刀落，首先砍死了杨杲，鲜血溅满了杨广的衣服。裴虔通正欲对杨广下手，杨广忽然站起来说："且慢！诸侯之血入地，尚且要大旱三年，何况斩天子之首？天子自有天子的死法，岂能用刀砍？拿鸩酒来！"

这就是一个帝王最后的高贵与尊严。

然而这些造反者没有答应他。司马德戡使了一个眼色，令狐行达猛然揪住杨广的领口，狠狠把他按回原位。

杨广踉跄坐下。其实他很早就给自己和后宫准备了毒酒，他曾经对嫔妃们说："如果贼兵来了，你们先喝，然后我再喝。"可等到政变爆发时，左右侍从作鸟兽散，杨广再想找毒酒已经找不到了。

现在，杨广最后悔的就是自己为何不随身携带一瓶。他用绝望的目光最后看了看这些昔日的臣子，然后缓缓解下身上的绢巾，递给了令狐行达。令狐行达面无表情地接过去，一下就勒住了他的脖子。

绢巾越勒越紧，越勒越紧……杨广看见自己的一生呼啸着从眼前飞过。他的双手在拼命挥舞，可他什么也没有抓住。

我的生命，我的功业，我的江山……

我的诗歌，我的醇酒，我的美人……

杨广的双腿在猛烈抽动，最后猛地一蹬——一切都安静了下来。

这是公元618年的农历三月，一个阳光明媚的春天。江都的离宫莺飞草长、鲜花盛开，迷离的柳絮仿佛一万只白色的蝴蝶在整座皇宫中飘舞和盘旋。天空明洁而高远，纯净得就像初生婴儿一尘不染的脸庞……

就在这个美得让人窒息的早晨，杨广终于在自己亲手打造的死亡绳结中窒息。

就在这个万物生长的春天里，五十岁的杨广终于被轰然垮塌的大业彻底埋葬。

杨广死后，名义上先后有三个傀儡皇帝和三个影子朝廷分别在江都、西京和东都尊奉隋朝正朔，可谁都知道——隋王朝已经名存实亡。

大业十四年三月十一日是隋炀帝杨广的忌日，实际上也是隋帝国的忌日。

宇文化及的摄政之路

一代帝王就这么凄凉地走了，虽然保住了全尸，却死无葬身之地。

无处安葬的一个客观原因是——杨广从没给自己修过陵墓。

中国历代帝王往往在登基伊始就会花大力气修建自己百年后的地下寝宫，唯独杨广没这么做。他一生耗费巨大的精力和无数民脂民膏修建了遍及天下的离宫别馆，同时也给后人留下了一条泽被万世的大运河，可唯独漏掉了自己的终极归宿。

天下之大，杨广却连一个坑也没给自己留下。

没有人知道这是为什么，只知道杨广被缢杀后，萧皇后和宫人们拆下几片床板，给杨广和幼子杨杲做了两口简陋的棺材，然后就让他们孤零零地躺在离宫西院的流珠堂里，从此再也无人问津。

直到宇文化及一路北上之后，亦即大业十四年八月末，江都太守陈稜才按照天子礼仪，把杨广葬在离宫西侧的吴公台下，总算让他入土为安。此时距杨广被杀已经将近半年，中间隔了整整一个潮湿而闷热的夏天，杨广的尸体没有经过任何处理，按说早该腐烂。可让人意想不到的是，杨广入殓的时候，据说面容依然栩栩如生，让众人大为骇异（《隋书·炀帝纪》：发敛之始，容貌若生，众咸异之）。武德五年（公元622年）八月，唐朝扫平了江南后，又将杨广改葬到了江都附近的雷塘（今扬州市北平冈上）。

杨广死后，萧皇后和六宫嫔妃们并没有喝下杨广给她们准备的毒酒。她们苟活了下来，无可奈何地成了宇文化及的玩偶。

萧皇后虽然逃过一死，但是此后的命运却极为不堪。大业十四年五月，宇文化及把萧皇后和六宫嫔妃一起带到了中原。其后宇文化及败亡，萧皇后又落到窦建德的手中。再后来，东突厥的处罗可汗又从窦建德手里要走了萧皇后。一直到贞观四年（公元630年），当李靖和李世勣率领唐军破灭突厥之后，萧皇后才终于被唐朝政府以相应的礼节迎回了长安。

皇帝没了。

天子的宝座空空荡荡，总得有人坐上去。

宇文化及现在当然是不能坐的。他也必须演一场政治秀，先推一个傀儡上去，然后在适当的时候再玩一回"禅让"的游戏。

要先推谁上去呢？

宇文化及想到了杨广的四弟蜀王杨秀。

这是隋文帝杨坚五个儿子中唯一在世的一个，十几年前就被杨坚罢官软禁。杨广即位后虽然没有杀他，但也始终不让他恢复行动自由，而且担心他背后搞小动作，所以每次出巡总是带在身边——此刻杨秀就被关在江都的禁军军营中。

宇文化及觉得蜀王杨秀在目前的宗室亲王中资格最老，而且又因长期囚禁，几乎成了一个废人，所以立他最为顺理成章，也最为安全。

可宇文化及的提议却遭到了众人的反对。

宇文智及提出了另一个人选，那就是与他私交甚笃的秦王杨浩（杨广三弟杨俊的儿子）。

宇文化及同意了。他觉得反正这皇位迟早是他的，现在牵谁出来走这个过场对他来讲没有任何区别。

新皇帝的人选一确定，剩下来的宗室亲王就没有任何存在价值了。

当天，蜀王杨秀和他的七个儿子，齐王杨暕（杨广次子）和他的两个儿子，以及燕王杨倓，包括隋室的所有亲王和外戚，无论老幼，全部遭到屠杀。

其中死得最稀里糊涂的，可能就要属齐王杨暕了。

杨暕历来失宠于杨广，父子之间长期互相猜忌，所以政变爆发当晚，杨广就曾满腹狐疑地对萧皇后说："莫非是阿孩（杨暕乳名）所为？"而当宇文化及派人诛杀杨暕时，杨暕并不知道父亲已被弑，居然以为来人是杨广所派，故央求说："且慢杀我，我不会辜负国家！"来人一声冷笑，不由分说就把他拖到大街上砍了。杨暕至死还以为是父亲杨广对他下的毒手。

清理完隋宗室，接下来就轮到杨广的那些心腹重臣了。

内史侍郎虞世基、御史大夫裴蕴、左翊卫大将军来护儿、秘书监袁充、右翊卫将军宇文协、千牛宇文晶、梁公萧钜等人，以及他们的儿子，都没能逃过这场灭顶之灾。

让人感到奇怪的是，政变发生的时候，他们都在干什么呢？这些人几乎都是玩了一辈子政治的老手和人精，难道关键时刻都成了瞎子和聋子？难道他们对这么大动静的一场政变事先真的毫不知情，以至最终束手就擒、任人宰割？

不，其实他们中早已有人事先得到了密报。

政变前夕，江都县令张惠绍就已经探知有人即将谋反，立刻向御史大夫裴蕴做了禀报。裴蕴随即和张惠绍一起制订了一个紧急行动方案，决定矫诏逮捕宇文化及，然后入宫保护杨广。可当裴蕴把政变消息和他们的应变计划向内史侍郎虞世基报告时，虞世基却认为消息不可靠，把计划压了下来，没有采取任何行动。还没等裴蕴想出别的办法，政变就爆发了。裴蕴仰天长叹："跟虞世基这种人商量，只能误大事啊！"

裴蕴说得没错，跟虞世基商量，不误事才怪。虞世基这几年来最主要的工作就是替杨广屏蔽各种坏消息，所以早就形成了条件反射，任何天大的坏消息到他这里都成了捕风捉影、危言耸听。

这次所谓的政变消息当然也不会例外。

从这个意义上说，虞世基这么做不叫"误事"，而叫"尽职"。道理很简单，他要是不具备如此强大的屏蔽功能，杨广早把他一脚踢了，怎么会把他倚为心腹？

所以这场政变注定是要发生的，或迟或早而已。

在这场政治清洗中，有少数大臣幸免于难，其中一个就是时任黄门侍郎的裴矩。他早料到有这么一天，所以自从来到江都后就一直表现得很低调，即便是对仆从差役也是执礼甚恭，尤其是想方设法讨好军队。去年八月他就向杨广提出了一个收买人心的建议。他知道军队中的很多将士在江都都找了妞头，于是决定做个顺水人情，就对杨广说，将士们之所以闹着回家，是因为老婆孩子都在京师，如果允许他们就地娶妻，人心自安。杨广觉得很有道理，就按他说的做了。大部分禁军官兵就这样在江都找到了他们人生的第二春，当然要打心眼里感激裴矩。

所以政变发生后，士兵们都嚷嚷着说："裴大人是个好人，没他什么事！"而且当时裴矩一见到宇文化及，立刻非常识趣地上前跪地叩头，一脸弃暗投明的表情，自然让宇文化及也大生好感。

就是凭着这样的本事，才使得裴矩在整个江都朝廷彻底崩盘的时候，仍然不失为一只逆市飘红的坚挺个股——几天后就成了宇文朝廷的右仆射。

该杀的都杀了，该降的也都降了，昔日的轻薄公子宇文化及开始堂而皇之地踏上"摄政"之路。他自称大丞相、总百揆，以萧皇后的名义拥立秦王杨浩为帝，但一直把他软禁在别殿，命士兵严密看管，只是让他在各种诏书上签字盖章而已。随后，宇文化及又任命二弟宇文智及为左仆射、三弟宇文士及为内史令，彻底掌控了江都朝廷的军政大权。

大业十四年三月二十七日，宇文化及任命左武卫将军陈棱为江都太守，同日宣布大军返回长安，带着傀儡皇帝杨浩、萧皇后，以及六宫嫔妃一同启程北上。其龙舟队的盛大排场与当初的杨广无二。

宇文化及踌躇满志、无比风光地站在巨大的龙舟上，感觉辉煌的人生正在不远处向他微笑招手。

此刻的他绝对不会料到，有两次兵变正埋伏在道路的前方，差点终结了他刚刚开启的这场帝王美梦。

第一次兵变发生在龙舟队启程的这一天。

当天傍晚，船队行至离江都不远的显福宫，三名禁军将领便开始了密谋。一个是虎贲郎将麦孟才，另外两个是虎牙郎钱杰和沈光。麦孟才说："我等受先帝厚恩，而今却俯首侍奉仇敌，受其驱使，有何面目苟活于世？我一定要杀了他，虽死无憾！"沈光也流着泪说："这正是我期望将军的。"

是日夜里，麦孟才积极联络军队中的旧交，迅速纠集了数千部众，约定于次日拔营前袭杀宇文化及。然而消息很快泄露。宇文化及带着心腹将领连夜逃离大营，同时通知司马德戡先对麦孟才等人下手。

深夜，沈光忽然听到军营中人喊马嘶，估计已经走漏了风声，立即带兵扑向宇文化及的营帐，可是帐中已空无一人。出来的时候，沈光恰巧撞见了江都政变的主要策划者之一，其时已被提拔为内史侍郎的元敏。沈光庆幸自己事败之前还能杀一个垫背的，随即历数了元敏的条条罪状，然后一刀砍了他。

与此同时，司马德戡已经率大军包围了军营。经过一番血战，麦孟才、沈光、钱杰及其部众数百人全部战死。虽然明知此战必败，可自始至终却无一人投降。

兵变总算是平息了。

还好，有惊无险。宇文化及在心里对司马德戡大为感激。

可让他没想到的是，船队行驶到彭城郡（今江苏徐州市）的时候，第二次兵变接踵而至。

更让他意想不到的是——这次的主谋居然是司马德戡。

其实宇文化及一上台，很多人马上就后悔了。

因为这位轻薄公子不仅没有半点能耐，而且骄奢之状比杨广有过之而无不及。

把杨广的六宫嫔妃都据为己有就不说了，龙舟队的一切排场都刻意模仿杨广也不说了，单就他在日常政务中的表现就足以让人大失所望。

他每次进入大帐的时候，总是大大咧咧地面南而坐，俨然把自己当成了帝王。更令人愤怒的是，他架子虽然摆得很大，可百官凡有进奏，他却一概保持沉默，什么话也不说。

这样的沉默是代表睿智和深沉吗？

不。谁都很清楚，他这是胸无韬略，不敢决断。

每次下帐后，宇文化及都要马上召集唐奉义、张恺等一帮心腹，商量百官所奏议的事，等别人帮他出了主意，他才命人拟就相关诏书，拿去让杨浩签字。

大伙把脑袋别在裤腰上搞政变，到头来拥护的居然是这么一个既骄矜又无能的笨蛋，怎能不令众人齿冷心寒？

司马德戡第一个跳了起来。他埋怨当初主张拥护宇文化及的赵行枢："我被你害惨了！当今要拨乱反正，必须依靠一个英明的领袖，可宇文化及昏庸愚昧，又被一大群小人包围着，大事必败无疑，你说该怎么办？"

司马德戡之所以跳起来，其实也不完全是出于公心。

还有一层原因他没说，那就是宇文化及并不信任他。

宇文化及总揽大权之后，封司马德戡为温国公，加光禄大夫，几天后又调任礼部尚书。表面上加官晋爵，极为尊崇，实际上是褫夺他的兵权。司马德戡大为不满，只好把所获的赏赐全都拿去贿赂宇文智及，通过他向宇文化及说情，好不容易才重新掌握了一点兵权——负责统领一万多人的后军。

但是这点兵权其实也是不稳固的。因为宇文化及始终防着他，哪一天要是把他的兵权卸了，司马德戡就彻底任人摆布了，所以司马德戡不得不先下手为强。

听完司马德戡的牢骚后，赵行枢两眼一翻，说："这全看我们自己了，要废他也不是什么难事！"

于是二次兵变的计划就这么定了下来。

但是司马德戡还是有些信心不足。因为宇文化及现在是大丞相，手里掌握了十几万军队，而他只有区区一万多人。万一暗杀不成，双方开打，司马德戡的胜算并不大。为了保证计划万无一失，司马德戡决定找一个外援。

他找的人是其时盘踞在济阴郡周桥（今山东定陶县东南）一带的变民首领孟海公。

司马德戡给孟海公写了一封信，此后一直在等待回音，然而孟海公一直没有回音。

兵变的时机就这么在焦灼的等待中流逝。

宇文化及很快得到了消息，于是设计逮捕了司马德戡。计划中的兵变就此流产。

杀司马德戡之前，宇文化及问他："你我同心协力，共定海内，冒着九死一生的危险。而今大事方成，正是共享富贵的时候，你为何又要谋反？"

司马德戡说："我们之所以诛杀杨广，是因为无法忍受他的荒淫暴虐，没想到阁下的所作所为比他还要严重！情势所迫，不得不如此。"

随后司马德戡便被绞死，同党十多人也全被诛杀。

几天后，让司马德戡一直望眼欲穿的孟海公终于出现了。

可孟海公不是来找宇文化及打仗的，他是来找宇文化及喝酒的。

孟海公带着弟兄，带着酒肉，要来为大丞相接风洗尘，顺便交个朋友。跟一个拥有十几万大军的人交朋友，总不是什么坏事。

至于司马德戡那封十万火急的求援信，估计孟海公看过一眼就把它烧了。

大业十四年四月下旬，由于水路受阻，宇文化及率大军改行陆路，从彭城进入中原。

在巩洛（今河南巩县）一带，宇文化及遭遇了瓦岗军的阻击，于是转向东郡（今河南滑县），隋东郡通守王轨立刻开门迎降。

中原一下子变得热闹起来。

宇文化及的到来，使东都的命运变得比以往更加扑朔迷离。

后杨广时代的逐鹿游戏

李建成和李世民比宇文化及先抵达中原，可还没等东都舞台上的逐鹿大戏开锣，李世民就决定弃权了。

因为他发现——此刻的东都与其说是一只肥鹿，还不如说是一个烫手山芋。

他和李建成于四月初率军抵达东都附近的芳华苑，立刻派人向东都朝廷表示增援之意，可越王杨侗不上这个当，始终紧闭城门。而李密的瓦岗军则试探性地和他们交了一下手，之后就各自按兵不动。李世民冷静地判断了一下当时的形势，得出了一个结论——现在夺取东都的时机还不成熟。

道理很简单。李密的瓦岗军总共有三十多万人，而且训练有素，都是百战之兵，具有很强的战斗力；东都的王世充虽然实力稍弱，但也算是隋朝军队中的一支劲旅；还有，宇文化及的十几万军队此刻也正朝中原扑来。这几大势力加在一起就有五六十万之众，如果硬要跟他们拼抢东都，就算获胜，也会极大地消耗自身的实力，即便是拿下东都，也不见得能守住。更何况关中刚刚平定，根基还不稳固，而他们兄弟二人以及各路远征军几乎把长安的所有精锐都拉了出来，万一西北的薛举和梁师都在此时乘虚而入，进攻长安，后果将不堪设想。所以李世民的想法是——三十六计走为上，暂时先班师，坐山观虎斗，等这几大势力互相绞杀，斗得两败俱伤之后，再出关摘取胜利果实。

李建成同意李世民的看法。四月初四，军队班师。拔营之前，李世民料定他们一旦撤退，东都必定出兵来追，于是在三王陵（洛阳城西南）设置了三道埋伏，严阵以待。

果然，军队刚刚西行，东都的段达就率一万多人一路尾追，结果遭遇伏击，大败而逃。李世民回军反击，一直把段达追到了洛阳城下，斩杀了四千多人。随后李世民又在东都附近设置了新安郡（今河南新安县）和宜阳郡（今河南宜阳县），命部将吕绍宗和任瑰镇守新安，史万宝和盛彦师镇守宜阳。这一北一南的两个据点互为掎角、协同攻防，一方面窥伺东都，一方面作为防守潼关的门户，其战略意义要远比直接占领东都重大得多。

世间已无杨广，所以很多人有事要忙。

后杨广时代的逐鹿游戏不会再欲说还羞、遮遮掩掩。

人人图穷匕见。

人人大干快上。

首先作出反应的是时任吴兴（今浙江湖州市）太守的沈法兴。

当时沈法兴正在努力围剿东阳郡（今浙江金华市）一带的变民，一听说杨广被宇文化及诛杀，立刻起兵，以讨伐宇文化及之名，先后攻占江表（太湖流域及钱塘江流域）的十几个郡，自立为江南道大总管，同时设置文武百官。

这一年四月下旬，原来称梁王的萧铣也正式称帝，并迁都江陵（今湖北荆州市），随后派遣各路军队大举向南扩张。

原本一直在坚守城池的各地隋朝将吏听到杨广被弑的消息后，纷纷放下武器投降萧铣。

萧铣的势力迅速壮大，其版图东至九江（今江西九江市），西至三峡（今湖北与重庆交界处），南至交趾（今越南），北至汉川（今汉水以南），成为当时南方最大的一个割据政权，并拥有常备军四十余万。

与此同时，杨广被弑的消息也传至长安。

这一天终于到来。李渊仰天恸哭，用一种伤心欲绝的口吻说："吾北面事主，因关山阻隔而不能救，但实在不敢忘却悲哀啊！"

这场由李渊自导自演的"匡扶帝室"的政治秀，终于在这一抹煽情的泪水中画上一个圆满的句号。

接下来发生的一切就顺理成章了。

五月十四日，隋恭帝杨侑将皇位禅让给唐王李渊，回代王府居住。

五月二十日，五十三岁的唐王李渊在太极殿登基称帝，同时祭天、大赦，改元武德。

一个长达二百八十九年的大唐王朝，就在此刻拉开了宏伟的序幕。

这无疑是一个值得铭记的历史时刻。

自公元220年起，当大汉王朝在三国群雄的龙争虎斗中颓然倒地之后，神州大地就进入了一个分崩离析、征战杀伐的乱世。在此后的近四百年中，无数的英雄和枭雄，始终梦想着建立一个长治久安、河清海晏的大一统帝国，然而他们的梦想转眼就被疯狂运转的战争机器碾成了齑粉。在魏、晋、南北朝直至隋朝的漫长的四个世纪中，华夏神州虽然也曾有过短暂的和平与统一，但皆如昙花一现。在脆弱的安宁与虚假的繁华背后，接踵而至的往往是更为残酷的分裂战争和更为暴烈的血雨腥风。

将近四百年了，这片古老的大地一直在黯淡无光的历史暗夜中沉沦，一个又一个世代的黎民百姓，一直在兵戈与战火的荼毒中呻吟和哀号，一直在群雄逐鹿的金戈铁马下流血和战栗！

没有人知道，在这求出无期的四百年中，曾经有多少鲜花般美丽的孩童，未及绽放就在浓烈的烽烟中夭折枯萎；也没有人知道，曾经有多少初为人妇的妙龄女子，为一去不归的征人哭干了一生泪水，望穿了一世眼眸；更没有人知道，曾经有多少白发苍苍的老人，临死前一次次向苍天伸出瘦骨嶙峋的双手，乞求来世宁为太平犬，不做乱世人……

苍天缄默，大地无语。

直到时光的车轮无情地碾过这一切，缓缓走到公元618年的这一天，几十个世代的凄风苦雨才出现了渐次消歇的迹象，四百年的混沌暗夜才悄然露出了一丝朦胧的曙光。

纵然此刻的大地战火频仍，纵然此刻的天下烽烟未熄，但是历史的如椽巨笔，已经为这个新生的王朝描绘了一个光芒万丈、如日中天的未来。

是的，短短十几年后，一个中国历史上屈指可数的黄金时代，就将跨越四百年的时空，向遥远的大汉王朝致敬；短短十几年后，一个世界历史上享有盛誉的盛世帝国，就将横空出世，傲然屹立在天地之间！

与李渊登基同日，唐政府将隋朝的郡县制改为州县制，命现有管辖范围内的各郡太守一律改任州刺史；并按五行关系推演，推定唐朝属"土德"，以黄色为最高贵的颜色。

五月二十八日，李渊命裴寂和刘文静修订律法，并设置国子学、太学、四门学，招收生员三百多人，命所属各州、县同时置学招生。

六月初一，李渊任命李世民为尚书令，裴寂为右仆射、知政事，刘文静为纳言，萧瑀、窦威为内史令，裴晞为尚书左丞，李纲为礼部尚书、参掌选事（即兼吏部尚书事），窦琎为户部尚书，屈突通为兵部尚书，独孤怀恩为工部尚书，陈叔达、崔民幹为黄门侍郎，唐俭为内史侍郎，殷开山为吏部侍郎，韦义节为礼部侍郎，赵慈景为兵部侍郎，李瑗为刑部侍郎。

同日，唐朝政府废除隋朝律令《大业律》，另行颁布新朝律法。

六月初七，李渊立李建成为太子，封李世民为秦王，李元吉为齐王，其他宗室诸人李孝基、李道玄、李神通等也在这一日全部封王。

六月初十，秦帝薛举出兵进攻唐朝所属的泾州（今甘肃泾川县）。李渊命秦王李世民为元帅，率八道总管出兵御敌。

在唐朝建立仅仅四天之后，即五月二十四日，东都的留守官员王世充等人也拥立年仅十五岁的越王杨侗登基称帝，改元皇泰。

同日，杨侗任命段达与王世充同为纳言，段达封陈国公，王世充封郑国公，与元文都、卢楚、皇甫无逸、赵长文、郭文懿等七人共同执掌朝政，时人称为"七贵"。

东都朝廷的老少爷们儿虽然集体升格了，但东都的形势却比以前更为严峻。

因为前面有虎后头有狼。一个李密就够让人头疼了，现在居然又来了一个宇文化及！

该怎么办？

有一个叫盖琮的人向杨侗上疏，建议招降李密，共同对付宇文化及。内史令元文都和卢楚等人商议说："而今我等大仇未报（指杨广被杀一事），且兵力不足，如果赦免李密，命他攻击宇文化及，让他们互相残杀，我等便有机可乘。等到宇文化及败亡，李密必定也是疲惫不堪，再加上他的将士贪图我们的官爵赏赐，到时候就容易离间，连同李密都能手到擒来！"

众人都觉得这是拯救东都的上上之策，于是奏请杨侗，任命盖琮为通直散骑常侍，让他携带皇帝诏书前去游说李密。

宇文化及进入中原后，虽然兵不血刃地拿下了东郡，但是此地有限的粮食储备显然不足以养活他的十几万军队。

所以，必须找一个粮食充足的地方作为根据地，他才能在中原长期立足。

宇文化及很快就把目光瞄向了东郡北面不远的一个地方。

那就是徐世勣驻守的黎阳仓。

这一年六月末，宇文化及擢升东郡通守王轨为刑部尚书，命他驻守滑台（东郡郡治所在地，即今河南滑县），然后留下所有辎重，亲率大军北上，渡过黄河进围黎阳仓城。李密得到消息后，立刻率两万步骑进抵清淇（今河南淇县东南）。

可他却不急着与宇文化及开战，而是深挖壕沟、高筑营垒，与徐世勣烽火相应。每当宇文化及发兵攻城，李密就从背后攻击他，牵制他的兵力，让他无法全力进攻。

有一次，李密与宇文化及对峙于淇水（古黄河支流），两个人隔河进行了一次简短的对话。李密一开口就劈头盖脸地数落他："你们宇文家族本来是匈奴（鲜卑）人的家奴，姓破野头，到后来才跟了主人的姓。父兄子弟，皆受隋朝厚恩，富贵累世，举朝无二。主上失德，你不能死谏倒也罢了，反而擅行弑逆、欲图篡位，此举天地不容，你还想逃到哪去？不如速来归我，尚可保全子孙后嗣。"

李密骂完以后，感觉十分酣畅。他估计宇文化及一准会以牙还牙地回敬他几句。

不料却是一阵沉默。

宇文化及把头埋得很低，不知道在酝酿什么豪言壮语。默然良久，宇文化及突然抬头，怒目圆睁地大喊一句："我和你谈的是厮杀，又何必搬弄一套书上的话？"（《资治通鉴》卷一八五："化及默然，俯视良久，瞋目大言曰：'与尔论相杀事，何须作书语邪？'"）

李密大笑着对左右说："宇文化及蠢到这个地步，还异想天开要当帝王，我拿一根棍子就可以把他摆平！"

接下来的日子，恼羞成怒的宇文化及大举修造攻城武器，发誓一定要拿下黎阳仓。徐世勣不与他正面决战，而是深挖壕沟，令他寸步不前，此后又挖掘地道，偷袭宇文化及的军营。宇文化及猝不及防，被打得大败。徐世勣随即焚毁了隋军的所有攻城器具。

东都朝廷向李密抛出橄榄枝后，立刻得到了李密的热情回应。

一见到盖琮带来的杨侗诏书后，李密大喜过望，当即拟就一道奏疏，请求归降。

双方一拍即合。杨侗随即下诏任命李密为太尉、尚书令、东南道大行台行军元帅，封魏国公，命他先讨平宇文化及再入朝辅政；同时任命徐世勣为右武候大将军。

在诏书中，杨侗极力褒扬了李密的忠诚，同时宣布："其用兵机略，一禀魏公节度！"（《资治通鉴》卷一八五）也就是说，东都军队今后的一切军事行动都要听从李密指挥。

成功招抚李密之后，段达、元文都等人大为兴奋，认为东都从此太平，随即在上东门举办了一场盛大的庆功宴，众人赋诗饮酒、载歌载舞，闹了个不亦乐乎。

只有一个人在宴会进行的过程中始终阴沉着脸。

他就是王世充。

王世充很愤怒。因为在招降李密这件事情上，他是最大的受害者。

大家都很清楚，王世充在东都朝廷唯一的存在价值就是与李密抗衡。李密一日不死或者一日不降，他王世充就一日不可或缺。可如今李密居然降了，二话不说就降了！而且摇身一变成了仅次于皇帝杨侗的第二号人物，反倒骑到他王世充头上来了。瞧瞧那诏书是怎么说的："一禀魏公节度！"老子从江都千里迢迢地跑过来，为东都抛头颅、洒热血，和李密杀得天昏地暗、日月无光，到头来居然成了他李密的手下，要"一禀魏公节度"？

是可忍，孰不可忍？

王世充盯着得意忘形的元文都等人，最后对身边的人说了一句："竟然把朝廷的官爵送给盗贼，他们究竟想干什么？"

此时此刻，元文都正在翩翩起舞。

他看上去专心致志、旁若无人，可眼角的余光却时不时地从王世充的脸上瞟过。

元文都很清楚王世充在想什么，可他拿不准王世充会干什么。

王世充会不会一气之下转而投靠宇文化及？

难说！

就在某个转身的刹那，元文都与王世充的目光无意中碰到了一起。

几乎只在十分之一秒间，两个心事重重的政客就各自给了对方一个温柔的笑容。

元文都朝王世充亲切友好地点点头。

王世充也朝元文都亲切友好地点点头。

都说这世间没有无缘无故的爱，也没有无缘无故的恨，那么这世间当然也没有无缘无故的亲切友好的笑容。

在这种耐人寻味的相视一笑之后，历史的剧情通常会很血腥。

这一次当然也不会例外。

政客的假面具与誓言

李密收到东都朝廷的任命状后，长长地松了一口气。他终于可以调集精锐，全力对付宇文化及了。

李密知道宇文化及现在最大的优势就是他的军队，毕竟这十几万人原本都是杨广的近卫军，其战斗力不可小觑。但是宇文化及最大的弱势有二：一是他本人没能耐，二是他的军队缺粮食。

为了充分利用这两个弱点，李密想了一计——跟宇文化及言和。

宇文化及果然中计，从此让将士们放开肚皮大吃大喝，他相信李密的三大粮仓不久就会向他敞开。可很快宇文化及就发现自己被愚弄了。因为李密有一个部属犯罪逃亡，投靠了他，把李密的阴谋一五一十都告诉了他。宇文化及勃然大怒，立刻率军渡过永济河，向童山（今河南滑县北）的李密大营发起进攻。

由于隋军的粮食已经吃光，因此这一仗，隋军将士人人抱定决一死战之心，对瓦岗的进攻空前猛烈。从辰时（上午七时）到酉时（晚上七时），隋军的攻击一波紧接一波，一刻也没有停止。李密率部奋力抵御，激战中被流箭射中，从马背上一头栽下，当即晕厥。左右侍从四散逃命，隋军立刻蜂拥而上。

眼看李密将死于乱刀之下，瓦岗军转眼就要一败涂地，生死存亡的一瞬间，有个人拼死挽救了李密的性命，也挽救了整个瓦岗的败局。

他就是秦叔宝。

当所有人各自逃命的时候，只有他坚守在李密身边，以一人之力挡住了围上来的隋兵，李密才得以逃过一死。

秦叔宝救出李密后，马上召集残部，重新组织防御，又击退了隋军的数次进攻。由于天色已晚，激战了一整天的隋军士兵都已精疲力竭，宇文化及只好率部撤出了战场。

为了解决军队的粮荒，宇文化及一边进入汲郡（今河南淇县东）搜刮粮食，一边派人回东郡，逼迫当地官民缴纳军粮。东郡的官民不服，宇文化及的手下就将他们逮捕，并且严刑拷打。东郡通守王轨忍无可忍，遂暗中派遣通事舍人许敬宗去晋见李密，请求投降。李密随即任命王轨为滑州总管，并将许敬宗留任元帅府记室，与魏徵共事。

这个许敬宗日后成了李世民帐下的主要幕僚之一，与杜如晦、房玄龄、虞世南、孔颖达等人并称"秦王府十八学士"，并在贞观初年与魏徵、颜师古、孔颖达等人共同编修了《隋书》。

宇文化及得知王轨叛变，意识到自己在中原已经难以立足，不得不撤出东都战场，率军北上，准备朝黄河北面发展。

可一路上却不断有将领带着部众逃亡，南下投降了李密。其中有陈智略率领的岭南精锐一万余人，樊文超率领的江淮勇士数千人，张童儿率领的江东勇士数千人。宇文化及无力阻止，只能带着残部两万人继续北上，最后进抵魏县（今河北大名西南）。

李密知道宇文化及已经无所作为，遂留下徐世勣防备他反扑，然后率大军返回洛口。

李渊父子及其政治军事集团自从晋阳起兵之后，无论是南下河东、西进关中，还是攻克长安，建立大唐王朝，一路走来都是顺风顺水、所向披靡，几乎从未遭遇过什么挫折。

老天爷好像总是站在李渊一边。

不过到了武德元年（公元618年）七月，也就是大唐王朝刚刚建立的两个月之后，这种凯歌高奏的大好形势却被秦帝薛举在战场上一举打破了。

当时薛举亲率大军进逼高墌（今甘肃泾川县东），前锋的小股部队已经突进到豳州（今陕西彬县）和岐州（今陕西凤翔县）一带，来势甚猛。

可唐军元帅、秦王李世民却在这关键时刻染上了疟疾。李世民只好命令军队深挖壕沟、高筑营垒，并且把军队的指挥权暂时交给了纳言、元帅府长史刘文静和司马殷开山，同时警告他们："薛举一支孤军，深入我方腹地，时间一久，必定粮草短缺、士卒疲惫。所以，他要是前来挑战，你们千万不要应战，等我病愈，再为诸君破敌！"

然而，刘文静和殷开山并没有听从李世民的警告。

一走出李世民的大帐，殷开山就对刘文静说："大王担心您对付不了薛举，才有此言。而薛举听说大王患病，必定掉以轻心，我们应该趁机露一手给大伙瞧瞧。"

此言正中刘文静下怀，于是他立刻率军在高墌西南列阵，准备与薛举一决雌雄。薛举风闻唐军出战，大喜过望，一边正面列阵，一边派出一支奇兵绕到唐军背后。

武德元年七月初九，薛举在浅水原（今陕西长武县北）大败刘文静。唐军的八道总管全部溃败，超过半数的士兵阵亡，大将军刘弘基、慕容罗睺、李安远等人全部被俘。李世民只好率部撤回长安。薛举乘胜进占高墌，并将唐军的尸体堆成一座高台，以炫兵威。

这是李渊自起兵以来遭遇的第一次惨重失败。刘文静等人自然是罪不可恕。回到长安后，刘文静和殷开山当即被李渊革职。

浅水原兵败实在是出乎李唐朝廷的意料，不过短短三天后，另一个意外的惊喜就抹掉了李渊和所有人心头的阴影。

那就是郭子和的归降。

郭子和这个人本来就没什么野心，自从去年三月在榆林郡（今内蒙古托克托县）起兵后，一年多来始终固守榆林的一隅之地，基本上没有什么发展。他虽然自称永乐王，但在起兵之初就坚决推掉了东突厥给他的"平杨天子"封号，可见其为人相对低调——起码比欣然接受突厥册封的刘武周和梁师都要低调得多。

而在隋末唐初这样一个群雄争霸的时代，一个低调和没有野心的人是很容易出局的。

与其被人淘汰出局，落得个身死族灭、一无所有的下场，还不如主动出局，起码可以保住后半生和子孙的爵禄富贵。正是出于这样的考虑，郭子和作出了一个明智的选择——归降唐朝。

李唐朝廷随即任命他为灵州（今宁夏灵武市）总管。

后来的事实证明，郭子和的选择是正确的。当四方的割据群雄逐一败亡、灰飞烟灭的时候，他却能步步高升、富贵常保。归降不久，郭子和就被封为金河郡公，武德年间被赐姓李，拜右武卫将军；贞观元年（公元627年），被赐封邑三百户；贞观十一年（公元637年），徙封夷国公；高宗显庆元年（公元656年），转任黔州都督；后来一直活到了麟德元年（公元664年）。虽然他的生年史书无载，但稍微推算一下便可知道，他享年绝对在八十岁以上。

所以说，这是一个聪明的出局者。

李密把宇文化及逐出中原之后，东都朝廷人心大悦、群情振奋，只有王世充咬牙切齿地对麾下将士说："元文都这帮人只是一群刀笔吏罢了，依我看，他们早晚要死在李密手上！我们自从跟李密的瓦岗军交战以来，杀死他们的父兄子弟不计其数，一旦成为他的手下，我们恐怕也要死无葬身之地了！"

将士们听完后大感忧惧，而比他们更忧惧的是元文都。他担心的不是李密，而是王世充。

当王世充的这番话传进他的耳中时，元文都立即与卢楚等人紧急磋商，决定先下手为强，在百官上朝的时候埋设伏兵，干掉王世充。

政客的假面具一旦撕破，必然是一场血流满地的生死PK。

可是，元文都和卢楚等人绝对不会料到，即将血溅东都的人不是王世充，而是他们。

因为他们的暗杀计划刚刚拟定，一贯胆小如鼠的段达担心干不过王世充，索性第一时间就把消息告诉了他。

王世充冷笑——就凭这帮耍笔杆的，也想跟老子动刀？

这一年的七月十五日深夜，三更时分，王世充突然发兵攻击皇宫的含嘉门。元文都闻变，急入皇宫，把杨侗"请"到了乾阳殿，派兵守卫，然后命令各将领死守各道宫门，并进攻王世充。将军跋野纲接到命令，刚刚率兵出宫，一遇到王世充就立刻下马投降了。而将军费曜和田阇在宫门外迎击王世充，也逐渐不支。元文都见情况危急，准备亲率禁军从玄武门出宫，绕到王世充背后进行攻击。

可接下来发生的事情却让人感到匪夷所思。

负责管理宫门的长秋监（宦官总监）段瑜声称找不到钥匙，无法打开宫门。而心急火燎的元文都面对那把"铁将军"，居然也一筹莫展。直到天色将明，元文都才折回身，准备从另一头的太阳门出宫。

可一切都已经来不及了，当元文都行至乾阳殿时，王世充已经攻破了太阳门，带着士兵杀进了宫城。

果然就像王世充说的，元文都这种人的确只能耍耍笔杆子，要说跟王世充动刀子，那绝对是在找死。连玄武门上的一把"铁将军"都奈何不得，就算拿到钥匙，带兵出了宫，元文都就能打得过王世充吗？

他只能死得更快！

王世充一入宫，所有人都意识到死期已到，于是各自逃命。"七贵"之一的兵部尚书皇甫无逸抛下老娘和妻儿，慌忙砍开右掖门，逃出东都，直奔长安而去。而卢楚则一头躲进了太官署（宫廷膳食部），被王世充的士兵搜出，乱刀砍死。

王世充长驱直入，开始进攻乾阳殿前的紫微门。杨侗派人登上紫微门楼，质问王世充为何带兵入宫。王世充下马致歉，说："元文都和卢楚等人无端欲加害于臣，请诛杀文都，臣甘愿领罪。"段达闻言，立刻下令逮捕元文都，交给王世充。

元文都看了杨侗一眼，说："我早上死，晚上就轮到陛下了。"

年仅十五岁的小皇帝杨侗恸哭不止，只能挥挥手让人把他带出去。

元文都一出门，转眼就被砍成了肉酱。元文都和卢楚的儿子们悉数被王世充逮捕，全部砍杀。段达传天子命令，打开宫门迎接王世充入宫。王世充让部将立即接管皇宫的宿卫之权，然后入乾阳殿觐见杨侗。

面色惨白的小皇帝指着王世充说："你擅行诛杀，未曾奏报，这岂是为臣之道？莫非凭借手中兵权，连我也要杀吗？"

王世充拜伏在地，痛哭流涕地说："臣蒙先帝拔擢，粉身碎骨无以为报！文都等人包藏祸心，欲召李密危害社稷，因臣不愿与其合作，便深相猜忌，臣为情势所迫，不暇奏报。如果臣有二心，辜负陛下，天地日月为证，臣情愿被满门抄斩，一个不留！"

小皇帝终于被王世充的一番发誓赌咒彻底打动了，于是命他上殿，与之叙谈良久，然后带他一起晋见了皇太后。王世充解开头发，披散两肩，一再指天盟誓，称自己绝不敢怀有二心。杨侗当天就擢升他为左仆射，并总督内外诸军事。

十六日中午，王世充又捕杀了赵长文、郭文懿，随后亲自巡城安抚军心。

至此，"七贵"死了四个，逃了一个，只剩下大权独揽的王世充和那个怯懦无能的段达。

东都朝廷从此完全落入王世充的掌心。他命自己的兄长担任内史令，让子弟掌管兵权，同时让自己的亲信党羽入主朝廷的所有要害部门。一时间，王世充权倾内外，朝野上下无不趋附，小皇帝杨侗被彻底架空。

短短半年多后，王世充就废掉杨侗，自己当了皇帝。不知道在最后被幽禁的日子里，昔日的小皇帝杨侗想起王世充当初赌咒发誓的那番情景，心里会作何感想？

他也许只能感叹——王世充的誓言真是太不可信了！

不过话说回来，要求政客守信纯属无稽之谈。

在这种事情上一般不能怪政客无耻，只能怪相信他们的人无知。

然而，小皇帝杨侗就算不无知又能怎么样呢？

刀枪里面出政权！

杨侗就算不相信王世充的誓言，他也必须相信这条放之四海而皆准的真理。

所以，不管相不相信王世充，杨侗的结局都一样。

英雄末路：瓦岗的覆灭

大业十四年（武德元年）九月，东都的秋凉一日比一日更浓。

而这些日子以来，瓦岗的人心也一日比一日更凉。

因为李密自从干掉翟让之后，人就变得越来越骄矜，对待部众的态度也开始悄悄发生了转变。

他再也不像从前那么体恤下属了。

除此之外，让瓦岗将士心凉的原因还有两个：一、由于瓦岗除了粮食什么也没有，将士们虽然屡立战功，可从来得不到钱帛之类的赏赐；二、李密往往对新附的人礼遇甚周，相形之下就冷落了旧人。

瓦岗人为此愤愤不平。

就连一向心胸宽广的徐世勣也忍不住在一次宴会上暗讽李密，希望他意识到身上的缺点和当下存在的问题。

可现在的李密已经听不进任何不和谐的声音了。

他极为不悦，从此开始疏远徐世勣——把他派驻黎阳仓，表面上是委以重任，实际上是将他排挤出瓦岗总部。

对瓦岗人心离散的现状，李密固然有所察觉，可他认为事态并不严重，一切仍然在他的掌控之中。

到了这一年秋天，李密甚至感觉形势正在朝好的方向转化。

因为他刚刚击溃了宇文化及的十几万大军，收降了许多精锐，继而又听说东都发生了火并，王世充那帮人正在自相残杀，其结果很可能是两败俱伤。这一切都让李密乐观地以为——东都已经指日可下了。

然而，李密过于乐观了。

东都火并不仅没有削弱王世充的力量，反而让他变得比以往任何时候都更加强大。他现在掌握了东都的军政大权，随时可以调集兵力对李密发起总攻。

在王世充看来，岌岌可危的不是东都，而恰恰是李密——是他所领导的瓦岗军。

因为童山一战，宇文化及虽然败了，可李密的瓦岗军也遭受了重创。他的精锐多半死在了战场上，剩下的这些人的战斗力也已大不如前。

所以，王世充也同样乐观地相信——李密的败亡已经指日可待了。

两个同样乐观自信的男人。

一对注定你死我活的冤家。

命运只好安排了一场终极对决，来结束他们之间旷日持久的对峙和较量。

这一年九月初十，王世充率先出手了。他严格挑选了两万精锐，火速东进，于次日进抵偃师（今河南偃师市）西面的洛水，迅速架设了三座浮桥。

此时的李密正驻守在洛阳北面的金墉城，而王世充甩开李密，全力东进，很明显是要抢占洛口仓——因为东都军队快断粮了。

李密急命王伯当留守金墉，自率精兵驰援偃师，在邙山南麓扎营，然后命单雄信率前锋骑兵进至偃师城北扎营。

九月十一日，李密召开军事会议，讨论战守之策。裴仁基主张采取守势，他说："王世充倾巢而出，洛阳必定空虚。我们可兵分两路，一路扼守险要，阻止他东进；另一路则直扑东都。如果王世充回军，我们就按兵不动；如果他再次东进，我们就进攻东都。这样一来我们就掌握了主动权，而他疲于奔命，必定被我军击破。"

李密同意裴仁基的方案，并进而分析说："隋军如今有三样锐不可当。其一，武器精良；其二，决意东进；其三，粮尽而战。所以我们只需据城固守，蓄力以待，王世充欲战不得，欲走无路，不出十天，他的首级就会送到我们的麾下。"

应该说，裴仁基和李密的这个战略是完全正确的。如果这一仗真的按照这个计划来打，失败的人肯定是王世充，绝不会是李密。

然而，命运之神却在这关键的时刻背弃了李密。

因为绝大多数将领反对这个计划。

刚刚从宇文化及手下归降的陈智略、樊文超等人都急于建功，所以和单雄信一起极力主战。他们坚持说："王世充的军队人数并不多，而且屡屡被我们打败，早已丧胆。兵法有言：'人数超过敌人两倍就应该进攻。'何况现在我们绝不止两倍！再说了，江淮新附的将士都希望抓住这个机会建立功勋，趁他们斗志高昂的时候作战，一定能够取胜。"

李密心动了。是啊，如果可以一战破敌，又何必拖延呢？

他随即采纳了多数人的建议——战！此刻的李密当然不会知道，他的败亡之局就在这一个字中一锤定音了。

裴仁基苦苦劝阻，可李密心意已决。

裴仁基顿足长叹，说："公必悔之！"

与此同时，没有资格参加军事会议的魏徵也在对长史郑颋说："魏公虽然在童山战役中转败为胜，但是勇将锐卒多数阵亡，剩下的士卒士气低落，这种情况不利于对敌作战。而且隋军缺粮，志在死战，难以争锋。不如深沟高垒以拒之，旬月之间，王世充粮尽，必然撤退，到时候全力追击，没有不胜的道理。"

魏徵说得头头是道，郑颋只斜睨了他一眼，说："这不过是老生常谈罢了。"

魏徵火冒三丈："这是奇策，怎么叫老生常谈？"随即拂袖而去。

九月十一日午后，王世充派遣前锋部队的数百名骑兵渡过洛水，袭击单雄信的军营。李密得到消息，即命部将裴行俨和程知节等人前去增援。裴行俨抢先杀入敌阵，被流矢射中，坠落马下。程知节立刻冲上去，杀了数名敌兵，将裴行俨抱上自己的马背。隋军在后面穷追不舍，一个骑兵赶了上来，一矛刺出，穿破了程知节的铠甲。程知节转身抓住长矛，猛然将其折成两段，随后砍杀了隋兵，终于将裴行俨救回大营。

这次小规模的遭遇战，除了裴行俨之外，李密的部下骁将孙长乐等十几人全部受了重伤。

当天深夜，王世充又派遣两百多名骑兵潜入邙山，埋伏在李密大营附近的山涧中，准备次日决战时作为内应。

九月十二日晨，决战的时刻终于到来。

王世充集合部队誓师，高声说："今日之战，不仅是争一个胜负，生死存亡也在此一举。如果赢了，荣华富贵自然到手；要是输了，没有一个人可以幸免。所以，这一战关系到每个人的存亡，不仅仅是为了国家而战，更是为了你们自己而战！"

正所谓哀兵必胜。

此时王世充的军队已经落入断粮的绝境，所以对这两万名士兵来讲，奋力前进打败李密，他们还有生还的机会；要是退缩，就算回到东都，也无疑是死路一条。所以，当这支破釜沉舟、背水一战的军队进至李密大营时，王世充一声令下，两万人便像离弦之箭射了出去，人人奋勇争先、拼死砍杀，其势果真就像李密说的——锐不可当。

这一仗打得空前惨烈，因为双方都志在必得。

两军激战正酣时，王世充使出了早已准备好的一招杀手锏。

他事先找了一个相貌酷似李密的人，此时将其五花大绑推到阵前，命人高呼："已活捉李密！"士卒皆高呼万岁。瓦岗军见状，顿时士气大挫。紧接着，昨夜埋伏在此的那些隋军又忽然出动，直扑李密大营，纵火焚烧帐篷房舍。当瓦岗军看到身后冲天而起的火光时，意志瞬间崩溃，开始四散逃命。昨天还极力主战的陈智略等人立刻投降了王世充。李密带着残部一万余人，仓皇逃奔洛口。

李密绝对没有想到，这次逃亡竟然把他的人生送上了穷途末路。

他原以为胜败乃兵家常事，不用多久就能重整旗鼓，东山再起。

可他错了。

邙山之败已经给他的军事生涯和逐鹿中原的大业彻底画上了句号，同时也给他波澜起伏、精彩壮阔的一生画上了一个破折号。

破折号后面写着两个字——死亡。

虽然几天后李密就逃进关中投降了唐朝，可这不过是延缓了他的死期而已，终究没能挽回他覆亡的命运。

李密的这次逃亡真是一场伤心之旅。

因为兵败如山倒。他一路跑，他的部众就在身前身后一路降。

当天夜里，王世充进围郑颋镇守的偃师。还没等隋军攻城，郑颋的部将就打开城门，投降了王世充；裴仁基、郑颋、祖君彦等数十个文武将吏全部被俘。紧接着，单雄信等人又各自为战，拒绝接受李密的号令，致使王世充的军队迅速渡过洛水，单雄信随即率部投降。李密还没抵达洛口，驻守仓城的长史邴元真就已经暗中派人前去接应王世充的部队，准备开门迎降。

李密终于绝望了。

人心靠不住，人心真是太靠不住啊！

其实，自从除掉翟让之后，就不断有人建议李密斩草除根，把翟让的旧部全部干掉，以绝后患。比如当时房彦藻就曾力劝他除掉单雄信。他说单雄信是一个"轻于去就"的人，不可能从一而终，早杀早好。可李密始终下不了手，因为单雄信勇冠三军，在军中有"飞将"之称，李密爱惜他的才干。再比如，部将宇文温也曾劝他干掉邴元真。他说邴元真这个人是翟让的死党，其长史的职位就是翟让力荐的，心里对翟让感恩戴德，留着这样的人，迟早是个祸害。可李密听完却不置可否，因为他不希望在攻克东都之前搞太多的窝里斗。此后他只是暗中提防邴元真，一直没有采取任何行动。最后消息传到邴元真耳中，使其随即下定反叛的决心。

想起这一切，李密真是感慨万千，追悔莫及。

莫非自己真的是心太软？

可是，心不软又能怎样？杀人固然简单，问题是稳定太难！就算把翟让的旧部通通杀光，一个不留，瓦岗就能上下一心、坚如磐石了吗？

未必。

而且提早动手的结果很可能是把这些骄兵悍将提前逼反！

况且，要杀多少人才算把翟让的"旧部"清除干净？瓦岗原本就只是大大小小的几十个匪帮凑到一起的松散联盟，从来就不是一支军纪严明、号令统一的正规部队，要论战斗力那是没的说，可要论部众的向心力和凝聚力，那基本就是扯淡。自从李密执掌领导权以来，虽然在一定程度上改变了这种松松垮垮、谁也不服谁的状况，但无法从根本上洗掉这些人身上的匪气，也扭转不了他们三心二意、随时准备跳槽的"打短工思维"，当然也就不可能把瓦岗军打造成一支以他李密为核心的具有高度忠诚与合作精神的团队。所以，小团伙的利益、江湖哥们的义气等潜规则其实一直在李密的表面权威之下大行其道。换句话说，瓦岗寨这些老少爷们儿之间各种潜在的利益关系始终是盘根错节、牢不可破的。在此情况下，李密凭什么认定哪些人是翟让的"旧部"，属于定点清除的对象，而哪些人是一干二净，与翟让小集团毫无瓜葛的？这个标准要如何厘定、如何拿捏？

其实，这样的标准根本就不存在。

因为说到底，真正对李密构成威胁的并不是什么翟让的"旧部"，而是一张无孔不入、无所不在的隐性的利益联结网。除非李密彻底撕破这张网，把瓦岗军改造成一支真正意义上的正规军，否则各种隐患就不可能被消除。换句话说，除非李密只留下少数心腹，把其他的人通通杀光，否则就不能算清除干净。

然而，李密能这么做吗？

当然不能。

再说了，自从坐上瓦岗的头把交椅，李密基本上就没过过一天安生日子。先是跟东都军队打，继而跟王世充打，后来又跟宇文化及打，天天席不暇暖、枕戈待旦，让他压根就腾不出手来清理内部。如果硬要动手，那无异于是在大敌当前的时候自毁长城！

所以，千言万语归结成一句——形势比人强！

就像当初柴孝和提出放弃东都、西进关中的建议时，李密只能表示无奈一样，此刻的李密也只有无奈。

洛口降了，惶惶若丧家之犬的李密打算前往黎阳投奔徐世勣。可左右立刻警告他："当初杀翟让的时候，徐世勣差一点就被做掉，眼下打了败仗才去投靠，您觉得安全吗？"

李密连忙勒住了缰绳。

是啊，徐世勣是地地道道的翟让旧部，而且被李密排挤到了黎阳，现在再去投奔他，凶多吉少！

好在原本驻守金墉城的王伯当此时已经退守河阳（今河南孟州市），李密即刻掉转马头，率残部投奔王伯当。抵达河阳后，李密马上召开了一次军事会议，讨论瓦岗下一步的走向。

这次会议的气氛与几天前的那一次迥然不同。

人人垂头丧气。

人人心不在焉。

李密首先提出了自己的计划。他决定南以黄河为界，北以太行山为界，东面与黎阳遥相呼应，在这个地区重新打造出一块根据地，再慢慢谋求发展。

此时此刻，李密的目光仍然是坚定的、自信的、乐观的。

起码看上去是这样的。

然而，他的计划却遭到了所有与会将领异口同声的反对。他们说："大军刚刚溃散，人心惶恐不安，要是留在这里，恐怕用不了几天都会逃光。人心已去，不愿再战，成不了什么事了！"

李密瞟了众人一眼。

众人也瞟了李密一眼。

人心已去？

李密在心里苦笑——要说人心已去，这瓦岗的人心早就去得一塌糊涂了！只不过从前去得隐晦，去得巧妙，去得偷偷摸摸，现在去得猖狂，去得潇洒，去得理直气壮罢了！

去就去吧，天下没有不散的宴席！既然一切都已随风远去，我也没什么好说的。

李密唰的一声抽出了身上的佩刀。

他想杀人。

杀一个叫李密的人。

李密一字一顿地说："孤所恃者众也！众既不愿，孤道穷矣！"说完一刀挥向自己的脖子。

不过李密这一刀的速度是大有讲究的。既不能太快，也不能太慢。太快别人来不及拦他，太慢会露出破绽。所以"挥刀自刎"也是一个技术活，它是古往今来许多政治人物在身陷绝境时的最后一张牌。

一张悲情牌。

要把这张悲情牌玩好的前提是要拿捏一个最恰当的时机，而且身边必须有人配合。否则这张牌砸在手里，就会把自己玩死。

现在跟李密配合的人就是王伯当。他一个箭步冲上前去，死死抱住李密，同时放声大哭，而且哭得荡气回肠、满座皆惊，直到把自己哭晕过去。

在座的人无不动容。有人赶紧跑过去掐王伯当的人中，而绝大多数的人则忍不住涕泪飞扬。于是一屋子的大男人就这么哇哇地哭了起来。等大伙哭得差不多了，李密收起佩刀，也收起眼泪，对众人说："诸君若不见弃，当共归关中，密身虽无功，诸君必保富贵！"

众人闻言，纷纷破涕为笑。

这话他们爱听。这里混不下去就走人嘛，多简单的道理！让他们感到意外的是——现在居然是老大要亲自带领他们集体跳槽，这实在是让人惊喜。幕僚柳燮立即代表众人说："明公与唐公乃李氏同族，又曾订立过友好盟约，虽然没有一同举兵，却替他挡住了东都的隋军，使唐公不战而据长安，这也是明公的功劳啊！"

众人频频点头，异口同声地说："然！"

于是，李密带着两万余人西向关中，投奔李渊而去。

李密一走，仍然驻守在中原各地的其余部众顿时群龙无首，只好连人带城纷纷归降东都朝廷。

世间再无瓦岗。

李密彻底出局。

公元618年秋天的夕阳下，李密策马西去的背影显得落寞而苍凉。

这是一个英雄的末路。

这一天，西天的晚霞一直在灼灼燃烧——在李密前途叵测、去日无多的生命里凄艳地燃烧。

落日殷红，像极了一个末路英雄滴血的伤口。

消灭西秦薛举

大业十四年秋天，从东都战场上败逃，退守魏县的宇文化及遭遇了第三次未遂兵变。

宇文化及百思不得其解，为什么这该死的兵变老是像噩梦一样缠着他不放？

还好他的警惕性一直很高，军中遍布耳目，所以总能在兵变的前一刻得到消息。

这一次造反的人是他的心腹张恺。

宇文化及得到密报后，迅速逮捕了张恺及其党羽，并全部诛杀。虽然每一次都能化险为夷，可宇文化及的心情还是一天比一天郁闷。

因为从江都带出来的十几万军队死的死、逃的逃，已经所剩无几了；而且北面有势力强大的窦建德，南面有骁勇善战的徐世勣，他们宇文兄弟只能龟缩在这魏县一隅，眼见局面日蹙，可他们却无计可施。

郁闷而无所事事的日子里，宇文兄弟只好整天借酒浇愁。每次喝醉，宇文化及就会瞪着一双血红的眼睛对宇文智及说："干这桩事，起初我并不知情，都是你的安排，强迫我当老大。现在可倒好，干什么都不成，兵马一天天逃散，还背上一个弑君的恶名，为天下所不容，眼看就要被灭族了，都是你小子惹的祸！"说完与两个儿子抱头痛哭。

宇文智及一听就跳了起来，怒气冲天地说："当初事情顺利的时候，你怎么不说这种话？现在要坏事了，就把屎盆子都扣到我头上！你为何不干脆杀了我，去投降窦建德？"

在魏县的这些日子里，宇文兄弟就这样抱着酒坛子终日对骂，除此之外什么也干不了。

部众不断有人逃亡。眼看自己的末日即将降临，帝王梦就要破碎，宇文化及仰天长叹："人生固有一死，难道我就不能当一天皇帝？"

过把瘾就死！

宇文化及豁出去了。

这一年九月末，宇文化及强迫傀儡皇帝杨浩喝下了一杯毒酒，然后登基称帝，国号为许，改元天寿，同时设立文武百官。

李密刚刚进入潼关，李渊派出的使者就络绎不绝地前来迎接。李密大喜，对左右说："我拥众百万，一朝解甲归唐，山东数百座城池知我在此，一旦遣使招之，必定纷纷来归。我之功劳，比之东汉窦融（公元29年以河西之地归附刘秀，历任冀州牧、大司空等职）亦不算小，岂能不给我一个宰相当当？"

十月初八，李密率部抵达长安，然而，李密并没有看到期待中的盛大欢迎仪式。

非但如此，负责接待的部门对他们也相当冷淡，所提供的食宿条件也不好，有些士卒甚至整天吃不上饭。连饭都吃不饱，还奢谈什么富贵？将士们大为恼火，满腹怨言。

更让李密感到失望和愤怒的是，几天后李渊虽然授予了他上柱国和邢国公的爵衔，可却莫名其妙地给了他一个光禄卿的职务。所谓光禄卿，说好听点叫宫廷膳食部长，说难听点就是管食堂的。

既然是管食堂的，朝廷的文武百官当然没人拿正眼瞧他，某些高官甚至还向他索贿，让他拜拜码头烧烧香。

李密的气真是不打一处来。

不过李渊表面上却对他挺亲热，每次见面都笑脸相迎，嘴里总是老弟长老弟短的，而且还亲自做媒，把他的表妹独孤氏嫁给了李密。

李密就这么不情不愿地当上了管理食堂的光禄卿，硬着头皮把这个不知道长啥样的独孤氏娶过了门。可他每天都会无数次地告诉自己——这里不是我的归宿。

但是，究竟哪里才是自己的归宿？

李密感到无比茫然。

对于大唐王朝而言，它在关中最大的威胁无疑就是西秦薛举。

这是一个酣睡在卧榻之旁的人。浅水原之败更是把薛举的鼾声突然间放大了，大得让长安士民都有些心惊胆战。此人不死，李渊绝对睡不香。让人庆幸的是，七月初九唐军在浅水原惨败，八月初九薛举就死了——自己病死了。

这真是天佑李唐！

在竞逐隋鹿的赛场上，李渊刚刚丢了一分，老天爷二话不说就把薛举红牌罚下，显然颇有些偏心眼。薛举死后，秦太子薛仁果继任秦帝。虽然比赛继续进行，不过李渊已经没什么好担心的了。

因为这个替补选手的实力不行，和他老子差了一大截。

李渊听说这个薛家的新掌门为人刻薄寡恩，在当太子的时候就跟将领们明争暗斗，现在虽然接了他老子的班，可将领们大多不买他的账。此外，薛举刚死不久，那个老成谋国的大臣郝瑗就因悲伤过度也跟着薛举去了。所以李渊料定，薛家的家底很快就会被薛仁果败光。

武德元年（公元618年）九月，秦王李世民率军进逼薛仁果驻守的高墌城。薛仁果命部将宗罗睺出城挑战，可李世民却紧闭营门，拒不出战。将领们纷纷请命，李世民说："我军新败，士气沮丧，贼兵恃胜而骄，有轻我之心，所以我军应坚守营垒、蓄势以待，等到其军心骄躁，而我士气振奋之时，必可一战克之。"

李世民随后传令军中："敢言战者，斩！"

双方就这么对峙了六十余日，高墌城中的粮食终于吃光了，秦军将领梁胡郎等人纷纷率部向唐军投降。李世民知道秦军已经将士离心，遂命将领梁实孤军进驻浅水原，诱敌出战。宗罗睺大喜，果然出动所有精锐，对梁实的军营发起猛烈进攻。梁实按照李世民事先的部署，死守不出。军营中断水数日，梁实的人马一连几日滴水未进，可还是顽强击退了秦军一次比一次更猛烈的进攻。

经此数日激战，李世民料定秦军已是强弩之末，遂下达总攻命令，唐军立刻倾巢而出。宗罗睺匆忙回军，双方在浅水原展开决战。李世民亲率数十名骑兵率先冲击敌阵，大军紧随其后，发起猛攻，斩杀秦军数千人。宗罗睺的部众开始溃退，李世民准备率两千多名轻骑兵追击。他的舅父窦轨连忙拉住李世民的缰绳，苦苦劝阻："薛仁果仍据守坚城，我军虽破宗罗睺，但绝不可轻进，请按兵不动，静观其变。"

李世民一摆手说："此战是我酝酿已久的结果，现在正是破竹之势，机不可失，舅父你不要再说了！"随即扬鞭一挥，坐下那匹通体纯黑的骏马白蹄乌[1]立刻像离弦之箭向高墌城飞奔而去。

李世民率军进抵高墌城下，在泾水岸边扎营；薛仁果出动大军在城下列阵。片刻之后，薛仁果的麾下骁将浑幹等人率部出阵，向唐军大营飞奔而来。

眼看又是一场恶战，唐军士兵个个严阵以待。可接下来的一幕却出乎所有人的意料——秦军一到阵前便哗哗啦啦地扔下武器，全部向唐军投降。

李世民笑了。

这正是他忍了六十多天后志在必得的结果。

可薛仁果却差点哭了。他早知道这帮将领靠不住，可没想到他们会在这节骨眼上临阵倒戈。

无奈的薛仁果只好带着剩下的部众回城坚守。日暮时分，唐朝大军全部进抵高墌城下，将其团团包围。午夜，守城的秦军将士意识到薛仁果大势已去，争相出城投降。

十一月初八晨，脸色苍白、双目红肿的薛仁果万念俱灰地来到李世民的面前。他的身后是一个洞开的城门。

秦军当天全部投降。李世民接收了一万多名精锐士卒和高墌城的男女居民五万人。将领们纷纷向李世民道贺，可他们也忍不住提了一个问题："大王虽然在野战中击破宗罗睺，可薛仁果仍然据守坚城。您却不带步兵，不带攻城器械，只率少数轻骑直逼城下，大家都觉得难以攻克，为何竟能拿下高墌呢？"

李世民一笑，说："宗罗睺的部众都是陇西人，将领骁勇，士卒凶悍，我只是出其不意而破之，斩获不多，并未摧毁他们的有生力量。如果行动迟缓，让他们撤回城中，薛仁果加以安抚，重新组织起来，就不容易对付了。所以我才急于进攻，迫使他们士众崩溃，逃回陇西。如此一来，高墌

1　白蹄乌是历史上著名的"昭陵六骏"之一，世传其通体纯黑，唯四蹄雪白。"白蹄"乃突厥语"少汗"之意，是地位尊崇的象征。李世民为白蹄乌题写的赞辞是："倚天长剑，追风骏足，耸辔平陇，回鞍定蜀。"

的防备自然虚弱，薛仁果胆裂，来不及应对，并且军心涣散，只能归降。这是十拿九稳的事情，诸君难道看不出来？"

众人大为叹服，都说秦王的谋略和胆识非常人可及。

收降了秦军的将士之后，李世民并未将他们改编，而是仍然把降卒交给薛仁果的兄弟以及宗罗睺等降将率领，而且经常跟他们在一起射猎，毫无猜忌之心。

西秦的众降将原本只是迫于形势而降，可以说是人降心未降，而如今他们却亲身感受到了李世民超乎常人的气度与胸襟，不禁被他的恩威所慑服，于是皆愿为其效死。此外，李世民还收降了薛仁果帐下的黄门侍郎褚亮，此人颇具时望，日后也成了"秦王府十八学士"之一。

十一月二十二日，李世民班师回到长安，将薛仁果在闹市中斩首。数日后，李世民因功被李渊擢升为太尉，兼陕东道行台尚书令。正是从这时起，李世民卓越的军事才华开始展现在世人面前。没有人会怀疑，假以时日，这个年轻的二皇子必将成为大唐帝国最杰出的军事统帅。

割据陇西的薛举父子至此彻底出局。从起兵到败亡，历时仅一年零七个月。

李渊的卧榻之旁再无他人鼾睡。

可身边有一个人，却让他在这一年最后的日子里产生了一些烦恼。

这个人就是李密。

李密之死

李密当了一个多月的光禄卿，感觉自己的人生很失败。

想自己好歹也是牛角挂过书、瓦岗称过孤的，论学识，论事功，这李唐朝廷的衮衮诸公能有几个出其右者？可如今却沦落到替人置办酒菜的地步，真是衰透了。

几天前朝廷举办了一场大型宴会，李密职责所在，不得不忙里忙外地张罗。那几天，李密心头的怒火真是蹿得比御膳房的炉火还高。

宴会散后，李密跟王伯当大发牢骚。当时王伯当已经被任命为左武卫大将军，可他对这个职务同样也不满意，于是怂恿李密："天下事都在您的掌握之中。而今东海公徐世勣在黎阳，襄阳公张善相在罗口（今河南巩县西南），河南兵马犹在，何苦再待在这里！"

李密遂下定决心叛唐，离开长安再展宏图。他向李渊上奏："臣虚蒙荣宠，安坐京师，无所报效，山东豪杰多为臣之旧部，请让臣前往收抚。凭借我大唐国威，取王世充就像从地上拾一根草！"

李渊也正有此意，当即首肯，但是群臣却纷纷劝谏："李密性情狡猾，很容易谋反，如今派他前往，就像投鱼入水、纵虎归山，肯定是不会回来了！"

李渊笑着说："帝王自有天命，非小子所能取。纵使他叛我而去，也不过像'蒿箭射入蒿草'[1]。更何况，让他和王世充鹬蚌相争，我们正可坐收渔翁之利。"

十二月初一，李渊亲自设宴为李密等人饯行。同行的人有李密原来的幕僚贾闰甫。李渊把他们亲切地叫到身边来坐，还给他们夹菜，向他们敬酒，说："我们三人同饮此杯，以明同心。希望你们好好建立功名，不辜负朕之期望。大丈夫一言既出，千金不换。确实有人坚决反对让老弟前往，可朕以一颗赤心对待老弟，任何人都无法挑拨离间！"

李密和贾闰甫叩头拜谢。李渊随即又命王伯当担任李密副手，一同启程。

李渊虽然在群臣和李密面前表现得十分坦然，可实际上他也是有顾虑的。

李密毕竟不是一支蒿箭那么简单。

1　隋唐民谚，指无用的蒿草制成有用的箭，但没入草中复归无用。

这个年轻人虽然自负，可他的自负不是没有缘由的。瓦岗过去只是一座名不见经传的山寨，只是由一群不相统属的盗匪杂糅而成的变民武装，可在他手里却迅速崛起，变成了一支战斗力异常强大的割据政权，让东都朝廷和隋朝军队焦头烂额，李密也因而一度成为四方群雄共推的盟主。虽然这个称号水分不少，但不可否认，李密确实是一个兼具文韬武略的人才，也的确具有睥睨世人的资本。把这样一个人重新放回关东，固然显示了李渊作为一个圣明君主的大度和自信，但是这么做就没有一点风险吗？李渊难道不担心李密东山再起、死灰复燃吗？

不，李渊承认这么做是有风险的，但是在没有明显证据表明李密确有复叛之心的情况下，李渊也只能暂时表现出他宽容大度和用人不疑的一面。当然，与此同时李渊也进行了防范。他没有让李密把瓦岗旧部悉数带走，而是命他把一半部众留在华州（今陕西华县），只带另一半部众出关。

在随同李密出关的部众中，有一个人感到了强烈的不安。

这个人叫张宝德，是李密麾下的长史。

他之所以内心恐慌，是因为他料定李密此行必叛。而他现在已经一意归唐，再也不愿当一个四处流亡的草寇了，更不想在李密败亡的时候跟着他一块遭殃。所以张宝德迅速给李渊呈递了一封亲启密奏，列举了很多理由，揭露了许多内情，其结论只有一个——李密必叛。

看着这封密奏，李渊后悔了。

他承认群臣说得没错——这的确是在放虎归山，很可能会后患无穷，但是李密早已走出潼关了，怎么办？

李渊的第一反应就是把李密召回来，可又担心这样做会把他提前逼反。考虑再三，李渊只好颁了一道慰劳李密的诏书，命他暂且回京，再接受一个任务，让他的部众缓慢前行，等李密接受了任务再赶上去和部众会合。

然而，李渊的这招缓兵之计骗不了李密。

此刻的李密已经走到了稠桑（今河南灵宝市北）。他接到诏书后，发出一声冷笑，对贾闰甫说："诏书遣我出关，无端又命我回去。皇上自己都说过，有人坚决反对我出关。看来他已经听信挑唆之言了，我现在要是回去，绝对难逃一死，不如先就近攻破桃林县（今河南灵宝市东北），收其士兵和粮草，北渡黄河。等消息传到唐军驻守的熊州（隋宜阳郡，今河南宜阳县西），我们早已远走高飞。只要能进入黎阳，大事必成，不知你意下如何？"

贾闰甫看着李密，忽然产生了一种不祥的预感。

他预感到李密的败亡就在眼前。

贾闰甫说："皇上的姓名与图谶相应，天下终当一统。明公既已归附，岂能再生二心？况且史万宝和任瑰等将军驻守在熊州和穀州（隋新安郡，今河南新安县），我们早上发动，他们大军晚上就到。即便攻克桃林县，军队岂能一时集结？一旦被宣布为叛逆，还有谁愿意接纳？为明公计，不如暂且接受诏命，以表明绝无异志，如此一来，挑唆之言自会平息。前往山东之事，应当从长计议。"

李密勃然大怒："李唐朝廷根本没有重用我之意，我岂能忍受？至于说图谶，我和李渊应验的机会一样大。如今他不杀我，让我东行，这足以证明王者不死！纵使唐朝据有关中，山东终归我有，此乃上天所赐，我为何不取，反而要自缚双手去投降别人？你是我的心腹，竟然会有这种想法，如果不能跟我一条心，我只好杀了你再走！"

贾闰甫当即泪下，哽咽着说："明公虽应图谶，然时局已非同往日。今海内分崩，强者为雄，明公正在流亡，谁肯听从？况且自从诛杀翟让以来，人人都说明公弃恩忘本，今日谁肯将手中军队再交与您？他们担心被您夺走兵权，势必争相抗拒，一旦失势，岂有容身之地？若非身受重恩之人，谁肯像我这样直言不讳？愿明公熟思之，只恐大福不再。只要您有立足之地，闰甫又何惜一死？"

贾闰甫的话其实句句是忠言，对形势的判断也不可谓不准确。

然而此刻的李密已经是一个输红了眼的赌徒。他只想孤注一掷，把所有的本捞回来。

唰的一声，李密再次抽出了佩刀。

这次李密不是把刀挥向自己，而是挥向了贾闰甫。

又有人迅速抱住李密。

还是那个王伯当。

在王伯当的苦苦求情之下，李密放过了贾闰甫。当天贾闰甫便逃往唐军驻守的熊州。王伯当也认为贾闰甫的分析有道理，所以极力劝阻李密。可李密什么话也听不进去。王伯当最后只说了一句："义士之志，不因生死存亡而改变。公必不听，伯当自应与公同死！只恐吾之一死无益于公。"

李密什么话也没说，随后就砍杀了李渊派来的传诏使者，而他的悲剧也就此注定。

武德元年（公元618年）十二月三十日。

旧的一年即将过去，新的一年即将开始。

这一年里发生了太多事情。其中最重要的，莫过于隋炀帝杨广的死亡与大唐王朝的诞生。而在这一年的最后时刻，又会发生什么呢？

李密很快就会告诉我们答案。

这一天凌晨时分，李密派人通知桃林县令，说他接到皇帝诏书，准备暂返京师，请允许让他的家属在县府暂住数日。桃林县令当然表示欢迎。李密随即挑选了数十名麾下勇士，让他们换上女人衣服，头蒙面纱，刀藏裙下，诈称妻妾，随同李密进入县府。片刻后，李密带领他们突然杀出，占据了县城，然后裹挟当地士兵，直奔熊耳山，沿险要道路向东进发；同时派快马飞报他的旧部、时任伊州（今河南汝州市）刺史的张善相，命他出兵接应。

驻守熊州的唐右翊卫将军史万宝对副手盛彦师说："李密，骁勇之贼也，又有王伯当辅佐，而今决意叛变，其势恐怕难以抵挡。"

盛彦师笑着说："请给我几千人马，一定砍下他的人头。"

史万宝问："你有何计？"

盛彦师再次狡黠地一笑："兵不厌诈，恕在下无可奉告。"

随后，盛彦师率部赶在李密之前进抵熊耳山南麓，立刻封锁要道，命弓箭手埋伏在两侧高地，步兵埋伏在山涧之中，下令说："等贼人走到一半，同时发起攻击。"有部将问："听说李密要东奔洛阳，将军却进入深山，这是为何？"盛彦师胸有成竹地说："李密声称要去洛阳，实际上是打算出人不意直奔伊州，投奔张善相。如果让贼人先行一步进入谷口，而我军从后面追击的话，山路险窄，我们难以进攻，他只要派一名部将殿后，就能挡住我们而从容逃脱。现在我们先占领了谷口，必定能将其手到擒来。"

李密率众马不停蹄地奔至熊耳山时，自认为已经脱离了危险，于是放慢速度，缓缓穿越山谷，刚好进入了盛彦师的伏击圈。盛彦师占据有利地形，突然发动攻击，将他们拦腰截断。李密部众首尾不能相顾，顿时溃散。

死亡竟然来得如此猝不及防！在这个滴水成冰的冬日午后，在这个白雪覆盖的山涧之中，一个曾经驰骋中原、号令四方的英雄终于走到了他人生的最后一步。

天地之大，再也没有他的容身之处。

李密看见唐兵从四面八方向他围了上来。

唐兵越围越近，李密甚至可以听见他们粗重的喘息声。

一朝时运会，千古传名谥。寄言世上雄，虚生真可愧。

李密仰望苍穹，有什么东西瞬间模糊了他的双眼。

唐兵举起了刀，一道寒光闪过，李密的头颅飞离了肩膀。还有一些液态的球状物同时飞离了李密的眼眶。

那是泪。

几颗悬而未落的泪。

李密死时，年仅三十七岁。王伯当自始至终都站在李密身边，遂一同被杀。

数日后，二人首级传至长安。

对李渊来说，这无异于一份新年贺礼——在王朝建立的第一个新年收到的第一份贺礼。

李渊很快就把这份贺礼转送给了一个人——徐世勣。

严格来讲，应该说是李世勣。因为早在一个多月前，李渊就已经把皇姓赐给了他。

当时李密入关归唐，徐世勣仍然据有李密旧地，却没有归属，而且也没有自立的打算。随同李密归唐的魏徵由于不被李渊重视，就毛遂自荐，愿意代表朝廷前去招抚徐世勣。李渊遂任命他为秘书丞，派他前往黎阳劝降徐世勣。徐世勣马上就同意了，可是他的归附方式却与众不同。他对长史郭孝恪说："这里的民众和土地都归魏公所有，如果以我自己的名义献给唐朝，就等于是利用主公之败，邀取自己的功劳和富贵，对此我深以为耻。所以，我决定把属下的郡县、户口、军队、马匹的数目开列一张清单，交给魏公，由他自己呈献。"随后徐世勣便派遣郭孝恪携带这份清单前往长安。

李渊听说徐世勣的归降使者已经入朝，却无奏表呈给朝廷，只有一封信函呈给李密，他大为奇怪，遂召见郭孝恪。郭孝恪将徐世勣的本意做了说明，李渊听完后大为赞叹，说："徐世勣不背德、不邀功，真纯臣也！"当即将皇姓赐予徐世勣。

此刻，当李世勣看到长安使者送来的那颗头颅时，悲痛便不可抑制地向他袭来。

李世勣面向北方，长时间地叩拜恸哭，最后上疏朝廷，请求将李密的尸首与尸身合成一处安葬。李渊随即命人把李密的尸体运到了黎阳。李世勣及其部众全部换上丧服，以君臣之礼为李密举行了一个隆重的出殡仪式，把他安葬在了黎阳山（今河南浚县东南大伾山）的南麓。

诚如李渊所言，李世勣不愧是一个纯臣。

可就是这样的纯臣，却始终得不到李密的信任。即便是在兵败邙山走投无路的时候，李密宁可归降唐朝也不敢投奔黎阳，这不能不说是一个重大的失策，也不能不说是一个莫大的遗憾。如果他当时不计前嫌，能够前往黎阳，与李世勣坦诚相待、和衷共济，那么大事或许仍有可为。就算最终不能战胜李渊，起码不会这么快就败亡；就算最终一样要出局，也不至于因"降而复叛"而受人指摘，玷污了一世英名。

但是，历史没有如果，历史只有结果。

当公元619年的阳光照临大地的时候，李密的坟头很快长出了离离青草。

白云变幻，时光流转，这个世界依旧混沌而喧嚣。

在隋王朝的废墟上拔地而起的大唐王朝，能否顺利地扫灭群雄，荡平宇内，重建一个拥有和平、秩序与权威的崭新帝国？

李渊父子对此充满信心，可他们的对手却对此不以为然。

隋失其鹿，天下共逐之！

游戏还在进行中……

| 第五章 |

可怕的李世民，完美的李世民

最后一个影子朝廷

李密败亡，最大的获益者无疑就是王世充。他不但收降了李密的十几万部众，而且得到了单雄信、裴仁基、秦叔宝、程知节等一大批骁将，又夺回了洛口仓，解决了军队的粮荒，真是赢了个钵满盆满。此外，小皇帝还加封他为太尉、尚书令，总督内外诸军事，并特准开设太尉府，精选文武官吏。

王世充的权威达到了人臣的顶点，接下来，他还会干什么？

小皇帝杨侗对此忧心忡忡。

他意识到王世充随时可能对自己下手，可又丝毫没有应对之策。每天活得战战兢兢的小皇帝最后只好命人取出宫中的财物，大量布施穷人，借此消灾祈福，希望能逃过一场注定要降临的灾难。

可是，就连最后这点可怜的精神安慰很快也被王世充剥夺了。因为王世充有一次入宫赴宴，回家后忽然上吐下泻，他立刻怀疑是小皇帝让人在酒菜中下毒，从此便不再入宫朝见，并且命手下把守宫门，严禁小皇帝从宫中取出一针一线。

小皇帝彻底陷入了绝望。

那些日子里，无论是幼主杨侗还是洛阳士民，所有人都很清楚——这最后一个影子朝廷很快就要覆亡了。

宇文化及称帝不久后，听到了李密败亡的消息，顿时心中窃喜，觉得这是扩大地盘的良机，于是出兵攻打李密旧部元宝藏驻守的魏州（今河北大名县），但是打了四十多天，始终打不下来。

正在中原一带四处游说的魏徵立刻前往魏州，劝自己的老上级元宝藏归降唐朝。武德二年（公元619年）正月初七，元宝藏向唐军献出了州城。

正月十八，唐淮安王李神通率部攻击宇文化及的老巢魏县（今河北大名县西南），宇文化及无力抵抗，只好向东逃往聊城（今山东聊城市）。李神通进入魏县，俘虏并斩杀了两千余人，随即进围聊城。

此时，定都乐寿（今河北献县）的夏王窦建德也亲自率军南下，直逼聊城，准备与唐军拼抢胜利果实。他的目标并不是宇文化及这个人，而是宇文化及从江都带出来的传国玉玺。虽然这个玉玺现在已经没有了任何实际价值，但它毕竟是一种象征——皇权的象征。

困守聊城的宇文化及很快就发现，自己已经陷入了南北两大强敌的夹攻之中。他大为惊恐，急忙拿出重金，请求附近的变民首领王薄出兵援救。王薄看在钱的面子上，决定当一回雇佣军，率部进驻聊城协防。

可是援兵的到来并不能挽回宇文化及的败局，因为城中的粮食很快就吃光了。宇文化及顿时绝望了，只好向李神通请求投降。

出人意料的是，李神通居然一口回绝。副手崔民干劝他接受，李神通说："贼人既然粮食已尽，我们可以轻易将其摧毁，以耀我唐军兵威，同时虏获财宝，犒赏将士。要是接受投降，我们拿什么劳军？"

崔民干焦急地说："窦建德马上就到，如果我们不能及时攻克，就会内外受敌，我军必败。眼下不战便可拿下聊城，此项军功得来甚易，为何要贪图财宝而拒绝呢？"

李神通勃然大怒，随即将崔民干囚禁。

数日后，宇文士及从济北（今山东茌平县西南）运来粮食，聊城人心稍安，士气总算有所恢复，宇文化及遂继续抵抗。李神通亲自到城下督战，命各军全力攻城。贝州（今河北清河县）刺史赵君德第一个攻上城墙。因为他不是李神通的嫡系，李神通担心被他抢了首功，于是下令鸣锣收兵。赵君德大怒，但是军令难违，只好骂骂咧咧地从城头上撤了下来。

还没等李神通重新组织进攻，窦建德的大军已经杀到。李神通自知不敌，只好率部撤出战场。宇文化及出城迎战，可他显然不是窦建德的对手，在数战皆败之后，不得不缩回城中继续顽抗。窦建德随即对聊城发起猛烈进攻。

最后的时刻，王薄并没有拿人钱财替人消灾，而是忙不迭地打开了城门。窦建德大军入城后，立刻逮捕了宇文化及和宇文智及以及他们的一干亲信，随后又以人臣之礼觐见了萧皇后，并换上丧服，郑重其事地祭悼了一回杨广。等这些场面上的事情都做完之后，窦建德才从容收取了隋朝的传国玉玺，还有各种印信和天子仪仗。

宇文化及和他的两个儿子最后一起被斩首。让人感到意外的是，行刑的时候，宇文化及既没有痛哭流涕，也没有磕头求饶，而是平静地说了一句："我不辜负夏王。"随后便引颈就戮。

这位轻薄公子的称帝闹剧，就以这样一种"过把瘾就死"的方式匆匆开局又草草收场了。

从称帝到败亡，历时仅四个月。

也许是因为对这一天早有准备，所有的担忧和恐惧也早已提前透支，所以宇文化及在临死之前反而表现得比较平静。

刽子手的大刀高高举起的那一刻，宇文化及的内心也许只有这么一个念头——出来混，迟早是要还的。

当大河南北的割据群雄逐一出局的时候，李唐王朝在中原、河北一带的主要对手就只剩下两个人。

一个是王世充，另一个就是窦建德。

在隋末唐初的乱世群雄中，窦建德无疑是一个比较特殊的人物。

因为这个人具有很强的人格魅力。从大业七年起兵以来，凡是打了胜仗或攻陷城池，窦建德总是把虏获的金银财宝全部赏给将士，自己分文不取。此外，虽然他早已称王，但生活上却一贯简单朴素，从不吃肉，只吃蔬菜和糙米饭；他的妻子曹氏也只穿布衣，从不穿绫罗绸缎，所用的婢女也只有十余人。所有这一切都让窦建德赢得了广大将士和百姓的衷心拥戴。

击败宇文化及后，夏军虏获了数以千计的隋六宫嫔妃和宫女，窦建德即刻将她们就地遣散，一个也没留。而隋朝那些有才干的旧臣，则大多得到了窦建德的赏识和任用，如裴矩、何稠、虞世南、欧阳询等人[1]。至于那些不愿意为他效力，而宁愿投奔洛阳（隋朝廷）和长安（唐朝廷）的人，窦建德概不强留，一律尊重个人意愿，不但送给他们盘缠，还派兵护送他们出境。宇文士及和封德彝等人就是在这个时候投奔了李渊。

窦建德的所作所为使他广泛赢得了人心。

所谓得人心者得天下。从这个意义上说，窦建德无疑是天下群雄中最有潜力也最有资格与李渊父子抗衡的人。

相形之下，王世充在这点上就比窦建德和李渊父子差远了。

他身上丝毫不具备让人服膺的人格力量，所以他注定留不住人心——尤其是留不住秦叔宝和程知节这种豪杰的心。

秦、程二人归降王世充之后，虽然得到了他的重用和优待，但是王世充的为人却让他们十分厌恶和不齿。为这种人效命，让秦、程二人不但觉得窝火，而且感觉前途渺茫。有一次，程知节忍不住对秦叔宝说："王世充气量狭窄，见识浅陋，却又喜欢信口开河，动不动就赌咒发誓，活像一个老巫婆，岂是铲除祸乱、匡扶正义之主？"于是二人决定寻找一个适当的

1　其中的虞世南后来成了李世民的帐下幕僚，位列"秦王府十八学士"，排名仅在杜如晦和房玄龄之后。

时机归降唐朝。

武德二年二月下旬，王世充在九曲（今河南宜阳县北）与中原唐军会战，命秦叔宝和程知节率军列阵。机会终于来了。秦、程二人对视一眼，忽然率领亲信骑兵数十人离开阵地，向西狂奔一百余步之后，下马回头向王世充叩拜，说："我等蒙公厚爱，本应深思报效，可您性情猜忌，喜听谗言，非我等托身之所，而今不能再侍奉您，请允许我们就此告辞。"说完立刻翻身上马，飞奔唐军阵地投降。

王世充恨得牙痒，却又不敢追击，只好眼睁睁看着他们绝尘而去。

秦叔宝和程知节投唐之后，被纳入了李世民帐下。李世民素闻其名，当即厚礼相待，任命秦叔宝为骑兵总管，程知节为左三统军。秦、程二人的弃暗投明马上给王世充麾下的其他将领树立了榜样。不久后，骠骑将军李君羡、征南将军田留安相继率部降唐；李厚德和赵君颖也驱逐了隋殷州（今河南获嘉县）刺史段大师，举城归降唐朝，李厚德随即被任命为殷州刺史。

这一年闰二月底，李厚德回家探望患病的父母，命弟弟李育德驻守殷州。恼羞成怒的王世充趁此时机，亲自率领大军进攻殷州，将其攻陷，李育德和三个弟弟全部战死。三月初，王世充又率军攻打穀州和熊州。熊州刺史史万宝出兵迎战，结果又被王世充击败。

几场胜仗打下来，总算让王世充捞回了一点面子，同时也让他增加了几分逐鹿天下的底气。

差不多在这个时候，一个在他心中隐藏已久的念头再次浮现在他的脑海。

称帝。

王世充觉得颠覆隋朝这最后一个影子朝廷的时机已经成熟。

他把这个想法跟属下一说，立刻引发两种针锋相对的意见。幕僚李世英深以为不可，他说："四方人士之所以奔驰归附东都，是以为您能匡扶社稷，中兴隋室。如今九州之地，连一处都没有平定，如果断然称帝，恐怕远近之人都会叛离你！"

王世充目光闪烁地看了看他，低声说："嗯，言之有理。"

可长史韦节、杨续等人却极表赞成，他们说："隋朝气数已尽，灭亡理所当然。此乃非常之事，不可与寻常之人讨论。"

王世充心中暗喜，脸上却不动声色。

紧接着，负责观测天象的太史令乐德融也不失时机地开口了。他把自己近期的观测结果绘声绘色地描述了一番，大意就是除旧布新之兆早已显现，而且星象所对应的地方正是郑国公王世充的封地，如果不及时顺应天道，反而会令王气衰弱云云。

王世充的脸上终于露出了笑容。

但是反对者的声音并未就此平息。部将戴胄又站了出来，说："君臣犹如父子，应当休戚与共！明公最好能竭尽忠心，报效朝廷，如此则家国俱安，否则的话……"戴胄后面的话没说，但显然已经含有警告的意味。

王世充的笑容凝结在脸上。

他干笑两声，称赞了一下戴胄的忠心，随即结束了当天的讨论。

知道自己的部众并不都跟自己一条心，王世充颇为恼怒，也有些无奈。他决定暂且将称帝之事按下不表，退而求其次，先把九锡搞到手，以此试探朝臣们的态度。所谓九锡，实际上就是历代天子专门赏赐给功臣的九种特殊礼遇和器物。熟悉历史的人都知道，王莽、曹操、司马昭都接受过九锡，这是历代权臣的专利品，是他们篡位称帝的敲门砖。

听说王世充企图加九锡后，不识时务的戴胄居然又跳出来竭力反对。王世充勃然大怒，马上把戴胄贬为郑州长史，让他出镇虎牢（郑州府所在地），随后授意段达向杨侗上奏。

最担心的事情终于来了。

小皇帝杨侗知道胳膊终究扭不过大腿，可他还是想做最后的挣扎。他对段达说："郑公不久前平定李密，已经擢升为太尉，近来并无特殊功勋，等天下稍微平定之后，再议此事也为时不晚。"

段达也懒得再跟小皇帝废话了。

他直截了当地说了四个字——太尉想要。

小皇帝忽然用一种异样的目光盯着段达，而且盯了很长时间。最后小皇帝把头垂了下去，无力地吐出两个字——随你。

三月十二日，段达在朝会上宣布：遵奉天子诏命，拜王世充为相国，假黄钺（有权使用天子专擅诛杀的铜斧），总百揆，加九锡，晋爵为郑王，允许郑国设立丞相以及各种文武官吏——一切都与当年隋文帝杨坚篡周的那一幕如出一辙。

颁布诏书的时候，小皇帝瘦小的身躯始终蜷缩在宽大的御榻上一动不动。他的目光越过大臣们的头顶，怔怔地凝望着大殿外那道挂了好多天的灰色雨幕。

王世充和大臣们一直在兴致勃勃地谈论着什么，小皇帝一个字也没听见。他的脸色异常苍白，仿佛是从下了整整一个春天的雨水中刚刚打捞出来的一样。

许久，大殿中突然爆发出一阵刺耳的笑声，把杨侗从遥远的地方拉了回来。他仓皇地抬起头，正好看见王世充脸上那个狰狞的笑容，还有一对鹰隼一样的眼睛。

小皇帝打了一个寒噤。

虽然时节已近暮春，初夏转眼就要来临，可杨侗还是觉得冷。

他知道，这是来自他体内的一种冷，一种与生俱来不可去除的宿命的冷。

王世充逼杨侗"禅位"

夏天说来就来了。

四月初的一个早晨，薄雾刚刚散尽，坐在乾阳殿上的小皇帝杨侗就看见段达与十几个朝臣一起匆匆上殿，带着一种眉飞色舞的表情径直走到了他的面前。

他们带来了王世充的最后通牒。

几天前王世充就已下令，让他的心腹韦节、杨续以及太常博士孔颖达等人着手筹备禅让仪式。

现在，仪式八成是已经准备就绪了。杨侗听见段达用一种毋庸置疑的口吻说："天命不常，郑王功德兼隆，愿陛下遵循唐尧、虞舜之迹，即日举行禅让大典，顺应天意人心！"

尽管早有心理准备，可乍一听见"禅让"这两个字，御榻上的杨侗还是如遭电击。他猛然坐直了身子，双手死死按在身前的几案上，似乎要用力抓牢什么。段达看见小皇帝原本苍白如纸的面容忽然间涨得通红，然后冲着他声色俱厉地说："天下，是高祖之天下！若隋祚未亡，此言不应出口；若天命已改，何必再言'禅让'！公等皆为先帝旧臣，官尊爵显，既有斯言，朕复何望！"

那一瞬间，段达和身后的一帮大臣顿时汗流浃背、张口结舌。

这是他们生平第一次发现杨侗用这样的表情和声音跟他们说话。

当天的朝会就这样不欢而散。

下殿后，小皇帝神色恍惚地来到后宫，面见自己的母后。那一刻杨侗止不住潸然泪下。面对即将来临的灾难，这对孤儿寡母唯一能做的只有以泪洗面。

说到底，杨侗其实还是个孩子。

这一年他刚满十六岁。

第二天，王世充最后一次派人入宫对小皇帝杨侗说："今海内未宁，须立长君，等到天下太平时，我就会把政权归还给您，绝不背弃当初的誓言。"

四月初五，王世充以杨侗的名义宣布——将皇位禅让给郑王。

在整个禅让仪式举行的过程中，按照事先的安排，王世充三次上疏辞让，而杨侗则三次下诏敦劝。可事实上，杨侗对此一无所知。当王世充和一帮党羽在乾阳殿自导自演地玩禅让游戏的时候，杨侗正被囚禁在皇宫角落的含凉殿里。

四月初七，王世充乘坐天子法驾，陈列天子仪仗，大摇大摆地进入皇宫，正式登基称帝，次日改元开明。

至此，在隋炀帝杨广被弑之后又苟延残喘了一年多的这个影子朝廷终于宣告覆亡。

随着东都朝廷的覆灭，仍然忠于隋朝的最后一批将帅和残余郡县纷纷向李渊投降，其中就包括那个收葬杨广的江都通守陈棱。李渊随即将江都郡改为扬州，任命陈棱为扬州总管。与此同时，最先燃起反隋烽火的变民首领王薄等人也在此刻归降了唐朝，随后被任命为齐州（今山东济南市）总管。

王世充虽然如愿以偿地成了皇帝，一夜之间登上万众之巅，但他的执政能力却没有随着他的地位而急剧提升。尽管他也表现出一副励精图治的模样，一心想要当一个澄清宇内的新朝天子，可他的所作所为最终只能成为人们的笑柄。

为了表现自己的勤政爱民，王世充特意命人在宫城的各个城楼和玄武门等处设置了很多御座，随时进行现场办公，亲自接受各类上表和奏章。此外他还时常轻装简从，在街市上按辔徐行，既不戒严也不清道，而且笑容可掬地对两侧的百姓说："过去的天子都是居于九重深宫之中，民间的情况一无所闻，而今世充并非贪图天位，只是为了拯救时局艰危，就好像一州的刺史那样，亲揽庶务，与士庶共议朝政。并且我担心诸位受门禁阻拦，所以特意在各个门楼现场办公，希望能尽量听取群众的声音。"随后王世充又下令，在西朝堂接受冤案诉状，在东朝堂接受朝政谏言。

王世充的"勤政爱民"措施很快产生了令他意想不到的结果。因为每天都有数百个群众响应他的号召，拥挤在宫门前上疏献策。王世充刚开始还硬着头皮勉强应付，可短短几天后，一摞摞的卷宗和文书就堆成了一座小山。王世充傻眼了，连忙一头躲进"九重深宫之中"，再也不敢"亲揽庶务，与士庶共议朝政"了。

别出心裁的"现场办公"成了一场有始无终的笑话，那么例行的"朝会办公"又如何呢？

很遗憾，王世充同样遭遇了尴尬。每天主持朝会的时候，王世充都会以一副英明领袖的姿态发表长篇累牍的讲话。但是一再重复，毫无重点，啰啰唆唆，千头万绪，把奏事的有关官员搞得一头雾水，让满朝的文武百官听得两眼发直，连侍卫人员也受不了他的疲劳轰炸，个个痛苦不堪。只有王世充一个人浑然不觉，乐此不疲。最后，御史大夫苏良实在是忍不住，只好直言不讳地说："陛下说话太多，却不得要领，其实只要作出结论就可以了，何必说那么多不相干的话！"

王世充默然良久。他没想到自己那些语重心长的讲话和高瞻远瞩的指示在百官心目中居然都是毫无意义的废话！

对许多朝臣来说，王世充最让人难以忍受的毛病倒还不是废话连篇和词不达意，而是他的心胸狭隘和刻薄猜忌。称帝不久，王世充就开始猜忌一个颇有威望的前朝老臣了。

他就是时任礼部尚书的裴仁基。

王世充时常想，此人既是隋朝旧臣，又是李密旧部，是在战败的情况下迫不得已投降的，他会老老实实地当自己的臣子吗？况且他儿子裴行俨此刻又在朝中担任左辅大将军，手中握有重兵。这样一对身经百战、历事多主的父子，能死心塌地帮我王世充打江山吗？

王世充对此感到强烈的怀疑。与此同时，裴仁基父子也强烈地感受到了王世充的怀疑，都说王世充为人刻薄猜忌，此言果然不虚啊！

裴仁基父子不想坐以待毙，于是秘密联络了尚书左丞宇文儒童和散骑常侍崔德本等人，准备发动政变，诛杀王世充，拥立杨侗复位。

但是王世充早已在裴仁基父子身边安插了耳目，所以他们的政变计划刚刚开始酝酿，王世充就获知了消息。王世充立即将裴仁基父子和参与密谋的朝臣全部捕杀，同时屠灭了他们的三族。随后，王世充的兄长、时封齐王的王世恽对他说："裴仁基这帮人之所以谋反，是因为杨侗还在人世，不如趁早把他除掉。"王世充深以为然，随即命他的侄子王仁则和家奴梁百年去毒杀杨侗。

这是唐武德二年，也是郑开明元年的五月末，洛阳皇宫的含凉殿里，隋朝的最后一任废帝杨侗看见一杯毒酒赫然摆在他的眼前。

盛夏的阳光下，杨侗忽然打了一个哆嗦。他再次感到了弥漫在他灵魂深处那种无尽的寒冷。

"请再向太尉请示，依他当初的誓言，当不至于如此。"杨侗的声音虽然有些颤抖，可在场的人都听见了，他仍然称王世充为"太尉"，而不是称他"陛下"。

此时此刻，就连王世充的家奴梁百年都不得不感到诧异和敬佩。因为这个看上去年轻而孱弱的废帝身上似乎具有一种不可动摇的凛然气节。梁百年的心中泛起一丝恻隐，于是向王世恽和王仁则建议再请示一下王世充。

可他的提议马上被王世恽否决了。绝望的杨侗请求去和自己的母后辞别，却仍遭到了王世恽的拒绝。

杨侗沉默了。他转身走进佛堂，最后一次在佛前焚香跪拜。刺目的午后阳光从雕花的紫檀木窗射了进来。在一起一伏的叩拜中，杨侗看见一些簌簌颤抖的灰尘在阳光下惊惶不安地飞舞，有一些沾在佛前的鲜花上，有一些则落在自己的脚边。

这就是命运吗？

杨侗想，这就是命运。

可是，谁又能说，落在鲜花上的尘埃就一定比别的尘埃更为尊贵，落在地上的尘埃就一定比别的尘埃更为卑贱呢？杨侗想，自己何尝不是一粒落在帝王家的尘埃？自己又何尝比落在百姓家的尘埃更幸运呢？

外面已经传来了王世恽急不可耐的催促声。杨侗知道自己该上路了。他最后在佛前一拜，说："愿自今已往，不复生帝王家！"（《资治通鉴》卷一八七）

杨侗随后平静地喝下了毒酒，可他却没有顺利地上路。

不知道是毒酒的毒性不够，还是杨侗的体质太好，总之，喝完毒酒的杨侗尽管七窍流血、痛苦难当，却始终没有咽气。

最后王世恽命人用绢巾勒住了杨侗的脖子，才帮他踏上了黄泉路。

对废帝杨侗而言，不管有没有来生，死亡都绝对是一种解脱。

从天而降的馅饼：平定河西

武德二年的夏天，正当王世充在东都称帝的时候，唐王朝也在西北战场取得了一场重大胜利——平定了河西李轨。

这场胜利得来全不费工夫。

准确地说，它就像一块天上掉下来的馅饼。

李轨于大业十三年在武威起兵后，自称河西大凉王，雄踞一方，成为隋末的一支主要割据势力，并与西秦的薛举共同构成李唐王朝在西北的主要威胁。武德元年八月，李渊遣使联络李轨，下诏称他为"从弟"，与他结盟共同对付薛举。当年冬天，薛举父子败亡，李轨趁机称帝，并出兵攻陷了张掖、敦煌、西平（今青海乐都县）、枹罕（今甘肃临夏市），尽据河西五郡之地。

面对李轨势力的迅速壮大，李渊决定采取册封的手段对他进行招抚，遂于武德二年二月任命李轨为凉州总管，封凉王。但在是否接受李唐朝廷册封的问题上，西凉朝廷却产生了分歧。李轨本人的看法是："唐天子，吾之从兄，今已正位京邑，一姓不可自争天下，吾欲去帝号，受其封爵。"可李轨的心腹、时任左仆射的曹珍却表示反对，他说："隋失其鹿，天下共逐之，称王称帝者何止一人！李唐称帝于关中，西凉称帝于河右，互不相碍，既已立为天子，奈何复自贬黜！"

李轨接受了曹珍的意见，随后派遣尚书左丞邓晓出使长安，向李渊递交国书，上面自称"皇从弟大凉皇帝臣轨"，同时表示不接受李渊的册封。

李渊勃然大怒，当即扣留邓晓。当时的李渊已经决定以武力平定西凉，可问题是新生的唐王朝仍然要面对许多劲敌，北有刘武周、梁师都，东有王世充、窦建德，南有萧铣、林士弘、沈法兴……在此情况下，李渊根本腾不出手来收拾李轨。

唯一的办法只能是暂时忍耐。

此刻的李渊万万没有想到，短短三个月后，一场胜利就从天而降——兵精粮足的李轨在一夜之间就被平定了。

一切都要从五月初李渊收到的一道奏疏说起。

这道奏疏是一个叫安兴贵的朝臣递上来的，大意是说他的弟弟安修仁在西凉担任户部尚书，颇为李轨所器重，他愿意利用这层关系前去游说李轨，对他晓以利害，劝他归降唐朝。

看完奏疏，李渊不禁哑然失笑。他一度想将其弃置一旁，只是后来转念一想，不管这个安兴贵的设想多么不现实，可毕竟是一片忠心。大唐刚刚开国，天下尚未平定，对于臣子们这种急于报效朝廷的热忱当然是只宜鼓励，不宜打击的。就算不采纳他的建议，起码也要接见一下，适当鼓励两句。所以李渊随后召见了安兴贵，对他说："李轨拥有强大兵力，又据守险要，南连吐谷浑，北连东突厥，我出动大军恐怕都不能攻克，就靠你几句空话，他岂能接受？"

可安兴贵却以一种胸有成竹的口吻说："我的家族世居凉州（今甘肃中西部），几代人都享有声望，得到汉人和夷人的敬畏。我的弟弟安修仁也深受李轨信任，安家子弟在凉朝身居要职者不下十人。我前去游说，李轨能听从最好，就算他不接受，我在他身边下手也比较容易。"

听他这么一说，李渊的想法立刻发生了转变。

他感觉这个安兴贵不像是一个夸夸其谈的人。既然他如此自信，又无需动用朝廷一兵一卒，那自己何乐而不为呢？

数日后，安兴贵以个人名义回到了家乡武威（今甘肃武威市），李轨以为他叛唐归来，大喜过望，当即任命他为左右卫大将军。

可李轨断然没有想到，这个安兴贵转眼就将成为他的掘墓人。

安兴贵取得李轨的信任后，找了个左右无人的时机对他发出了试探。安兴贵说："凉国的面积不过千里，土地贫瘠，百姓穷困。而今唐朝起于太原，夺取函秦（陕西中部），遏制中原，战无不胜，攻无不克，此乃天命，非人力所能为！陛下不如以河西之地归唐，则东汉窦融之功，必当再现于今日！"

李轨忽然用一种若有所思的目光盯着他，说："我据有坚固的山河，他们虽然强大，能奈我何？你此前在唐朝为官，莫非是为了报答李唐的知遇之恩，替他们当诱降的说客来了？"

安兴贵慌忙伏地谢罪，说："臣听说'富贵不回故乡，有如锦衣夜行'！而今臣合家子弟皆蒙陛下信任，满门荣庆，岂敢更怀异志！只是想为陛下献上一点愚者之虑而已，如何裁决，全在陛下。"

安兴贵出宫之后，意识到劝降已经失败，接下来只有发动兵变了。

当天，安兴贵就和弟弟安修仁悄悄溜出了武威城。

安兴贵的确没有跟李渊吹牛，他们安氏家族和他们兄弟俩在凉州的确是振臂一呼，应者云集的。短短几天，他们就拉起了一支胡汉混杂、人数可观的军队，开始攻击武威。李轨大怒，亲自率兵出战，却被安氏兄弟打得大败，只好退回城中坚守。安兴贵率部将武威城团团围困，并绕城呼喊："大唐朝廷派遣我来诛杀李轨，胆敢助之者，屠灭三族！"

安兴贵的猛烈攻势加上心理战，很快就摧毁了西凉军队的斗志。城中军民争相逃出城外，投奔安兴贵。李轨没想到他的军队如此不堪一击，眼见大势已去，再也无力挽回，只好带着妻儿登上不久前兴建的美轮美奂的玉女台，置酒对饮，从此诀别。

这一年五月十三日，安兴贵攻入武威，生擒李轨，河西宣告平定。

安兴贵之所以能如此轻而易举地扫平李轨，是因为西凉的人心早就散了。

有三个原因导致了西凉的人心离散和李轨的迅速败亡。

其一，诛杀功臣。

被杀的人名叫梁硕，本是李轨起兵时的主要策划者之一，时任西凉的吏部尚书，因颇富智略，且深受李轨重用，所以遭到众人的嫉妒和排挤，尤其是户部尚书安修仁与他历来不睦。在其后双方展开的明争暗斗中，安修仁设计诬陷梁硕谋反，致使李轨将梁硕鸩杀于家中。从此，李轨的亲信旧部个个惶惶不安，唯恐被李轨兔死狗烹，恐怖气氛弥漫整个西凉朝廷。

其二，修建劳民伤财的玉女台。

去年冬天，有个巫师告诉李轨："上帝当遣玉女从天而降！"意思是如果能迎来玉女，必能得到上天的赐福。李轨随即调动军队，耗尽国库修建了一座富丽堂皇的玉女台，虔诚地期待玉女的降临。可结果玉女不见踪影，西凉却是一片民怨沸腾。

其三，错误决策，无视民间灾情。

玉女台竣工不久，西凉出现了严重的灾荒，民间普遍出现人吃人的惨剧，而其时国库已空，李轨不得不倾尽个人资财予以救济，但是杯水车薪，于事无补。李轨只好召开廷议，讨论是否要开仓赈粮。以李轨旧部、左仆射曹珍为首的大臣都认为："国以民为本，本既不立，国将倾危，应即刻开仓，不能坐视百姓相食而不管。"然而以太仆卿谢统师为首的另一批大臣却表示反对。这些人原本都是镇守武威的隋朝旧吏，是被李轨兴兵逮捕后迫于情势才投降的，人心并未真正归顺，因此都想趁此机会激起民怨、搞垮西凉，于是纷纷表示："太仓作为国家的战略储备资源，只能等到危急关头才能启用，岂能为了几个小民而开仓？曹珍的建议显然是为了收买人心，并非真正从国家大计出发。"李轨内心的天平最终倾向了谢统师，拒绝开仓，从此"士庶怨愤，多欲叛之"（《旧唐书·李轨传》）。

而发生在西凉的这一切，无疑都通过安修仁的渠道传到了安兴贵的耳中。所以安兴贵才会认定李轨的灭亡已成定局，于是胸有成竹地向李渊呈上了平凉之策。

李轨被俘后，很快就和他的几个弟弟、儿子一起被押解到长安，于闹市中斩首。

面对这场从天而降的胜利，李渊真是惊喜万分，随即任命安兴贵为右武候大将军、上柱国，封凉国公，赏赐绸缎一万匹；任命安修仁为左武候大将军，封申国公。

听到李轨灭亡的消息后，不久前被扣留在长安的西凉使臣邓晓马上要求觐见李渊。

虽然主灭国亡了，可他一点都不悲伤。相反，邓晓还感到了一丝庆幸。因为李轨不亡，他就永无出头之日，而现在他终于可以名正言顺地投靠新主子了。

这就叫识时务者为俊杰。

在第二天的朝会上，当邓晓手舞足蹈地向新主子表示他最衷心的祝贺时，李渊一直面无表情地看着他，一言不发。直到邓晓尴尬地停下自己的舞蹈动作，才听见李渊冷冷地说："汝为人使臣，闻国亡，不戚而喜，以求媚于朕。不忠于李轨，肯为朕用乎？"（《资治通鉴》卷一八七）

从这一天起，邓晓终生没有得到李唐朝廷的录用。

也许在此后落寞无为、穷困潦倒的余生中，邓晓始终会被这样一个问题困扰——为何自己如此机灵地拍马屁，竟然也会拍出这么倒霉的结果？

为何当一个聪明的识时务者，下场居然也会如此不堪？

武德二年对李渊和整个大唐王朝来讲，实在是充满意外的一年。

因为有许多事情从天而降。

然而从天而降的不一定总是馅饼，有时候也会有霹雳。

武德二年九月，李渊和他的大臣们全都被一声晴天霹雳震得目瞪口呆——太原丢了！

是谁这么该死，把大唐王朝的龙兴之地都给弄丢了？

是齐王李元吉！

李元吉丢掉了太原

李渊太原起兵的时候，李元吉年仅十六岁。李渊率大军南下之后，命他为太原郡守，封姑臧郡公；后又进封齐国公，授镇北大将军，掌管太原及周围十五郡的军政大权。大唐开国后，李元吉晋爵齐王，改太原郡为并州，授并州总管。也就是说，从大业十三年五月起，这个少不更事的李家四公子就成了太原地面上说一不二的土皇帝。

当他的父兄们在创建大唐王朝的道路上浴血奋战、开疆拓土的时候，这个年轻的土皇帝在太原都干了些什么呢？

他只干了三件事。

第一是玩。

第二是疯玩。

第三是没日没夜地疯玩。

他最爱玩的游戏是"打仗"。可他的打仗游戏却与众不同。首先是要求真刀真枪，其次是要求见血和死人。这与其说是游戏，还不如说是角斗。是的，李元吉要的就是白刀子进红刀子出的角斗。他喜欢把他的奴仆、宾客，甚至姬妾都召集起来，发给他们兵器和铠甲，然后让他们不分对象地混战死拼，每次不玩死和玩残一批人，他决不罢休。一旦来了兴致，李元吉还会亲自披挂上阵，参与角斗。虽然没人敢杀他，但是刀枪不长眼，李元吉也经常挂彩。不过他不以为意，一直乐此不疲。李元吉的奶娘陈善意实在看不下去，就苦苦规劝他别再玩这种死亡游戏，可李元吉非但不听，还借一次醉酒的机会耍酒疯，命手下人把陈善意活活打死。

除此之外，李元吉还喜欢打猎。他经常说："我宁可三天不吃饭，也不能一天不打猎。"李元吉的打猎技术非常专业，每次出猎，光是狩猎工具就会满满当当装上三十车。狩猎队所过之处，农民的庄稼地往往被践踏得面目全非，左右侍从还经常趁机劫夺百姓财物。因此李元吉每打一次猎，并州近郊的老百姓就像遭遇了一场浩劫。除了射动物，李元吉还喜欢在闹市中射人。每当看到人群惊慌失措、抱头鼠窜的样子，他就会开怀大笑，觉得特别过瘾。

尽管齐王府中妻妾成群，李元吉还是不满足。所以，在玩杀人游戏的同时，李元吉还喜欢半夜大开府门，领着一帮人出去强奸民女。

总而言之，寻常的游戏对并州的这位土皇帝来说都是缺乏吸引力的。不管他玩什么，都要玩新鲜的、刺激的、出格的。并州的百姓们就这样被这个新王朝的四皇子玩得苦不堪言，却又求告无门。面对李元吉无法无天、为所欲为的恶劣行径，难道除了一个奶娘陈善意，就没人敢劝了吗？

有。

其实李渊也知道这小子不是盏省油的灯，而且年纪太轻，毫无处理政事的经验，所以很早就派了两个人去辅佐他。一个是外戚兼驸马、时任殿内监的窦诞（窦皇后的侄子，娶李渊女儿襄阳公主），另一个是右卫将军宇文歆。

不过这个驸马爷窦诞也是位顽主，李元吉玩的那些事情他没少掺和，所以敢直言进谏的人就只有宇文歆了。但是李元吉根本没把他放在眼里，不管宇文歆说什么，一律当成耳旁风。宇文歆忍无可忍，最后只好上疏向李渊报告，一一指出齐王的劣行，最后说："百姓怨毒，各怀愤叹，以此守城，安能自保？"

武德二年闰二月二十二日，李渊接到奏疏，顿时火冒三丈，当天就下诏解除了李元吉的并州总管之职。可是，被罢官的李元吉并没有从此痛改前非，而是天天在盘算对策。

他很快就想了一个官复原职的办法。你们不是说老百姓都怨声载道吗？那我就让你们听听老百姓的心声。

三月初，长安的宫门前忽然聚集了一大群来自并州的士绅父老。他们是来集体请愿的——请求皇帝让李元吉继续当他们的父母官。

李渊大喜。看来宇文歆打的小报告都是危言耸听之词，元吉还是颇得民心的嘛，不然这并州的老百姓怎么会千里迢迢地为他入朝请命？

三月十五日，李渊下诏恢复了李元吉的官职。

接到诏书的那一刻，李元吉无声地笑了。

民意是这个世界上最容易操纵的东西。别说发动几个父老去长安请愿，就算在并州搞一个全民公投，估计李元吉也能弄出一个100%的民众支持率。

民意固然容易操纵，可有一件事情李元吉无论如何也操纵不了。

那就是战局。

从武德二年三月下旬起，刘武周就开始了对并州的进攻。四月初一，刘武周亲率五千突厥骑兵进抵黄蛇岭（今山西榆次市北），兵锋甚锐，来势汹汹。李元吉命车骑将军张达率部对刘武周发动试探性攻击。可张达兵力薄弱，一再向李元吉表示无法作战。李元吉不听，强令他发动进攻。

结果可想而知，一接战，张达所部转眼之间就全军覆没。张达愤而投降刘武周，并亲自充当向导，于四月初二引刘武周攻陷了榆次。

随后刘武周迅速向纵深推进，于四月十八日兵临并州城下，李元吉率众出战，击退了刘武周的第一次进攻。四月二十日，李渊急命太常卿李仲文率军增援并州。五月十九日，刘武周转而攻陷了并州南面的平遥。六月初十，刘武周麾下猛将宋金刚率三万人攻陷了介休（今山西介休市）。随后，唐朝援军李仲文、姜宝谊部与刘武周部将黄子英在雀鼠谷（今山西灵石县西南汾水河谷）展开会战，唐军大败，李仲文与姜宝谊被俘。

刘武周节节胜利，李渊深感忧虑。右仆射裴寂自告奋勇，愿意出战。六月二十六日，李渊命裴寂为晋州道行军总管出兵御敌，同时让他全权指挥前线战事。

九月，裴寂率军进抵宋金刚占据的介休，于度索原（今山西灵石县东）驻扎。宋金刚派人切断了唐军的水源，唐兵饥渴难耐，裴寂只好下令拔营，打算重新寻找有水源的地方。可唐军刚刚开始拔营，宋金刚立刻挥师进攻，唐军顿时崩溃，或死或逃，几近全军覆没。裴寂仓皇逃奔晋州（今山西临汾市）。

至此，唐朝在并州以南、晋州以北的城池几乎全部沦陷，仅余西河（浩州州府，即今山西汾阳市）一座孤城。

九月中旬，刘武周再次进围并州。李元吉对司马刘德威说："你和老弱残兵留下来守城，我率领精锐部队出战。"十六日夜，李元吉率兵出城，同行的还有他的一大群妻妾。

出战还带妻妾？

还没等守城的刘德威回过神来，李元吉已经马不停蹄地向南疾驰，直奔长安而去了。

李元吉前脚刚刚出城，刘武周后脚就已兵临城下。晋阳（并州州府所在地）土豪薛深迫不及待地打开城门，迎接刘武周进城。刘德威只能领着剩下的那些老弱残兵乖乖地缴械投降，并州就此陷落。

李元吉带着一副劫后余生的表情逃回长安，满朝文武大为震惊。

这是李渊集团自起兵以来遭遇的最惨重的一次失败。

而且还是不战而败！

李渊感到了一种锥心般的疼痛。

整个李唐天下无论丢了哪块地方都不会像并州这样让他心痛不已。

必须有人来为这次惨败承担罪责。

要让谁来承担呢？李元吉吗？不行，他毕竟是齐王，堂堂大唐王朝的四皇子，治他的罪就是在扇李渊自己的耳光，也无异于是在承认自己用人不当。

窦诞呢？也不行，他是外戚兼驸马，拿他治罪势必引发许多皇室成员的反抗情绪，而且政治影响也不好，副作用太大。

既然他们都不行，那就只剩下一个人了。

宇文歆。

李渊对他的心腹大臣、礼部尚书李纲说："元吉幼弱（这一年虚岁十七），缺乏治理政事的经验，所以才派窦诞和宇文歆去辅佐他。没想到晋阳这个强兵数万、食支十年的龙兴之地竟然被他们一朝舍弃！听说是宇文歆出的主意，我准备把他斩了！"

李纲很清楚，皇帝是想抓宇文歆当替罪羊，可这么做必将寒了满朝文武和天下人的心，实在不是高明的做法。李纲遂据理力争："齐王年少骄逸，可窦诞不但从未规劝，而且替他遮盖掩饰，导致士民怨愤，今日之败，罪在窦诞。宇文歆屡屡劝谏，齐王概不接受，这些事都有奏疏在案，宇文歆是一个忠臣，岂能杀他？"

李渊很无奈。

看来这三个人谁也动不得。

既然不能动，那就大事化小、小事化了吧。第二天的朝会上，李渊亲切地把李纲叫到身边来坐，说："多亏有你，我才不至于滥用刑罚。元吉自己不学好，不是两个辅臣所能管教的。"随即赦免了宇文歆和窦诞的罪责。

李渊可以不问并州之败的罪责，可他却不能无视并州陷落的后果。

武德二年九月下旬，刘武周占领太原后，即命悍将宋金刚乘胜南下，迅速攻克了晋州，俘虏了唐右骁卫大将军刘弘基。随后，宋金刚又进逼绛州（今山西新绛县），攻陷了龙门（今山西河津市）。

战报传至长安，李渊和满朝文武再次震恐。

整个河东丢了大半，长安的门户已经豁然洞开。接下来，宋金刚只要一步跨过黄河，兵锋就可直指长安。

李渊感到了一种前所未有的忧虑和恐慌。

刘文静之死：裂痕与伏笔

武德二年的秋天注定是李唐王朝的多事之秋，因为在并州陷落之前，长安朝廷内部就已经发生了一件让李渊极不愉快的事。

有个人要谋反，并且他还因此掉了脑袋。在这个变幻无常的世界上，掉脑袋的事情原本是很寻常的，但是这回却不太寻常。

因为这颗脑袋是从一个朝廷重臣的身上掉下来的。

准确地说，这个人是大唐的民部尚书、开国元勋，也是晋阳首义的功臣。他就是刘文静。

刘文静居然会谋反？这可能吗？

是的，这件事听起来实在让人难以置信。可李渊和朝廷确实是以这个罪名把刘文静斩首的。

一个堂堂的开国元勋、首义功臣为什么会走到这一步？刘文静之死对新生的大唐王朝而言，究竟意味着什么？

一切都要从头说起。

刘文静和裴寂都是晋阳起兵的主要策划者，两个人从一开始就是李渊的左膀右臂，对大唐开国所作的贡献可以说难分伯仲。但是从私交上来说，裴寂和李渊是好友，而刘文静则与李世民关系较为亲密。因此在李渊的心目中，裴寂的重要性自然要比刘文静略胜一筹，所以裴寂的地位也自然要比刘文静高出一头。李渊开设大将军府时，裴寂任长史，刘文静任司马；李渊入关成为大丞相时，裴寂转任大丞相府长史，刘文静也转任大丞相府司马；李渊称帝后，裴寂官拜尚书右仆射，刘文静官拜纳言……基本上可以说，在李渊的政治军事集团中，除了李建成和李世民外，裴寂始终是第一号人物，而刘文静则始终屈居第二。

刘文静会服气吗？

他不服。

他当然不服！他一直认为自己的才干和胆略都在裴寂之上，而且所立的军功又比裴寂多，凭什么裴寂就老是压过他一头？正所谓不平则鸣，刘文静当然也要鸣！武德元年，李渊登基之初，经常与裴寂同坐共食。刘文静马上抓住机会上奏李渊："陛下君临亿兆，率土莫非臣。昔日晋元帝诏王导升御座共坐，王导推辞说：'若太阳俯同万物，使群生何以仰照！'而今贵贱失位，臣以为非长久之道。"

李渊一下就听出了刘文静话里的酸味。他笑了笑，你刘文静既然学会了含沙射影，跟我大掉书袋，那我也不妨跟你掉一回。他笑着对刘文静说："昔日光武帝刘秀与旧友严子陵共寝，子陵把脚都压到了皇帝的肚子上，光武帝还不是一笑置之？而今诸公德高望重，并且都是朕的旧交好友，往昔的欢聚之情，无论如何都不能忘记！公切勿介怀。"

天子李渊处处护着裴寂，对刘文静的谏言根本不予理睬，甚至还有点反唇相讥的味道，刘文静怎么可能不介怀？随后的日子，刘文静开始在朝堂上公开与裴寂唱对台戏。凡是裴寂赞成的他必然反对，凡是裴寂反对的他必然赞成，二人从此公然决裂，并且反目成仇。

浅水原兵败后，刘文静作为主要责任人被免职，虽然后来他又随李世民扫平了薛仁果，因功擢任民部尚书，但是地位大不如前。从前担任纳言时好歹也是个宰相，而今与裴寂相比，身份已然悬殊。刘文静越想越气，经常与他的弟弟、时任通直散骑常侍的刘文起一起借酒浇愁。有一次喝醉后，刘文静居然拔刀猛砍柱子，怒骂道："总有一天要砍了裴寂的脑袋！"

可是，还没等刘文静砍掉别人的脑袋，自己的脑袋就先掉了。

说起来也是事出偶然，而且只能说刘文静走了霉运。就在他满腹牢骚、郁郁寡欢的时候，他家里又平白无故地发生了一些稀奇古怪的事。刘文静怀疑是妖魅作祟，就让刘文起帮他找了一个巫师作法祛妖。请人祛妖本来也没什么大不了的，可偏偏这个巫师又喜欢装神弄鬼，一连几日都是大半夜在半明半暗的星光下作法，而且披头散发、口衔利刃，看上去十分恐怖，说是祛妖，其实他本人更像妖。巫师喜欢装神弄鬼本来也没什么大不了的，可偏偏又有一个家人告发了刘文静，对他请巫师祛妖的事情做了一番添油加醋的描绘和别有用心的解释。所有描绘和解释最终指向的目标就是——谋反。

事态陡然变得严重起来。本来裴寂还愁抓不到刘文静的小辫子，这回倒好，是他自己的家人把他卖了，刘文静还能怨得了谁？

告密者是刘文静的一个小妾，因为与其他姬妾争风吃醋而失宠，索性诬告刘文静谋反，要把他往死里整。所有对刘文静最为不利的偶然因素似乎突然间都凑到了一块。所以我们只能说，刘文静这回是倒了八辈子血霉了——不死都不可能！

李渊即刻将刘文静逮捕，命裴寂和萧瑀担任主审官。明明知道裴寂与刘文静不共戴天，还让裴寂去审案，李渊的用意不言自明。

审讯中，刘文静做出了这样的供词："首义之初，臣任司马，与长史裴寂的地位和威望都差不多。而今裴寂贵为仆射，拥有豪宅，而臣的官位和赏赐却与常人无异。臣东征西讨的时候，老母亲和家人留在京师，臣都没有时间照顾。所以臣确实是心存不满，加上醉酒，才会发出怨言。"

李渊拿着刘文静的供词在朝会上对群臣说："观文静此言，很明显就是想造反了。"

其实满朝文武全都心知肚明，刘文静落到这步田地绝不是因为他想造反，而是因为他得罪了天子跟前的大红人——当朝宰执裴寂裴大人，因此他也就得罪了天子。换句话说，他纯粹是权力斗争中的失败者。既然如此，谁还敢替他说话呢？所以绝大多数人都保持沉默，只有萧瑀和李纲替刘文静说了公道话。他们都坚持认为刘文静绝无谋反之意。

最后李世民站了出来，一再替刘文静辩护。

李世民说："当初在晋阳时，是刘文静最早提出了举义之策，后来才告诉了裴寂。等到攻克京师，他们所得到的信任和待遇却相差太大，刘文静的失望或许是有的，但绝不敢谋反！"

李世民为什么要替刘文静辩护？

表面原因当然是李世民出于公心、仗义执言，可深层的原因则是——刘文静现在已经是秦王帐下的头号辅臣，是李世民在政治上最为得力的助手。早在晋阳起兵前夕，刘文静和李世民就已惺惺相惜，关系非同一般；到了武德元年七月，李世民任元帅西征薛举时，刘文静则是元帅府的长史；同年十二月，李世民官拜太尉，兼陕东道行台尚书令时，刘文静再次担任陕东道行台左仆射。说白了，刘文静现在不只是天子李渊的民部尚书，更是秦王李世民的死党。

对此，李渊不可能没有意识到，当然更不可能无动于衷。

因此，对裴寂的宠信和重用以及对刘文静的疏远和贬抑，在李渊这里绝不仅仅是出于旧交情的深浅厚薄那么简单，最重要的原因是——李渊必须防止出现一个与朝廷权力平行的小集团，即便这个小集团的领袖是他的亲儿子李世民也不行。进而言之，李渊也绝不允许他的任何一个臣子把本该献给他的忠心转移到其他地方去，即便这个臣子是开国元勋刘文静也不行！

基于上述原因，李渊就绝不会放过刘文静。

所以，李世民出面替刘文静辩护，不但不可能挽救刘文静，反而会强化李渊对这些事情的判断以及他杀鸡儆猴的决心。

为了帮助李渊下定最后的决心，裴寂私下里一再对李渊说："刘文静的才干和智略确实是超过常人，但他性情轻躁凶险，且悖逆之言行业已昭然，何况当今天下未定，外有劲敌，今若赦之，必贻后患！"

尽管李渊心里早已作出了决定，可诛杀刘文静的诏令还是在他手里压了好多天。判断一个开国功臣应不应该杀，不仅是在考验天子李渊的智慧，更是在考验他的情商。

因为天子也是人，要诛杀一个功臣，他的内心深处不免会有诸多的不忍。

但是不管有多少不忍，那道让刘文静人头落地的诏书最后还是从李渊的手里发了下去。

武德二年九月初六，刘文静与刘文起一同被斩首，家产抄没。

临刑之前，刘文静仰天长叹："高鸟逝，良弓藏，故不虚也！"

其实刘文静的这句临终遗言只不过是一种负气的感叹而已。我们在前面已经说过，置他于死地的原因绝非如此简单。真相是——刘文静的存在严重威胁了李唐王朝最有权势的两个人的政治利益。

首先是天子李渊，当他意识到已经有一个小集团的羽翼正在他的眼皮底下逐渐丰满的时候，他当然不能坐视不理。

其次是首席宰相裴寂，面对刘文静这种才干和功勋都不在他之下的政敌，他当然不会无所作为。

所以，当李唐王朝这两个最有权势的人决意要让一个人三更死的时候，他就绝对活不过五更！

刘文静之死是大唐开国以来第一次诛杀功臣的事件。这个事件无疑给丽日当空的大唐王朝抹上了一层不祥的阴影。同时，这个事件也在李渊统治集团内部——更准确地说，是在李渊和李世民父子之间——刻下了一道深深的裂痕。

这道政治裂痕一旦出现，便再也难以抹平。随着李唐王朝扫灭群雄、统一天下的进程逐渐深入，这道裂痕也在不断扩大，等到李渊父子肃清外敌、巩固政权的事业完成，这道无形的裂痕也就演变成了一个可怕的深渊，最终使得李渊父子的亲情彻底断裂。从这个意义上说，武德二年的刘文静之死，实际上已经给武德九年的"玄武门之变"埋下了一个幽微而深远的伏笔。

大唐王朝全线告急

武德二年，李唐王朝在西北战场上不战而胜，在北面战场上不战而败，而在东面战场上则是——屡战屡败。

从这一年春天开始，窦建德就对驻守河北的唐军发起了猛烈进攻，致使唐军节节败退，毫无还手之力。闰二月，刚刚消灭宇文化及的窦建德就迅速攻陷了邢州（今河北邢台市），生擒唐邢州总管陈君宾。六月初三，攻陷沧州（今河北盐山县西南）。八月初，窦建德亲率十几万大军进逼洺州（今河北永年县东南），唐淮安王李神通退守相州（今河南安阳市）。八月十一日，窦建德攻克洺州，唐洺州总管袁子幹投降。八月十九日，窦建德挥师直指相州，李神通再次逃往黎阳（今河南浚县），投奔李世勣。九月初四，窦建德攻破相州，斩杀唐相州刺史吕珉。九月二十五日，窦建德攻陷赵州（今河北柏乡县），生擒唐赵州总管张志昂和慰抚使张道源。

至此，唐朝在河北的城邑几乎全部落入窦建德的手中。

十月，窦建德率领大军继续向南挺进，逼近卫州（今河南淇县东）。在距黎阳三十里的地方，窦建德亲自率领的前锋部队与李世勣部将丘孝刚的三百名前哨骑兵遭遇。丘孝刚一向骁勇善战，首先发动攻击。窦建德败退，幸亏大军随后赶到，窦建德才转危为安。丘孝刚寡不敌众，被夏军斩杀，所部无一生还。

遭遇突袭的窦建德一怒之下转而命令大军围攻黎阳，很快将其攻克。淮安王李神通、秘书丞魏徵、李世勣的父亲李盖（徐盖）、唐同安公主（李渊的妹妹）全部被俘。只有李世勣带着数百名骑兵突围而出，渡黄河南下。

但是李世勣一越过黄河就勒住了缰绳。

因为父亲在窦建德的手中，这让他无论如何都放心不下。经过几天的矛盾和挣扎，李世勣最终还是掉转马头，回到黎阳投降了窦建德。

窦建德大喜过望，随即任命李世勣为左骁卫将军，仍镇守黎阳，却把李盖留在身边充当人质。同时，魏徵也被窦建德任命为起居舍人。

听说黎阳已经陷落，唐卫州守将也随之投降了窦建德。数日后，唐滑州刺史王轨的家奴刺杀王轨，携带首级献给了窦建德。窦建德说："家奴害死主人，实属大逆不道！我窦建德怎么可能接受你这种人？"随即命人将那个家奴斩首，连同王轨的首级一同送回了滑州。滑州军民顿时大为感激，无不钦佩窦建德的为人，当天就相约向窦建德的使臣请求投降。随后，相邻的州县以及当时盘踞在兖州（今山东兖州市）的变民首领徐圆朗等，全部望风而降。

十月二十四日，大获全胜的窦建德班师凯旋，返回洺州（今河北永年县东南），开始兴筑万春宫，随后将夏朝都城从北部的乐寿迁到靠近河南的洺州，以利于进一步经略中原。

当窦建德在河北攻城略地、所向披靡的时候，刘武周和宋金刚也正在横扫河东，如入无人之境。

此时的大唐王朝可谓全线告急。令人遗憾的是，在河东战场上，身为唐晋州道行军总管的裴寂却消极怯战，毫无将帅之略，根本无力抵挡宋金刚的兵锋，只能一味退缩。他不断下令催促虞州（今山西运城市东北）和泰州（今山西万荣县西南）等少数几座未被占领的城池，烧毁城邑外围的所有村落、粮草和物资，然后把百姓驱赶入城。

裴寂的做法很快引起了河东百姓的惊恐和怨恨，一时间民间骚然，人人欲反。这一年十月，夏县（今山西夏县）人吕崇茂聚众起兵，自称魏王，响应刘武周。裴寂出兵攻击，反而被吕崇茂打败。

河东的形势岌岌可危。李渊只好再命永安王李孝基、工部尚书独孤怀恩、陕州总管于筠、内史侍郎唐俭汇集大军援救河东。

当时，原河东郡治所蒲坂（今山西永济市）的守将尧君素被杀后，其部将王行本重新据城抗拒，唐军多次派遣各路将领轮番进攻蒲坂城，始终不能攻下。如今王行本眼见刘武周大军南下，而唐军力不能支，顿时喜出望外，立刻派人联络刘武周，与宋金刚部遥相呼应。唐军的形势更为险恶，关中人心惶惶。李渊不得不下诏告谕河东各军，说："贼势如此，难与争锋，不如暂时放弃河东，坚守关中。"

如果这个诏命真的得到执行，如果李渊真的放弃了河东，那么大唐王朝统一天下的步伐绝对会放缓，甚至有可能在一段比较长的时间里与四方群雄鼎足而立，维持一个群雄混战之局。

所幸，关键时刻总算有人站出来坚决谏止，并且主动请缨，最终挽救了河东的危局。

这个人就是李世民。

李渊的诏书一下，李世民立刻上疏表示反对。他说："太原是帝业的发祥地，国家的根本所在，而河东物产丰饶、民众富庶，是京师的资源供应地，如果一举将其抛弃，臣窃感愤恨！请拨给臣精兵三万，必能平定刘武周，克复汾晋。"

李渊甚为欣慰，马上集结了关中的所有精兵，全部交给了李世民。

武德二年十月二十日，李渊亲自到华阴（今陕西华阴市）给李世民饯行。

差不多从这个时候起，李世民就当之无愧地成了李唐王朝的中流砥柱。帝国的每一个危急时刻和重大的转折点，几乎都是李世民挺身而出、力挽狂澜，如此才使得初生的大唐王朝能顺利地迈上大一统的道路。从这个意义上说，开创大唐王朝固然是李渊的功劳，但是开疆拓土、统一天下的首功之人，则非李世民莫属。

十一月，李世民趁黄河结冰，率大军自龙门踏冰西渡，进驻柏壁（今山西新绛县南），与宋金刚对峙。当时，河东各州县饱受战乱和劫掠，百姓全部逃入城邑，致使村落荒芜、仓廪空虚，唐军无从征收粮草，他们驻扎了一段时间后，开始断粮。李世民向四方发布文告，远近民众听说大军元帅是李世民，于是纷纷来附。李世民向他们征收粮草，总算缓解了粮荒。

既然唐军会断粮，宋金刚同样也会断粮，所以李世民采取的策略就是——坚守营垒，拒不出战，以此消耗宋金刚的粮食和锐气。

两军对峙的那些日子，李世民时常轻骑简从，亲自出营侦察敌情。有一次由于道路不熟，李世民和随从的骑兵走散了，身边只剩下一名侍卫。其时天色已晚，李世民和侍卫登上一座山丘，找了个避风的山坳休息，由于疲惫已极，两个人很快就沉沉睡去。

预料不到的危险就在此刻悄然降临。敌人的一支游骑路过此地发现了他们，于是悄悄从四面八方围了上来。山野一片寂静，李世民和侍卫发出的鼾声清晰可闻。

如果没有接下来那一幕令人匪夷所思的"蛇鼠救秦王"，那么李世民也许就没命了，而大唐王朝的历史甚至包括中国历史就会在这一刻被彻底改写。

敌兵越围越近。千钧一发的时刻，从李世民身边的地洞里忽然蹿出了一只老鼠，还有一条蛇在它身后紧紧追赶。老鼠惊慌乱窜，一头撞到了侍卫的脸上。侍卫惊醒，慌忙唤起李世民，两人随即跃上马背，拍马狂奔。刚刚跑出一百余步，敌骑就已经追了上来。李世民回身一箭，为首的将领应声倒地，敌兵才停止了追击。

李世民就此逃过一劫。

除了感谢那条毒蛇和那只老鼠之外，除了说未来的天子自有天命之外，我们实在不知道该说什么。

或许我们只能说——老天爷也许并不像我们所认为的那样始终对这个世界不闻不问。关键时刻，他老人家还是会出手的，只不过有时候执行天意的不一定是讨人喜欢的天使，而是让人讨厌的蛇和老鼠罢了。

就在李世民与宋金刚对峙的时候，先于李世民进入河东的永安王李孝基等联军进至夏县，准备攻击吕崇茂。陕州总管于筠建议抓住战机立刻进攻，可工部尚书独孤怀恩却认为应该赶造更多的攻城器械，才有把握一举攻下。李孝基采纳了独孤怀恩的意见，战机就此错失，而李孝基全军覆没的悲剧也就此酿成。

吕崇茂被围之后，立刻向驻扎在浍州（今山西翼城县）的宋金刚求救。宋金刚随即派遣了两名骁将前去增援，这两名大将一个叫寻相，另一个就是日后李世民的麾下猛将、"凌烟阁二十四功臣"之一——尉迟敬德。

尉迟敬德是朔州善阳（今山西朔州市）人，原名尉迟恭，以别名行世，大业末年从军，以勇武著称，官至朝散大夫；刘武周起兵后，成为其部将。此次南下，尉迟敬德是宋金刚的主要助手。当他和寻相率援军进抵夏县时，李孝基等人才蓦然发现自己陷入了腹背受敌的困境。还没等他们作出反应，尉迟敬德就发动了猛烈的进攻。唐军大败，李孝基、独孤怀恩、于筠、唐俭和行军总管刘世让全部被俘。

至此，唐王朝在河东的最后一个筹码就只剩下驻守柏壁的李世民了。而最早驰援河东，却连一场胜仗都没打过的裴寂就在这时被李渊召回了长安。

表面上李渊以丧师辱国的罪名把裴寂交给了有关部门进行审理，可没多久就把他放了，不但官爵依旧，而且宠遇更厚。

什么叫宠臣？

这就叫宠臣，做对了事就加官晋爵、重重有赏，做错了事也可以忽略不计、既往不咎！

当初的刘文静兵败浅水原便遭到了革职的处分，如今裴寂不但在度索原遭遇惨败，而且几乎丢掉了整个河东，回朝后却富贵依旧、地位安然，如此厚此薄彼、赏罚不公，怎能令朝野心服？

可李渊居然就这么做了！对于一个以恩威刑赏驾驭臣子的皇帝来说，这无疑是一个不可饶恕的致命弱点。

尉迟敬德和寻相打了大胜仗，解了夏县之围后，心满意足地回师浍州。可当他们行至美良川（今山西夏县北）时，却遭到了唐军的伏击。这支唐军是李世民派遣的，将领是殷开山和秦叔宝。尉迟敬德仓促应战，损失了两千多人才突围而出。混战中，在夏县被俘的独孤怀恩趁乱脱逃，单骑回到了长安。不久后，尉迟敬德和寻相又奉命驰援固守蒲坂的王行本。李世民探知情报，亲率三千步骑，连夜从小路直插安邑（今山西运城市东北），对尉迟敬德发起突击，将其部众拦腰截断。尉迟敬德大败，士卒或死或降，基本上全军覆没。尉迟敬德仅和寻相逃出一命。

这两场胜仗总算报了夏县惨败之仇，唐军将士士气高涨，纷纷要求李世民跟宋金刚决战。

可是，李世民并没有被胜利冲昏头脑，他认为此刻需要的是隐忍和等待。

他对将领们说："刘武周据守太原，靠宋金刚打前站，所以他的精兵强将全部云集于宋金刚麾下。但是宋金刚孤军深入，军中无粮，只能靠劫掠维持，因此他最希望速战速决。而我们偏偏就要紧闭营垒、养精蓄锐，不理会任何挑战，挫伤他们的锐气，继而分兵攻击汾州（今山西吉县）和隰州（今山西隰县），冲击他的腹心地带，等到他粮尽计穷，自当遁逃。所以眼下我们应该隐忍，不宜速战。"

李世民的这种战略跟当初平定薛仁果的时候如出一辙。

可是，当初的西秦皇帝薛仁果是将士离心，如今的定杨天子刘武周却是士卒用命，李世民能打赢这场仗吗？

在即将到来的武德三年（公元620年），李世民能像平定薛仁果那样一举平定刘武周吗？

独孤怀恩之变

武德二年的冬天，李世勣深刻体验了一种身在曹营心在汉的人生困境。

尽管李世勣一心想着再度归唐，可父亲在窦建德的手里攥着，让他投鼠忌器、一筹莫展。他的心腹郭孝恪建议："我们刚刚归附窦建德，一举一动都受到猜疑，最好是先建立一些战功，得到他的信任后再采取行动。"

李世勣想想也只能如此，随后主动出兵，攻克了王世充所属的获嘉（今河南获嘉县），俘获大量的人员物资，呈献给窦建德，从此获取了窦建德的信任。

不久后，李世勣向窦建德献上了一条经略中原之策。他说："曹州（今山东定陶县）和戴州（今山东成武县）人口众多，被孟海公占据，他表面上归附东都，实际上与王世充貌合神离，如果我们出动大军，随时可以将其攻占。一旦平定孟海公，继而进逼徐州和兖州，河南之地便可不战而平。"窦建德深以为然，遂命曹王后的兄长曹旦率领先遣部队五万人南渡黄河，与李世勣会师。

正当他本人准备亲率大军南下中原时，他妻子曹王后刚好生产，窦建德只好暂时搁置了南下的打算。

李世勣顿时大失所望。他本来的计划是：一旦窦建德抵达河南，就发兵袭击他的大营，然后救出父亲，投奔长安。可现在计划却落空了。

自古忠孝难两全啊！李世勣痛苦地想，看来归唐是遥遥无期了。

就在李世勣彷徨无计的时候，一场突然在他身边爆发的兵变却迫使他不得不抛下父亲，头也不回地奔向长安。

这场兵变是由一个叫李文相，外号李商胡的人发动的。李商胡是据守孟津（今河南孟津县）的一个变民首领，拥有部众五千余人，表面上投靠窦建德，实则心怀异志。李商胡的母亲霍氏也是一个江湖人物，精于骑射，自称霍总管，和她的儿子皆有叛夏之心。母子俩与李世勣不谋而合，很快结成了同盟，李商胡甚至还和李世勣拜了把子。双方原本约定在窦建德南下时一起动手，可如今计划落空，霍氏大为不甘；加之曹旦的军队进驻河南后，在他们的地盘上肆意侵夺骚扰，令霍氏极为愤恨，于是催促李商胡提前发动兵变，诛杀曹旦和他的手下。

武德三年正月的一个晚上，李商胡设宴招待曹旦帐下的二十三名军官，把他们灌醉之后全部砍杀，随后又设计杀死了三百名曹旦的士兵。动手之后，李商胡才派人通知了李世勣。李世勣当时的大营跟曹旦相连，郭孝恪力劝他跟着袭击曹旦。可与此同时，曹旦也获知了兵变的消息，于是命令士兵高度戒备。李世勣知道先发制人的机会已经丧失，而且自己兵力薄弱，根本不是曹旦的对手，所以不得不和郭孝恪一起连夜逃离军营，策马向关中狂奔而去。

那一刻，李世勣料定自己的父亲必定会死在窦建德的手上。

然而结果却完全出乎他的意料。

窦建德虽然不久之后便亲自率兵消灭了李商胡，但是始终没有杀李世勣的父亲。当夏朝的文武百官纷纷请求诛杀李盖时，窦建德说："李世勣身为唐臣，为我所虏，不忘本朝，乃忠臣也，其父何罪？"

窦建德在此作出了一个让人意外，却又是最明智的选择。诛杀李盖固然可以发泄自己的愤怒，但丝毫改变不了李世勣复叛投唐的事实。

既然改变不了，何苦给自己加上一个滥杀无辜的恶名？失去李世勣已经是一种损失，何苦为了泄愤让自己导致更大的损失？

窦建德强忍心头的怒火，以一种常人少有的高姿态当众宣布赦免了李盖。在这一刻，仁者的非凡胸襟、智者的深谋远虑以及王者的雍容气度同时在他身上熠熠闪光。

这就叫人格魅力！

在这样一个领袖的统治之下，无怪乎当时的河北呈现出了一派安居乐业的太平光景。史称窦建德积极"劝课农桑"，发展生产，打造了一个繁荣安定的社会局面，使"境内无盗，商旅野宿"（《资治通鉴》卷一八八）。

从一个开国帝王所应具备的综合素质来看，无论是执政能力、军事能力还是个人品质，窦建德基本上都算是达标的。

但是最终他还是失败了。

导致他失败的主观因素肯定是有的，但是最主要的其实还是客观因素——他的对手李世民太强大了。

假如隋朝末年群雄逐鹿的舞台上没有李世民，那么最终君临天下的人很可能就不是李渊，而是窦建德。

退一步说，即便窦建德最终不足以战胜李渊入主长安，但是与四方群雄成鼎足而立之势则肯定是绰绰有余的。

武德三年的春天，河东的战局仍然处于胶着状态，唐军丝毫没有取胜的迹象。

唯一让李渊感到欣慰的是，正月十四日，长期在蒲坂负隅顽抗的隋将王行本终于在内无粮草、外无援兵的情况下开门出降。正月十七，李渊亲赴蒲州（蒲坂）受降。

就是这一次亲赴前线，险些让李渊丢了性命，因为有人精心策划了一次谋杀，准备取代他的天子之位。

这个人是李渊的心腹重臣，也是他的表弟——时任工部尚书的独孤怀恩。

独孤怀恩为何会有这么大的野心？

说来话长。独孤怀恩是三朝外戚，他的三个姑妈分别是北周明帝宇文毓的皇后、隋文帝杨坚的皇后和唐高祖李渊的母亲，所以杨广和李渊都是独孤怀恩的表兄。李渊曾经跟他开玩笑说："你姑妈的儿子都当了皇帝，下次可能会轮到我舅舅的儿子！"

说者无心，听者有意。李渊的一句玩笑话既深深刺伤了独孤怀恩的自尊心，也煽起了他篡位称帝、君临天下的野心。独孤怀恩时常为此扼腕长叹："难道我们独孤家只有女儿的命尊贵？"

当时王行本据守蒲坂，独孤怀恩多次奉命进攻，不但久攻不克，而且损兵折将。李渊屡屡下诏责备，独孤怀恩大为怨恨，于是开始和他的部属元君宝密谋叛变。可是兵变尚未发动，独孤怀恩就和永安王李孝基、内史侍郎唐俭等人一起被派到了河东战场，随后又在夏县遭遇惨败，被尉迟敬德俘虏。口无遮拦的元君宝私下里经常愤愤不平地对唐俭说："独孤尚书近来正在谋划一件大事，如果及早发动，岂有今天的奇耻大辱！"唐俭大吃一惊，他万万没有料到位高权重的外戚独孤怀恩居然有了谋反之心。

后来李世民在美良川伏击尉迟敬德，独孤怀恩趁乱逃回长安。一直对他深信不疑的李渊又交给了他一支军队，命他继续攻击蒲坂。就是在这个时候，元君宝再次对唐俭说："独孤尚书能逃出大难，再回蒲坂，真是命中注定要当帝王的人，可谓王者不死啊！"

唐俭闻言，意识到毫无防备的李渊随时可能遭到独孤怀恩的毒手，顿时心急如焚。不久，唐俭又听到了王行本投降，李渊将亲自前往蒲州受降的消息，他大为惊恐，料定独孤怀恩肯定会趁此机会发动兵变，谋杀李渊。可其时唐俭仍然被困在战俘营中，根本没办法把消息送出去。唐俭情急之下想到了一个办法。他向尉迟敬德建议，请他释放行军总管刘世让，让刘世让回朝劝说李渊放弃河东，与刘武周言和。尉迟敬德觉得这个建议不错，随即释放了刘世让。唐俭就把独孤怀恩企图谋反之事告诉了他，让他火速面奏李渊。

与此同时，李渊已经离开长安，来到了黄河岸边，准备渡河；而独孤怀恩也已入据蒲坂，在城中布下了一个天罗地网，专等着李渊到来。

接下来发生的这一幕可谓惊心动魄。就在李渊刚刚登上渡船，准备前往独孤怀恩大营的时候，刘世让一路策马狂奔，终于在这千钧一发的时刻赶到了渡口。

听完刘世让气喘吁吁的奏报后，李渊惊出了一身冷汗。他感慨万千地说："我能逃过这一劫，实在是天意啊！"李渊随后派遣使者入城，命独孤怀恩过河觐见。独孤怀恩不知道计划已经泄露，单独乘坐一艘小船来到了李渊的大营。刚刚进入营门，连李渊的面都没见着，独孤怀恩就被禁军逮捕了。

这一年二月二十日，李渊将独孤怀恩及其一干党羽全部诛杀。

武德三年初夏，河东战场的形势开始出现转机。

刘武周在二月上旬接连攻下长子（今山西长子县）和壶关（今山西壶

关县）后，其攻势就成了强弩之末，在随后围攻潞州（今山西长治市）和浩州（今山西汾阳市）时一再受挫，多次被唐军击败。

四月中旬，宋金刚军中的粮草也全部告罄，不得不向北退却。

一切都在李世民的意料之中。

唐军发动总攻的时机终于到了。

刘武周的败亡

静如处子，动如脱兔。

这八个字既可以用来形容李世民的战术风格，又可以用来概括李世民的战略精髓。

从武德二年十一月中旬到武德三年四月下旬，李世民与宋金刚对峙了将近半年。除了发动一两次十拿九稳的奇袭之外，李世民基本上按兵不动；可当宋金刚全线撤退的时候，李世民却亲率大军死死咬住不放，一日一夜追出了二百余里，与定杨军大小数十战，连战连捷，一直把宋金刚追到了高壁岭（今山西灵石县南）。在这次长途追击中，李世民坐下那匹世所罕见的汗血宝马特勒骠[1]可以说立下了赫赫战功。通过收复河东这一战，特勒骠从此名扬天下。

在被唐军一路穷追猛打之后，宋金刚真正领教了李世民的军事才能。这种才能由两种力量组成，一个是高度的忍耐力，一个是惊人的爆发力。

当这两种能力异常完美地结合在同一个人身上的时候，就会让对手深刻地体验到两个字——可怕。

感到可怕的还不只是李世民的对手，还有李世民的部属。

当唐军一口气追到高壁岭下的时候，刘弘基觉得无论如何也不能再往

1　特勒骠也是著名的"昭陵六骏"之一，体形壮硕、腹小腿长。李世民给它题写的赞辞是："应策腾空，承声半汉，入险摧敌，乘危济难。"

前追了。

孤军深入，用兵之大忌啊！

刘弘基紧紧抓住李世民的马缰，说："大王破贼，追逐至此，功勋已足，如果再不停止追击，一再深入不已，大王难道不爱惜自己的生命吗？再者，弟兄们已经疲惫不堪、饥渴难耐，应该就地扎营，等到大军主力和粮食全部集结，然后继续北进也为时不晚。"

李世民的回答是："宋金刚计穷而走，众心崩离，功难成而易败，机难得而易失，必定要一鼓作气将其消灭。倘若停滞不前，让他们有充分的时间休整和戒备，就不能再攻击了。我现在只能考虑如何尽忠报国，不能考虑自己的生命！"

没等刘弘基再说什么，李世民已经扬鞭策马，独自往前冲了出去。刘弘基和将士们无奈地对视了一眼。主帅已经一马当先地出发了，再发牢骚还有什么意义？他们最后咬了咬牙，只好全部跟上。

在雀鼠谷，唐军再度追上了宋金刚，一天之内，双方进行了八次会战，定杨军八战皆败，被唐军斩杀了数万人。

当天夜里，唐军才终于在雀鼠谷西边的平原扎营。李世民已经连续两天没吃东西，三天未脱铠甲。而此刻大帐中的军粮只剩下一头羊，其余士兵携带的口粮也都快吃完了。

当李世民和身边的将士们一起烹食那只羊时，所有人都意识到，这是他们最后的晚餐。

从明天开始，他们就断粮了。

李世民当然不会不知道这一点。但是他也知道，如果说唐军此刻的处境非常艰难的话，那么此刻宋金刚的处境就是极度艰难！

谁也不比谁更好受，所以，谁能比别人撑得更久一点，谁就能获得最终的胜利。

换句话说，除了忍耐力和爆发力之外，一个胜利者需要接受的第三项考验就是——意志力。谁具有更坚定的意志力，谁就能笑到最后。

四月二十三日，疲于奔命的宋金刚带着两万残兵逃到了介休（今山西介休市）。还没等他们缓过一口气，李世民已经兵临城下。宋金刚只好命尉迟敬德和寻相守城，然后率部在西门外列阵。李世民命李世勣发起进攻，而后佯装败退。当宋金刚挥师进击的时候，李世民率精锐骑兵迅速绕到了他的阵地背后。

腹背受敌的定杨军顿时崩溃，被唐军斩杀三千余人，宋金刚带着少数轻骑再度北逃。李世民又追出了数十里，一直追到张难堡（今山西平遥县西南）才勒住了缰绳。当时，并州以南、晋州以北的城池全部沦陷，只有浩州行军总管樊伯通、张德政仍然坚守西河（浩州州府，即今山西汾阳市）孤城和这座张难堡。当李世民率部来到堡前，摘下头盔时，在绝境中坚守了半年的浩州将士认出了李世民，顿时喜极而泣。大家只顾着欢呼庆贺，都没有意识到李世民和他的部众们早已饥肠辘辘。李世民的左右悄声提醒樊伯通——秦王还没有吃饭，樊伯通这才忙不迭地命人呈上浊酒和糙米饭。

尉迟敬德和寻相虽然带着残部守在介休，但是连日来的数十场败仗已经让定杨军的士气近乎瓦解。

人心散了，队伍不好带了。尉迟敬德比谁都更清楚这一点。所以当李世民随后派遣宇文士及前来劝降时，尉迟敬德没有过多犹豫就开门投降了。

又一员猛将投到了帐下，李世民大喜过望，随即任命尉迟敬德为右一府统军，让他和寻相仍然率领他们的旧部八千人。兵部尚书屈突通劝李世民要提防他们叛变，可李世民却不以为意，一笑了之。

在李世民南征北战、扫荡群雄的整个武德年间，四方豪杰就这么一个个走到了他的麾下，从你死我亡的对手变成了死心塌地的亲信。这里有一个问题值得我们思考：到底是什么东西把他们吸引到了李世民身边，并让他们从此变得坚贞不渝，不再选择离开和背叛呢？

是李世民卓越的军事才能，还是他强大的个人魅力，或者是他大唐二皇子的身份和地位？

这些固然是重要的，但肯定都不是最重要的。

最重要的一点是李世民给予他们一视同仁、毫无保留的信任。

这些英雄豪杰都不是第一天出来打天下的，他们也跟随过各种各样的老大。所以他们凭直觉就能断定，什么样的信任是作秀和有保留的，什么样的信任是真诚和无保留的。在李世民身上，他们体验到的无疑是后者。李世民对他们毫无保留的信任让他们体验到了一种弥足珍贵的安全感。

对李世民来说，毫无保留地信任部属肯定是需要承担风险的。但是，有所保留地信任，或者说对部属时时警惕、处处提防，就能有效地规避风险吗？

未必，因为乱世之中的风险无处不在，令人防不胜防。既然如此，那么互相提防事实上只会增大风险。说穿了，每个人都不是傻瓜，你付出什么，付出多少，别人都能感受到。你付出怀疑，收获的定然是恐慌；你付出足够的信任，回报的虽不一定是超值的感恩，但一定会是等量的忠诚。

也许李世民正是意识到了这一切，才会始终坚持这样一个原则——既然这个世界上的很多老大都在人为地制造风险，那么自己何妨做一个主动承担风险，让人有安全感的老大呢？换句话说，在征服人心的战场上，或许真诚才是最温柔且最锋利的武器，信任才是最无形且最坚实的铠甲。

或许，无防乃为大防！

当然，这一切都要有相应的实力作为保障，而李世民自认为并不缺乏这样的保障。

当宋金刚惨败的消息传到并州时，刘武周就像被利器戳中了心脏，一种尖锐的疼痛和绝望瞬间弥漫他的全身。

因为他知道自己已经血本无归了。

此次倾巢南下，他把自己的精兵良将全部交给了宋金刚。而今宋金刚基本上全军覆没，刘武周还拿什么逐鹿天下？

绝望的刘武周只好放弃并州，带着少数部众流亡东突厥。宋金刚本来还想召集残部再战，可士卒们风闻刘武周已经逃亡漠北，遂不再听从他的号令。宋金刚无可奈何，只能步刘武周之后尘，率一百余骑逃奔东突厥。

李世民迅速率领大军进抵晋阳，定杨朝廷的仆射杨伏念乖乖献出城池投降。随后，原属刘武周的所有州县也纷纷归降唐朝，只有定杨都城朔州（今山西朔州市）仍为定杨朝廷内史令苑君璋所据守。李世民留下真乡公李仲文镇守并州，然后班师凯旋。

流亡东突厥的刘武周不甘心就此失败，多次借助突厥兵马南下攻击。并州守将李仲文屡屡将其击退，并乘胜占领了唐与突厥边境上的一百余座城堡。李渊随即任命李仲文为检校（代理）并州总管。

刘武周无计可施，准备离开东突厥，返回朔州东山再起。但是突厥人已经觉得他没有利用价值，遂将其诛杀。而不久之前，宋金刚也企图逃回他的起兵之地上谷郡（今河北易县），同样被突厥人擒获腰斩。

至此，李唐王朝在北方最强劲的一个对手覆亡，李渊父子终于可以把目光转向中原了。

武德三年七月初一，李渊下诏，命李世民率兵向关东全线挺进。

王世充得到战报，立刻在各州县招募精兵强将，全部在东都集结。同时分派他的兄弟子侄驻守洛阳四面的各个战略要地，严阵以待，摆开了与唐军决一死战的架势。

七月二十一日，李世民率大军进抵新安（今河南新安县）。

大唐王朝统一中原的战争就此打响。

| 第六章 |
中原大决战

挺进中原：王世充的末日到了

这是一场旷日持久的战争。相对于平定薛举父子和刘武周，李世民与王世充的较量显得更为激烈，耗时也更为久长，尤其是最后一个阶段的攻城战，其艰难程度远远超乎人们的想象。而且也是在这场为时长达十个月的中原之战中，李世民多次身陷重围、命悬一线，经历了他军事生涯中最为惊心动魄的几个生死瞬间。

唐军进入东都战场后，李世民即命大将罗士信率前锋部队进围慈涧（洛阳城西），王世充接到战报，立刻亲率三万人前往增援。

七月二十八日，李世民率领一队轻骑兵在慈涧周围侦察。

第一个生死瞬间就在这时候悄然降临。当时李世民正在专心致志地勘察地形，谁也没有料到王世充会在这个时候带着军队从天而降。由于双方兵力太过悬殊，唐军士兵大惊失色，一时间不知所措。还没等他们作出反应，王世充的军队已经把他们团团包围。

在这种突如其来的危险面前，最容易看出一个统帅真实的个人素质。说白了，这种时候拼的是胆量。

德国著名军事学家克劳塞维茨把"胆量"称为"促使人们在精神上战

胜极大危险的一种可贵的力量"。

也就是说，胆量首先要求的并不是战胜敌人，而是战胜自己——战胜自己对敌人和死亡的恐惧。

克劳塞维茨曾说，对于军人而言，"从辎重兵和鼓手直到统帅，胆量都是最可贵的品德，它好比是使武器锋利和发光的真正的钢"（《战争论》）。

接下来我们就将看到李世民身上这种"真正的钢"。敌人围上来的时候，李世民镇定自若地带领骑兵们且战且退，向着大营的方向突围，前后奔驰，左右开弓。弦声响处，最先冲上来的郑军士兵纷纷坠马，包括王世充的大将燕琪也被李世民一箭射落，唐兵立刻冲上去将其擒获。王世充慌忙勒住缰绳，不敢再向前追击。李世民遂和士兵们杀开一条血路绝尘而去。

死里逃生的李世民回到军营时，浑身上下沾满尘土，守军认不出他，差点放箭把他射杀。李世民摘下头盔大声呼喊，守门士兵才认出这个"土人"原来是他们的秦王。

"慈涧突围"的一幕充分展现了李世民作为一个军事统帅过硬的个人素质。这种素质绝对与地位无关。如果李世民不是大唐王朝的二皇子，而是普通的一个小兵，那么凭他自己的本事，估计很快也能从一个小兵干到一个将军。

同时我们也发现，李世民指挥的军队之所以能成为一支所向无敌的钢铁之师，在很大程度上正是因为他每战必身先士卒、冲锋陷阵，其勇气和胆识才得以淋漓尽致地展现出来，并且极大地感染每一个士兵，让他们变得跟他一样无惧死亡。

换言之，要想打造一支钢铁之师，统帅首先就必须具备克劳塞维茨所说的那种"真正的钢"。

次日清晨，对整个战场地形已经了若指掌的李世民亲率五万步骑进攻慈涧，王世充怯战，撤出慈涧，退守洛阳。李世民随即命各路兵马迅速缩小包围圈：史万宝自宜阳（今河南宜阳县西）进军，占领龙门（洛阳城南）；刘德威穿过太行山，南下进围河内（今河南沁阳市）；王君廓自洛口（今河南巩县东）出兵，切断洛阳的粮食补给线；黄君汉自河阴（今河南孟津县北）出兵，攻击回洛仓城（今河南偃师市北）；最后李世民亲率大军屯驻于北邙山下，营阵相连，从北面威逼洛阳。

眼见唐军大兵压境，王世充属下的洧州（今河南扶沟县）长史张公谨与刺史崔枢随即作出了他们人生中最重大的一次抉择——献出州城，向李世民投降。

这个张公谨日后成了秦王府的一员得力干将，在武德九年（公元626年）追随李世民参与了玄武门之变，并在政变中发挥了关键作用，后来成为"凌烟阁二十四功臣"之一。

八月初，邓州（今河南邓州市）的一些豪强也发动暴乱，逮捕了当地刺史，举城投降唐军。

八月十四日，黄君汉出兵攻克了回洛仓，俘获郑军将领达奚善定。王世充急命长子王玄应与将领杨公卿等人反攻回洛，但几次进攻都被黄君汉击退，只好在回洛城的西面修筑了一座城堡，派重兵驻防，抵挡黄君汉。

数日后，李世民与王世充在洛阳城北的青城宫列阵对峙，双方隔着洛水河进行了一番对话。王世充向李世民喊话道："隋室倾覆，唐称帝于关中，郑称帝于河南，世充未尝西侵，秦土为何举兵东来？"

李世民不屑于跟他说话，命宇文士及回答："四海皆归顺吾皇，唯独你阻挠大唐的声威教化，这就是我们东来的原因！"

王世充接下来的这句话充分暴露了他对即将到来的这场中原大战的恐惧。他说："你我和平共存，休战止兵，岂不更好？"

宇文士及最后给他的答复是："我们奉诏取东都，没有奉命与你和解！"那一刻，王世充感觉有一道深秋的冷风正疾速掠过洛水河面，凶猛地打在他的脸上。

明年此刻，自己还能站在这洛水河边吗？王世充感到茫然。

这是他一生中从未有过的茫然。

面对四面合围、声势浩大的唐军，感到恐惧和茫然的绝不只是王世充一个人。他本人固然可以选择对抗到底，但大多数将吏却不愿陪着他一块玩完。

九月十三日，继洧州、邓州之后，王世充属下的显州（州治在今河南泌阳县）总管田瓒率下辖的二十五个州全部投降唐朝。数日后，尉州（今河南尉氏县）刺史时德叡又率下辖的杞州（今河南杞县）、夏州（今河南太康县）、陈州（今河南淮阳县）等七个州归降。李世民全部保留各州县长官的官职，只将州名做了改动。黄河以南的其他州县见状，也纷纷举城而降。

这一连串大规模的叛降行动对王世充无疑是一个致命的打击。

因为它不但极大地削弱了王世充的势力，而且将他的地盘肢解得七零八落，致使北面的洛阳、南面的襄阳（今湖北襄樊市）和剩下来的其他城邑皆被唐军一块一块地分割包围，彼此道路阻断，消息隔绝，只能各自为战。

在这样的形势下，王世充预感那些未降的城邑很可能也会叛降，只是时间迟早而已。

可他对此却无能为力。

就在唐军攻打洛阳的前夕，李世民忽然遭遇了一次不大不小的信任危机。

因为刚刚收降的那一批以寻相为首的刘武周旧部居然在这个时候纷纷逃离了军营，而且一逃就逃得精光，只剩下一个尉迟敬德。

唐军将士大为愤慨，立刻将尉迟敬德囚禁。

李世民的"信任原则"遇到了严峻的挑战。

曾经劝告李世民不要轻易付出信任的屈突通、殷开山等人这回抓住了把柄，再次警告李世民："尉迟敬德骁勇绝伦，如今既已将他囚禁，他肯定会心怀怨恨，留他必有后患，不如干脆把他杀了！"

可李世民却不以为然。他说："尉迟敬德如果要逃早就逃了，岂会等到寻相这帮人都跑了，他还不跑？"

李世民随即下令释放尉迟敬德，并且单独召见他，还拿出了一笔钱，对尉迟敬德说："大丈夫既然意气相投，就不必因小小的嫌隙介怀，我无论如何都不会听信闲言、残杀忠良，这点你应该知道。如果你果真要走，这笔钱就做你的路费，聊表一时共事之情。"

老大都把话说到这份上了，尉迟敬德除了感激涕零之外，还有什么好说的？

我们说过，一个人如果愿意对别人付出足够的信任，回报的虽不一定是超值的感恩，但一定会是等量的忠诚。

很快尉迟敬德就给了李世民一份回报，并且还是一份超值的回报。

九月二十一日，李世民率尉迟敬德和五百名骑兵巡视战场，走到位于邙山脚下的景陵（北魏宣武帝元恪陵墓）时，一个多月前遭遇的那种危险再度向他袭来。

王世充带着一万多名骑兵突然出现，迅速将他们包围。郑军大将单雄信一马当先，飞快冲了上来，手执长矛直刺李世民。就在这千钧一发之际，尉迟敬德拍马狂奔而来，并厉声嘶喊，在单雄信出手之前的一瞬间，从侧面刺中了他。单雄信负伤落马，郑军士兵大为惊恐，不敢上前，尉迟敬德遂保护李世民突出重围，随后率兵反击，在王世充的军阵中往来冲杀，如入无人之境。稍后，屈突通也闻讯率大军来援，郑军顿时崩溃。唐军俘虏了王世充的大将陈智略和六千名长矛军，斩杀了一千余人。王世充和单雄信带着少数部众狼狈逃回洛阳。

回营后，李世民大为感慨地对尉迟敬德说："你的回报真是来得太快了！"随即赠给他一箱金银，从此对尉迟敬德更为信任和器重。

李世民的帐下虽然猛将如云，但是要说到这马上执稍（长矛）的功夫，恐怕是没有出尉迟敬德之右者。他能单枪匹马在敌人的长矛丛中往返无碍、毫发无伤，不但避稍的功夫无人能及，而且夺稍的绝技更是世所罕见。史称其"每单骑入敌阵中,敌丛稍刺之,终莫能伤"(《资治通鉴》卷一八八),并能"夺取贼矟,还以刺之"(《旧唐书·尉迟敬德传》)。

尉迟敬德如此大出风头,有一个人不禁妒火中烧。

他就是齐王李元吉。

李元吉一贯对自己马上执矟的功夫十分自负,于是向尉迟敬德发出挑战,提议双方都除去矛刃,只以矛杆较量胜负。尉迟敬德欣然同意,对李元吉说:"我自当遵命除去矛刃,但大王不必!"

李元吉闻言心中大怒。尉迟敬德表面上是在尊重他,实际上根本没把他放在眼里。比赛开始后,怒火中烧的李元吉使尽浑身解数,一心想刺死尉迟敬德,可手中的矛却总是与尉迟敬德擦身而过,连他的一根毫毛也伤不着。李世民在一旁暗笑。为了让这个本事不大可脾气不小的四弟彻底服输,李世民故意问尉迟敬德:"夺矟和避矟,哪一种更难?"

尉迟敬德说:"夺矟难。"李世民随即命他们再比试一场,以尉迟敬德能夺矟为胜。

气急败坏的李元吉再次扑了上去。可转眼之间,他手中的矛已经鬼使神差地到了尉迟敬德手中。如是一连三次,让自以为骁勇无匹的李元吉哑口无言,彻底没了脾气。

武德三年冬天,唐军的攻势越来越猛烈,王世充的地盘也在一天天缩小。

十月,郑朝的管州(今河南郑州市)总管郭庆、荥州(今河南荥阳市西)刺史魏陆、阳城(今河南登封县东南)县令王雄、汴州(今河南开封市)刺史王要汉等人纷纷举城降唐。

与此同时,唐将李大亮也奉命进逼王世充之侄王弘烈驻守的襄阳,于十一月初一攻克襄阳外围的樊城镇,斩郑军大将国大安,而且一连占领了十四座城寨;十一月下旬,李大亮再度攻占沮州(今湖北南漳县)和华州(今湖北宜城市),致使王弘烈的孤城襄阳岌岌可危。

十二月初，在各路唐军的强大攻势下，许州（今河南许昌市）、亳州（今安徽亳州市）、随州（今湖北随州市）三地也全部归降唐朝。

深冬，一场又一场暴风雪猛烈地击打着洛阳城。王世充独自坐在空旷的大殿上，感觉一种无边的愤怒和恐惧正在把他一点一滴地吞噬。

曾经，满朝文武和万千子民都诚惶诚恐地匍匐在他脚下，向他三跪九叩，山呼万岁；曾经，自己也一度焕发出开创帝王霸业的壮志与豪情。可如今这一切都到哪里去了呢？为什么四方将吏叛他而去的脚步会跟当初他们蜂拥而来的脚步一样迅捷，一样争先恐后呢？

树倒猢狲散，墙倒众人推。在这个即将灭顶的时刻，还有谁能向自己伸出援手呢？

王世充想起了一个人，只有这个人能挽救郑帝国覆亡的命运。

窦建德。

可让王世充深感忧虑的是——就在唐军大举来攻之前，他和窦建德还在不停地相互攻击。如今自己大难临头，窦建德愿意捐弃前嫌，向自己伸出援手吗？

王世充不知道。

他只知道自己别无选择。

激战洛阳：东都成了人间地狱

王世充不必忧虑，因为窦建德肯定要出手。道理很简单——唇亡齿寒。洛阳是窦建德的南面屏障，一旦被唐朝扫平，李世民的兵锋就会直指河北，所以窦建德绝不会坐视王世充的灭亡。

当王世充派他的侄子——代王王琬——和朝臣长孙安世惊慌失措地跑来求救时，窦建德立刻举行了廷议，夏朝的中书侍郎刘彬随即对时局作了一番完整而透彻的分析。他说："天下大乱，唐朝据关西，郑朝据河南，夏朝据河北，共成鼎足之势。而今唐军泰山压顶一般进攻郑国，从秋天到冬天，唐的兵力与日俱增，而郑的土地则每天都在缩小；唐强郑弱，必然不会支撑太久，一旦郑国灭亡，夏朝也难以单独存在。而今之计，不如把以前的仇恨和愤怒暂时放在一边，出兵相救；夏军攻唐军之背，郑军攻唐军之腹，定可大破唐军。唐军败退后，再静观其变，若郑国可灭则一并灭之，合两国之兵，乘唐军师老兵疲，进而夺取天下！"

窦建德完全同意刘彬的分析，随后一边遣使向王世充许诺出兵救援，一边派遣礼部侍郎李大师前往唐营，劝李世民罢兵，解除洛阳之围。可李世民当即扣留了李大师，对窦建德的建议根本不予理睬。

至此，唐朝与郑、夏两个割据政权的中原大决战已经不可避免。

武德四年（公元621年）正月，郑朝梁州（今河南睢县）总管程嘉降唐；二十六日，唐将陈正通攻克梁城（今河南汝州市）。

差不多在这个时候，李世民为了发挥唐军骑兵野战的特长，特别遴选了最骁勇的骑兵一千余人，组成了一支精锐中的精锐——玄甲军。军中将士全部身穿黑衣黑甲，分成左右两队，命秦叔宝、程知节、尉迟敬德、翟长孙分任左右统领。每次出战，李世民本人也披挂黑甲，亲自指挥。在随后的多次战役中，李世民率玄甲军冲锋陷阵，所向披靡，令王世充和他的军队闻风丧胆。

这一年正月底，屈突通和窦轨率部巡视各军的营垒阵地，途中忽然遭遇王世充。唐军猝不及防，差点被郑军歼灭。李世民闻讯，亲率玄甲军前往救援，大破王世充，生擒其骑兵将领葛彦璋，斩杀并俘虏了六千余人。

二月初，由于洛阳被围日久，粮食短缺，驻军虎牢的王世充长子王玄应率数千人押运粮草救济洛阳。李世民探知情报，命将领李君羡出兵狙击。王玄应仓促应战，被李君羡击溃，粮草全部落入唐军手中，王玄应只身逃回洛阳。

李世民觉得对洛阳发动总攻的时机已经成熟，遂遣宇文士及回朝请命。李渊批准了李世民的请求，并对宇文士及说："回去禀告你们秦王，夺取洛阳是为了早日结束战争。克城之日，宫城中的乘舆法物、图籍器械，凡不是私人物品的，由他收存保管，其余子女玉帛，全部犒赏将士。"

李世民得命，遂于二月十三日率大军进驻青城宫。唐军未及修筑营寨，王世充便亲率两万人马出城攻击。诸将皆惧，李世民命精锐骑兵在北邙山下列阵，随后带着各位将领登上北魏宣武陵察看敌情，对左右说："贼兵已经到了穷途末路，这次王世充把全部兵力都投入战场，准备决一死战，若今日一战破之，其后他便不敢再出城了！"于是命屈突通率五千人渡过穀水进攻王世充，随后李世民亲率骑兵冲入敌阵。

中原之战中最为激烈的这场青城宫战役就此打响。

为了探测敌阵的纵深程度并且打乱敌军的阵形，李世民骑着他钟爱的那匹通体纯紫、奔跑如飞的骏马飒露紫[1]，在数十精骑的掩护下，像一支离弦之箭直直插入敌阵，最后竟然横穿而出，一下打乱了郑军的阵脚。郑军士兵大为惊恐，被击杀甚众。可就在李世民纵横驰骋、杀得性起的时候，一道河堤忽然挡住了他的去路。

那是穀水岸边的河堤。李世民匆忙掉转马头，准备和大军会合。可是周围密密麻麻全是敌军，就连保护他的数十名骑兵也失散了。

李世民的身边只剩下一个将领丘行恭。

这是李世民自中原开战以来第三次身涉险境。

敌人围了上来，流矢纷纷射向李世民，飒露紫前胸正中一箭。危急关头，丘行恭连发数箭，射杀了几名敌兵，随即翻身下马，把自己的坐骑交给李世民，然后一手牵着飒露紫，一手执长刀，左冲右突，大声叱喝，终于和李世民一起杀开一条血路，与赶上来的大军会合。

李世民突出重围后，王世充也迅速集结溃散的部众，重新摆出阵形，

1　飒露紫也是"昭陵六骏"之一。战斗结束回营后，丘行恭为其拔箭疗伤，但飒露紫终因流血过多而死。李世民为其题写的赞辞是："紫燕超跃，骨腾神骏，气詟三川，威凌八阵。"飒露紫阵亡后，李世民所乘的是"昭陵六骏"中的另一匹宝马什伐赤，此马纯赤色，是来源于波斯的汗血马。在此后继续围攻东都的战役中，什伐赤身中五箭，李世民为其题写的赞辞是："瀍涧未静，斧钺申威，朱汗骋足，青旌凯归。"

继续与唐军鏖战。

这一仗打得异常惨烈。从辰时（上午七时）一直激战到午时（下午一时），郑军多次被唐军骑兵冲散，可王世充却屡屡整兵再战，表现出了前所未有的顽强。

王世充知道，如果输掉这一仗，今后他就只能龟缩在洛阳城里，被唐军压着打了，所以他必须全力以赴。然而，尽管王世充已经拼尽了全力，这一仗他还是输了。

因为，郑军跟唐军的战斗力根本不在同一个级别上，尤其是在野战方面。

午时过后，唐军士兵越战越勇，郑军士兵却个个精疲力竭，开始往后溃退，再也不听号令了。王世充万般无奈，掉转马头向洛阳狂奔。李世民乘胜追击，一直追到了洛阳城下，总共斩杀并俘虏了七千余人。

唐军随后便将洛阳团团包围，最后一个阶段的攻城战开始了。唐军从二月下旬开始围攻洛阳宫城，但是最后的攻坚战却要比李世民想象的艰难得多。

因为郑军的防御部署非常严密，而且装备了大量重型武器。比如投石机，可投掷五十斤的飞石，投掷距离达二百步。可想而知，这样的"炮弹"发射出去，每一发都可以把人砸成肉酱。此外还有一种巨型连弩，把弓拉满的时候形状大如车轮，箭镞形同大斧，每次可以连续发射八箭，射程可达五百步。在这样一些"尖端武器"的猛烈打击之下，虽然唐军日夜不停地从四面猛攻，付出了重大伤亡，但是一连打了十多天，洛阳宫城还是岿然不动。

唐军将士筋疲力尽，以行军总管刘弘基为首的一批高级将领纷纷请求班师。

可志在必得的李世民坚决不同意。他说："我们大举进攻中原，自应夺取洛阳，此乃一劳永逸之举。而今东方各州皆已望风归降，洛阳只是一座孤城，不可能坚持太久，眼看马上就要成功，岂能弃之而去？"

随后，李世民传令全军："洛阳未破，师必不还，胆敢言班师者——斩！"

将领们只好收声，可还是有人不服，偷偷跟长安打了小报告。数日后，李渊的一道密诏就到了李世民手上，意思也是让他撤兵。李世民立刻拟了一道表奏，坚持认为洛阳必可攻克。为了加强说服力，李世民特意派遣此次随同出征的军事参谋封德彝奉表入朝，向李渊当面分析洛阳的形势，报告前线的战况。封德彝抵达长安后，禀报李渊："王世充原来所占的地盘虽然不小，但是将吏离心离德，且如今大部都已归降，号令所行，唯洛阳一城而已！王世充智竭力穷，朝夕之间即可攻克；倘若班师，贼势复振，一旦各地贼兵再度联合，其后必定更难对付！"

李渊闻言，随即取消了撤兵的命令。

上下既已取得一致，攻克洛阳就只是时间问题了。为了避免更多的伤亡，李世民给王世充写了一封劝降信，对他晓以利害、分析祸福。可王世充却不予理会，准备和唐军血战到底。

因为王世充还存有一线希望，那就是来自北方窦建德的援军。可是，从去年年底窦建德就已经答应要出兵援救，如今两个多月的时间过去了，窦建德在哪里呢？

窦建德还待在他的都城里面，这两个多月来他一直按兵不动。

他在坐山观虎斗。

救当然要救，但必须考虑什么时候才能救，窦建德必须拿捏一个最恰当的火候。

这个火候就是在王世充和李世民打得两败俱伤而洛阳将陷未陷之际。只有郑、唐两方的有生力量都被最大限度地耗尽之后，窦建德才会乘虚而入，后发制人，一举进占中原，坐收渔翁之利！

武德四年二月末，一直在冷眼旁观的窦建德终于迟缓地出手了。

因为王世充已经山穷水尽，而唐军也已成强弩之末。

火候到了!

窦建德不紧不慢地亲率大军渡河南下,于三月初一举攻克孟海公盘踞的周桥(今山东定陶县东南),生擒了孟海公。

下一步,只要窦建德向西越过虎牢关,便可挺进中原,直趋东都。

虎牢关位于今河南荥阳市区西北16公里的汜水镇,是洛阳东面的天险和屏障,因西周穆王曾在此狩猎,捕获一只猛虎,并将虎饲养于此而得名。其关隘修筑于汜水西面的大伾山上,"北临黄河,崖岸峻峭,岩岩孤危,高四十余丈,势尽川陆"(严耕望《唐代交通图考》)。

这是一座一夫当关、万夫莫开的雄关,自古就是兵家必争之地。要断绝王世充的外援,阻遏窦建德的兵锋,唐军就必须占领虎牢关。

但是虎牢关隘险固,所以自唐军进兵中原以来,始终未能将其攻克,虎牢一直掌握在郑军的手中。其时据守虎牢的是王世充的侄子荆王王行本(非隋将王行本)。

然而,就在窦建德大举南下的一天之前,老天爷却帮了唐军一个大忙,使其轻而易举地拿下了虎牢。

这一年二月三十日,王行本属下的司兵沈悆忽然派人来到唐军驻地,找到了时任左武候大将军的李世勣,请求投降。李世勣意识到这是夺取虎牢的天赐良机,当天夜里就派遣左卫将军王君廓突袭虎牢,与沈悆里应外合,迅速攻陷虎牢,生擒了王行本。

从三月开始,李世民改变了战术,不再对洛阳进行强攻,而是深挖壕沟、高筑营垒,切断了洛阳与外界的一切联络。

攻不下你,难道我还困不死你?

长期缺乏补给的洛阳城终于陷入绝境,最惨的当然就是断粮。城中的粮食价格疯狂上涨,一匹绢只能换粟米三升,十四布才换盐一升,而平日价格高昂的精美服饰和古董珍玩则贱如草芥。百姓们吃光了城中的所有草根树皮,最后只好把土放在水桶里摇晃,等澄清后,捞取浮在水面上的细泥,混合着一点米屑烤成饼来吃。但是吃这种"土饼"无异于饮鸩止渴,很多人随后便浑身肿胀而死。一时间，洛阳宫城中到处躺满了横七竖八、扭曲变形的尸体，万千腐尸的恶臭弥漫在整个东都的上空。当初皇泰帝杨侗曾经把外城的三万户居民迁入宫城，如今只剩下不到三千户。

百姓几乎快死光了，而官员们的日子也好不了多少。即便贵为公卿，朝廷往往连糠麸也难以供应；至于那些尚书、侍郎以下的官员，则只能让他们自谋生路，到头来也不免活活饿死。

堂堂东都仿佛变成了一座人间地狱。

王世充面朝东方望眼欲穿——

窦建德啊窦建德，你到底是要来救命的，还是要来收尸的？

李世民和窦建德的对决

此时的窦建德实际上一刻也不敢耽搁。

因为他很清楚，陷入绝境的王世充随时可能投降或者覆灭，万一真的让李世民占据了洛阳，那么他坐山观虎斗的好处就全部落空了。

窦建德攻占周桥后，即命部将范愿镇守曹州（今山东定陶县），然后集结孟海公和徐圆朗的所有部众，马不停蹄地进抵滑州（今河南滑县），郑朝行台仆射韩洪立刻开门迎接。

三月二十一日，窦建德进抵酸枣（今河南延津县），随后攻陷唐军驻守的管州（今河南郑州市），斩杀唐管州刺史郭士安。其后，窦建德又迅速西进，接连攻克了荥阳（今河南荥阳市）和阳翟（今河南禹州市），大军水陆并进，用舟师运载粮食，一路溯黄河西上。王世充的弟弟、时任徐州行台的王世辩随即派遣部将郭士衡率数千人与窦建德会师，两军共计十余万人，对外号称三十万。

数日后，窦建德率大军进至虎牢关，于成皋（今河南荥阳市西北）东面的河岸平原驻扎，开始修筑营垒，并派人通知王世充。

窦建德大举南下，来势汹汹。李世民紧急召开了一个军事会议，讨论对策。将吏们提出了两种针锋相对的意见，双方的争论异常激烈。

多数将领表示应该避其锋芒，可李世勣的副手郭孝恪却坚决反对。他说："王世充已经穷途末路，转眼就要投降，窦建德千里迢迢地跑来救他，这是天意要让他们一起灭亡。而今之计，应据虎牢之险，伺机而动，必可破之！"

记室薛收也说："王世充据守东都，府库充实，所率领的士兵皆江淮精锐，他们现在唯一致命的弱点是缺乏粮食，所以才会被我们控制，战既不能战，守又守不久，已经陷入了困境。而今窦建德亲率大军，集中了他的所有精锐远来救援，如果我们稍微松懈，使其进抵东都，双方会师，则河北之粮必将源源不绝运至东都，大战重开，偃兵无日，统一海内之日更将遥遥无期。如今应当留一部分兵力继续围困洛阳，深沟高垒，世充出兵，慎勿与战；同时由大王亲率精锐进据虎牢，秣马厉兵，以逸待劳，必可克之。窦建德既已溃败，王世充自然瓦解，不出二十天，便可同擒二人！"

李世民频频点头称善，他的意见当然是和薛收、郭孝恪等人一致的。可是，以萧瑀、封德彝、屈突通等人为首的高级文官武将却一再坚持说："我军的士气和体能已经到达极限，王世充据守坚城，不容易马上攻克。窦建德大军席卷而来，锐不可当，我军将处于腹背受敌之境。如果两线作战，实在不是上策，不如暂时退保新安，等待敌军师老兵疲，我军伺机再战。"

这些人发言完毕，把目光齐刷刷地转向李世民。

刚才还闹哄哄的大帐内忽然陷入了一阵短暂的寂静。

李唐王朝的中原之战就这么走到了一个最微妙的关头。

李世民也面临着他军事生涯中最重要的一个十字路口。他知道，萧瑀、屈突通等人的担忧不是没有道理。唐军与王世充已经打了足足八个月，早已疲惫不堪，而且在此前的攻坚战中又遭遇挫折，士气已大不如前。而窦建德的夏军则是以逸待劳，并且挟着新胜的余威。两相比较，唐军实在没有多少取胜的把握。再者说，燕赵自古多豪杰，夏军的战斗力绝对不可小觑，武德二年把李神通率领的河北唐军打得一败涂地就是明证。而且这一次窦建德几乎出动了他的所有精锐，这十几万精兵强将是那么好打发的吗？这不能不让唐军的多数将吏感到巨大的不安和恐慌。

万一失败，后果将不堪设想，所以，最稳妥的办法就是：听从大多数将吏的建议——暂时撤兵，伺机再战。

在当时的情况下，没有人会认为这么做是错的，就算李渊也不会认为李世民这么做是消极怯战。因为战局确实对唐军不利，而且有这么多的文武将吏赞成退兵。再说了，避敌锋芒、暂时退守新安也不等于输掉了这场战争。稍事休整之后，仍然是有希望赢得胜利的。

战局如此险恶，退兵的理由如此充分，李世民还能坚持己见，一意死战吗？

在李世民看来，两线作战的风险固然很大，可一旦成功，便可一战平定河南河北，奠定一统天下的坚实根基，同时为他的军事生涯添上浓墨重彩的一笔，进一步巩固并提高他在李唐统治集团中的声望和地位。

这样的战果实在是诱人，所以李世民绝对不可能放弃。他最终选择了这个让所有人都心惊胆战的策略——围洛打援，两线作战！

他目光炯炯地注视着所有将领，作出了他的总结发言："王世充连遭重挫，粮食告罄，上下离心，根本无须我军力攻，稳坐城下便可摘取战果。窦建德新近攻破孟海公，将骄兵惰，我军若据虎牢，无异于扼其咽喉。若其冒险争锋，我军取之甚易；若其狐疑不战，旬月之间，世充自溃。我军一旦拿下洛阳，士气自然倍增，一举两克，在此一战！若不速进，让窦建德攻占虎牢，刚刚归附的所有城池必将重新沦陷；窦、王两军合力，其势必强，怎么可能会师老兵疲，让我军有机可乘呢？"

李世民最后斩钉截铁地说："不必多言，吾意已决！"

李唐王朝统一中原最关键的一场战役，就在这句话中一锤定音。

李世民要放手一搏、孤注一掷了！会后屈突通忍不住再次劝谏，可丝毫改变不了李世民的决心。或许在沙场老将屈突通的眼中，此刻的李世民活脱脱就是一个年少气盛、好勇斗狠的典型。

这一年，李世民才二十三岁。

然而，出乎意料的是，这个不按常理出牌的年轻人最终还是赢得了"围洛打援"的胜利，一举消灭了王世充和窦建德这两大割据政权。

或许屈突通到最后也不得不承认，这个年轻的二皇子确实是一个天才——一个纵然不算千载难逢，起码也是百年不遇的军事天才。

李世民作出决议后，随即兵分两部，命齐王李元吉和屈突通率一部继续围困洛阳，自己亲率骁勇之士三千五百人，向虎牢进发。

武德四年三月二十五日，李世民进驻虎牢关。

在与窦建德决战之前，李世民就出人意料地露了一手，给了夏军一个下马威。二十六日，李世民率五百名骑兵出虎牢关，东行二十余里，侦察夏军动向。就在这个时候，李世民的心里忽然冒出了一个念头。

他决定打一场小规模的伏击战，挫挫夏军的锐气。

李世民命李世勣、程知节、秦叔宝率领这五百名骑兵埋伏在道路两侧，而自己和尉迟敬德只带着四个人径直往夏军的营地驰去。路上李世民对尉迟敬德说了一句相当自负的话，他说："我执弓箭，你执长矛，就算有百万敌众，又能拿我们怎么样！"

在距夏军大营三里远的地方，他们碰上了夏军的游骑兵。对方以为他们只不过是唐军的斥候，都懒得攻击他们。李世民忽然高喊："我是秦王李世民！"同时拉弓射箭，当即射死了为首的一个夏军将领。

游骑兵飞速跑进军营中报信，夏军大营立刻炸开了锅。

唐军主帅居然只带着几个人摸到了他们眼皮底下？

这简直比白日见鬼更让他们骇异。当然，这同时也让他们感到无比惊喜——李世民这么做等于是在送死。转瞬之间，夏军的五六千名骑兵排山倒海地冲了出来，都想活捉秦王这条大鱼。

李世民的随从骑兵大惊失色。李世民却若无其事地说："你们尽管先走，我和尉迟敬德殿后。"那几个骑兵慌忙拍马狂奔而去，李世民和尉迟敬德却一脸悠哉，按辔徐行，等到夏军几乎快追上的时候，李世民才回头放箭。每发一箭，夏军必有一人落马。追兵恐惧，不敢逼近，想想又不甘心，于是再追。可每次追上来，为首的几个都会被李世民射杀，尉迟敬德前后也杀了十余人。如是三番五次，追追停停，最后夏军终于被李世民引入了伏击圈。李世勣等人率众突然杀出，大破夏军，砍杀了三百余人，俘获夏军勇将殷秋和石瓒。

窦建德被李世民死死地挡在虎牢关外，一挡就是一个多月。

从武德四年三月下旬到四月末，窦建德率十余万大军对虎牢发动了多次进攻，却被唐军一一击退，始终无法前进半步。四月三十日，李世民又命王君廓率一千余名轻骑兵抄掠了夏军的补给队，不但缴获全部粮草和物资，还生擒了夏朝大将军张青特。

形势急转直下，夏军士气低落，每天都在盼望班师。

虎牢成了一座泥潭。

到底是继续进攻，还是班师回朝？窦建德发现自己站在了一个命运的转折点上。

夏朝的国子祭酒凌敬向窦建德提出了一个新的战略。他说："大王应率全部兵力渡河北上，夺取怀州、河阳，命心腹将领镇守，然后亲率大军翻越太行山，进入上党（今山西长治市），占领汾州（今山西吉县）、晋州（今山西临汾市），向蒲津（今山西永济县西黄河渡口）进攻。这么做有三个好处：其一，如入无人之境，可获全胜；其二，开疆拓土，壮大实力；其三，关中震骇，洛阳之围自解。以目前的情势看，没有比这更好的战略！"

这是一个典型的"围魏救赵"之策。按照凌敬的设想，如果夏朝出兵河东、威逼关中，李世民必定要回师自保，其结果就是——洛阳之围不解而解，中原唐军不败而败。

窦建德一开始也决定采用这个战略。可王世充的使臣王琬和长孙安世每天都在他面前痛哭流涕，同时还暗中用重金贿赂夏军将领，所以当窦建德征求诸将意见的时候，多数人都反对凌敬的提议，说这纯粹是纸上谈兵、书生之见，绝不可听信。

事实上凌敬的战略有一定的可行性，但问题是过于理想化了，也难怪被将领们讥为书生之见。首先，夏军一旦掉头北上，早已岌岌可危、粮尽援绝的东都还能撑几天？恐怕等不到夏军占领河东，东都就陷落了。其次，河东是李唐的发祥地，经营日久、根基牢固，同时又是抵御突厥的前沿阵地，并州、浩州、晋州等战略要地皆有重兵布防，城高池深、粮草充足，岂能让夏军轻易拿下？就算窦建德不以占领河东全境为目的，只从上党直插蒲津、威逼关中，可并州、西河、介休一线的唐军又岂能坐视？而正在围攻东都的中原唐军也不是桩子，即便暂时不能攻下东都，李世民肯定也会留下一部分兵力继续围困，自己则亲率主力北上。到时候夏军必然遭到唐军的围追堵截，甚至很可能落入腹背受敌的困境。

也许正是考虑到了这一切，所以窦建德最终放弃了凌敬的战略，决定在虎牢与李世民决战。他用一种略带歉意的口吻对凌敬说："而今军心正锐，乃天助之时，因之决战，必将大捷！故不能用公之言。"凌敬一再坚持他的意见，窦建德大怒，命人一左一右把他架出了大帐。

凌敬被拖出去后，有个人又走了进来，她是窦建德的妻子曹王后。

曹氏本身就是一个能带兵打仗的女中豪杰，凭着一个政治女性的特殊直觉，曹氏认为凌敬的意见是对的。对窦建德即将进行的这场决战，曹氏不由自主地感到了强烈的不安。她对窦建德说："凌敬之言不可废！大王倘若从滏口（今河北武安市西南，太行山八陉之一）深入，乘唐朝后方空虚夺取河东，并且联络突厥，让他们从西方抄掠关中，那么唐军必定回师自救，何必担心洛阳之围不解？倘若继续逗留于此，劳师费财，欲求成功，在于何日？"

窦建德猛然一挥手，说："此非女子所知！我们来救洛阳，而今其困若倒悬、危在旦夕，我们若弃之而去，是畏惧敌人、背弃信义，这绝对不行！"

窦建德就这样推翻了一个文臣的"书生之见"和曹王后的"妇人之言"，听从了诸位将领的意见，毅然决然地选择了属于他的命运。

如果说窦建德纯粹是因为耳根子软，经不住王琬和诸将的劝说才放弃了这个战略，那未免小瞧了他；如果说他是因为所谓的"信守诺言"而决意要救王世充，那又未免美化了他。

事实上，窦建德的想法和李世民一模一样——他要抓住战机与对手一决雌雄！

就在此时，就在此地。

不是你死，就是我亡。

眼前李世民虽然占据虎牢天险，但是窦建德自忖实力远在唐军之上，如果一战击溃李世民，再伺机吞并王世充，那么整个大河南北就将全部落入他的手中，到时候李唐只能龟缩于关中一隅，很难再有大的作为。所以，窦建德相信，逐鹿天下的大业在此一举。如果赢得这场战役，即便不说一战定乾坤，起码也能雄踞中原、睥睨天下！

这是一个多么辉煌而又多么诱人的前景啊！窦建德怎么舍得放弃？

说白了，他和李世民都是想破釜沉舟、孤注一掷——玩一把大的！

公元621年。虎牢。

李世民和窦建德站在这座天下雄关的两侧，义无反顾地开始了他们的巅峰对决。

这是一场历史性的较量。

这是一场命运的轮盘赌。

两个逐鹿的英雄都已押上他们的所有。

两个命运的赌徒都已买定离手。

最后，上帝微笑着掷出了骰子……

虎牢之战：夏朝的终结

虎牢之战是中国历史上的一场著名战役。

李世民仅以数千骑兵破窦建德十余万众，堪称以少胜多的经典。

就像此前的每场战役一样，李世民从一开始就牢牢掌握了战场的主动权。这一次，李世民采用了谍报战，成功诱使夏军在他希望的时间，以他希望的方式打响了这场战斗。

李世民让早已安插在夏军中的间谍向夏军高层散布了一个假情报，说唐军战马的草料已经吃完，不日将到黄河北岸的草地上放牧。窦建德信以为真，遂决定抓住这个机会对虎牢发动总攻。

五月初一，当间谍把这个消息传回来后，李世民立即北渡黄河，在接近广武（今河南荥阳市）的地方，故意把一千多匹战马放到黄河中的一个小岛上吃草。当天傍晚，李世民悄悄返回虎牢，严阵以待。

五月初二，窦建德果然中计，率领所有部队进至牛口（今荥阳市西北，汜水注入黄河处），开始筑营列阵。其阵势北至黄河，西至汜水，南到鹊山（今荥阳汜水镇东南），连绵二十里，战鼓齐鸣，兵威盛大。唐军的将领们见状，不禁感到惶恐。李世民带着诸将领登上高岗眺望，对他们说："盗匪在山东起兵，没有遇到过真正的强敌，如今正身涉险境，却鼓噪喧哗，毫无纪律，并且紧逼城下列阵，足以表明其轻敌之心。我们按兵不动，他们的士气定会衰竭，列阵太久，士卒疲惫饥饿，势必后撤，到时候我们突然发动进攻，没有不胜的道理。我跟诸位打赌，过了中午，一定把他们击破！"

李世民命人召回放牧的战马，准备等战马一回来就发动进攻。

夏军的士兵从辰时开始列阵，一直到午时都仍然傻站在那里，既无仗可打，又不能生火做饭，个个疲倦已极、饥渴难耐，最后纷纷坐下休息，还互相争夺饮用水，阵地上一片乱哄哄的景象。李世民看在眼里，心中暗喜，遂命宇文士及带领三百名轻骑兵进行试探性攻击。他吩咐道："夏军阵势如果没有松动，你就回来；要是阵脚一动，你马上变佯攻为真攻。"

宇文士及领命，随即率兵飞速迫近夏军阵地，夏军果然一片骚动。

与此同时，在北岸放牧的战马也已全部回营，李世民立刻发布了总攻命令，驻守虎牢的数千名唐军全部出击。李世民亲率轻骑兵冲锋在前，命主力随后跟进。唐军倾巢而出，快速掠过汜水，直冲夏军阵地。

此时此刻，夏王窦建德在干什么呢？

他在开朝会。

很显然，窦建德并没有把这个年轻的对手放在眼里。他以为自己的兵力数十倍于唐军，李世民绝对不敢主动出关攻击。

可他错了，李世民是一个不按常理出牌的人。就在李世民对窦建德发起总攻的这一刻，他还在和朝臣们商讨围攻虎牢的策略。

当震耳欲聋的喊杀声传进大帐中的时候，夏朝的文武百官惊恐万状，顷刻间乱成一团。窦建德愣了一瞬之后，即刻下令骑兵反击，可骑兵们却被惊慌乱窜的朝臣挡住了去路。

窦建德连忙指挥百官退下，可刹那间大量唐军已经杀到，窦建德万般无奈，只好率领部分亲兵向营地东面的高坡撤退。唐军将领窦抗拼命追击，夏军奋死抵御，将窦抗击退。与此同时，李世民率领骑兵在夏军中来回冲杀，所到之处，夏军士兵无不望风披靡。唐淮阳王李道玄一马当先、冲锋陷阵，身上连中数箭，身下的坐骑更是被射得如同刺猬，可李道玄勇气不减，依然坚持战斗，每射一箭，敌兵必定应声而倒。李世民命他骑上备用马匹，跟在自己身边。

唐、夏两军陷入鏖战，一时间杀声震野，尘埃漫天。

夏军虽然在人数上占据绝对优势，可他们的阵势早已被唐军冲垮，指挥系统几乎完全瘫痪，只能各自为战。为了彻底击垮夏军残存的斗志，李世民率程知节、秦叔宝、史大奈、宇文歆等人，卷起旗帜，从仍然在顽抗的夏军阵地中穿过，从阵后突出，随即将唐军大旗高高竖起，夏军见状，顿时斗志全丧，一举崩溃，李世民率部追击了三十里，斩杀了三千余人。[1]

混战之中，窦建德被长矛刺中，一路向西狂奔，身边的亲兵各自逃散。窦建德逃至黄河岸边的牛口渚时，伤口剧痛难忍，忽然栽落马下。唐车骑将军白士让和杨武威尾追而至，以为他是一个普通的夏军将领，挥起长矛正欲刺下，窦建德高喊："不要杀我，我是夏王，把我送给秦王，你们可以得到荣华富贵。"

夏王窦建德？白士让和杨武威对视一眼，无声地笑了。

虎牢之战就这么结束了。

一代枭雄也就这么完了。

其实直到被唐军绑起来的那一刻，窦建德还没有完全回过神来。他真的不知道自己是怎么败的。

一切都来得太过突然，一切都显得极不真实。这种感觉就像是一个人走着走着突然间一脚踏空，然后灵魂飘浮在半空中，看着自己的肉体朝着深渊无望地坠落。这时候的感觉不是痛苦，也不是恐惧，而是一种难以名状的迷惘和无助。

此刻的窦建德仿佛就飘浮在这样的半空中，怀着这样的迷惘和无助，看见自己被人五花大绑地捆了起来，抬上马背，然后带到了一个英气逼人的年轻人面前。那个年轻人嘴角挂着一抹讥诮的笑意，说："我只是讨伐王世充，碍你什么事？居然敢越过边境，犯我兵锋！"

窦建德听见自己用一种近乎讨好的口气说："若不自己来，恐劳你远征。"

---

1 这一战李世民的坐骑是"昭陵六骏"中的青骓。在激烈的战斗中，青骓前胸中一箭，臀部中四箭。李世民为其题写的赞辞是："足轻电影，神发天机，策兹飞练，定我戎衣。"

那一刻，飘浮在空中的窦建德忍不住大喊一声——不，这不是我想说的！

可是，没人理他。

那个被人五花大绑的窦建德也没有理他。

这个世界上再也不会有人理他。

最后窦建德终于意识到——夏王已经死了。

曾经的王道霸业已经像一个硕大而美丽的泡沫一样在空气中砰然爆裂，只有被人五花大绑的窦建德才是此刻唯一真实的存在。意识到这一点的时候，所有的愤怒、恐惧、痛苦、悔恨在一瞬间全部向他袭来。

十年！

窦建德历经艰险奋斗了整整十年的帝王功业就这样毁于一旦！虎牢之战，十余万夏军全军覆没，除了被杀和逃散的外，与窦建德一同被俘的还有五万人，李世民随后将他们就地遣散，命他们各回家乡。

窦建德的妻子曹王后侥幸脱身，与左仆射齐善行一起，带着数百名骑兵仓皇逃回洺州。

胜利来得如此迅猛，曾经极力反对李世民与窦建德决战的封德彝等人第一反应就是入帐向李世民道贺。李世民笑着说："不听公等之言，才有今日之胜。可见公等虽是智者，但是智者千虑，也必有一失啊！"

封德彝等人尴尬地赔着笑脸，无言以对。听到夏军惨败、窦建德被俘的消息后，王世充的最后一丝希望终于破灭。

五月初八，李世民将窦建德、王琬、长孙安世等人装进囚车，押到了洛阳城下，向王世充和洛阳守军示威。王世充站在城头上与窦建德遥遥对话，禁不住泪如雨下。最后王世充召集诸将讨论，准备杀出重围，南逃襄阳，但是与会的所有将领却一致反对。他们说："我们唯一的希望就是夏王，而今夏王已成俘虏，我们即使杀出重围，也不会有什么作为了。"

王世充彻底绝望。

五月初九，王世充换穿白衣，率太子王玄应和郑朝的文武官员两千余人，到唐军营门投降。李世民亲自出来受降。王世充趴在地上，汗流浃背。李世民说："你一直把我当成小孩，今天见了小孩，却为何如此恭敬？"

成者王侯败者贼，人为刀俎我为肉啊！此时此刻，王世充除了满脸真诚忏悔，不停地磕头谢罪之外，实在没什么好说的。

五月初十，李世民进入洛阳宫城，命记室房玄龄收取隋朝的档案图籍，命萧瑀和窦轨等人封存府库，收其金帛，犒赏将士。同日，李世民命人将单雄信、段达、朱粲、杨公卿、郭士衡等十几个据说是罪大恶极的人押赴洛水河畔斩首。

说这些人都属"罪大恶极"恐怕并不太准确。其中除了朱粲为人残忍嗜杀，惯以人肉充当军粮，招致极大民愤之外，其他人恐怕都在可杀与不杀之间。

但最后他们还是被杀了。

这些人最终丢掉脑袋的个别原因我们既没有兴趣，也没有能力作过多探究，但总的原因还是显而易见的——李世民需要在一定程度上杀戮立威。

一个割据日久、顽抗多时的政权垮台了，没有一群人来陪葬怎么说得过去？在投降的两千余人中"百里挑一"地杀他十几个，这绝对是必要的。因为这个小规模的屠杀行动会对剩下来的绝大多数人起到一种震慑作用，让他们在余生中对李唐王朝感恩戴德、死心塌地。

这就叫"恩威"。

这是任何一个政治领袖驾驭臣子的最基本手段。

虽然有关这十几颗脑袋被李世民圈中的具体原因我们不得而知，但是其中一颗脑袋入选的理由却是非常充分的。

那就是单雄信。

我们都还记得，在去年九月的一场战役中，这个武功高强的单雄信曾经把长矛刺到了李世民的胸前，差一点就把他挑落马下，多亏武功更高强的尉迟敬德及时赶到，李世民才没有挂掉。

单凭这一点，单雄信就足以被李世民碎尸万段。

在单雄信被砍头之前，和他拜过把子、感情胜似亲兄弟的李世勣曾经声泪俱下地一再央求李世民饶他一命，甚至愿意用自己的官爵交换他的性命，但是李世民却一口回绝，毫无商量的余地。这种情形我们经常在港产影片中看到，一个老大要杀一个人，旁边有人苦苦求情，老大愤怒咆哮："他曾经用枪指着我的头——用枪指着我的头啊！我怎么可能不杀他？"

李世民虽没有作咆哮之状，但其心情则大抵与之相去不远。

当然，李世民杀单雄信也不仅仅是出于报复和立威的心理，还有很重要的一个原因，那就是单雄信在江湖上历来有"轻于去就"的不良口碑。早在瓦岗时代，李密的长史房彦藻就曾以此为由劝李密把单雄信除掉。而对此刻的李世民来说，其麾下早已人才济济、猛将如云，他何苦再接纳这样一个反复无常之人呢？更何况，在即将到来的夺嫡之战中，这种人也未必没有可能倒向太子李建成一边，所以李世民实在没必要冒险收留他。

理由如此充分，单雄信当然非死不可。

数日后，李世民参观富丽堂皇的洛阳皇宫，感叹道："如此放纵奢侈之心，穷尽一己私欲，国如何不亡？"随即命人拆除端门上的华丽城楼，焚毁了隋朝的朝会大殿乾阳殿，又摧毁了则天门两旁的门阙。

巍峨壮观的殿阙转眼沦为一片废墟。

对于这个历史细节，柏杨先生曾经作出这样的评价："又是拆、烧、毁三部曲。后来，端门重建；乾阳殿焦土上重起乾元殿；则天门废墟上，再建应天门。浪费的都是人民的钱，人民的汗！"

柏杨先生出于他一贯的人本立场和人道主义精神，体恤民艰，痛恨统治者对民财和物力的浪费，对此我们完全可以理解。然而单纯就这个事情本身，柏杨先生的评价未免有些大而无当。

因为这个历史细节本是王朝更迭的题中之义，基本上和是否浪费民财物力无关。暂且不说这种事情在历史上数不胜数，就算它在历史上仅此一例，李世民这么做也很正常。

因为被摧毁的这些殿阙都是旧王朝的权力象征。

如果不把旧王朝的权力象征推倒，新王朝的政治权威如何挺立？

所以，无论它们身上凝聚了多少民脂民膏，李世民都不会觉得可惜；无论它们看上去还显得多么崭新，推倒重来都是它们无可逃脱的历史宿命。

在进驻洛阳期间，除了上述这些公开的政治举动，李世民还做了一件非常隐秘的事情。

这件事情所传达出的政治信息绝对要比那些公开举动重要百倍！

李世民去拜访了一个人，这个人叫王远知，是洛阳玉清观的住持。

李世民来找一个道士干什么？

王远知并不是一个普通的道士，他拥有一项常人没有的本领——预知未来，就像他的名字所表明的那样。

当李世民与房玄龄前去微服私访的时候，李世民并未自报家门，可这位高人还是一眼就识破了李世民的真实身份。他说：“此中有圣人，得非秦王乎？”李世民大吃一惊，心想这个高人果然是名不虚传，于是据实相告，并诚恳地向王远知请教了一个问题。

李世民询问的当然是自己的未来命运。

准确地说，是未来的政治命运。

王远知接下来的回答就像一道闪电准确命中李世民心中那个最敏感、最隐秘的角落，并且将其照耀得如同白昼。王远知说：“即将做太平天子的人，一定要好自珍重。”

尽管这是李世民一直在期待的答案，但是猛然听见“天子”二字，李世民的额头还是不由自主地沁出了一层冷汗。要知道，李世民现在的身份只是一个藩王，以藩王之身而觊觎天子之位，那是悖逆，是谋反！这样的事情一旦泄露，李世民就算不会人头落地，至少也会身败名裂。

然而，这样的惶恐只在李世民的心中一闪即逝，一种无与伦比的兴奋和喜悦之情很快就弥漫了他的胸膛。

很显然，武德四年夏天的这次微服私访对李世民的影响是举足轻重的。它把李世民原本深藏于内心的某种幽微而隐秘的权力欲望撩拨成了一种巨大而坚定的政治野心，并促使他一步一步地付诸行动。换言之，正是王远知的这句话让李世民获得了一种天启般的信心和力量，让他从此怀着"天命在我"的信念，义无反顾地走上了夺嫡的道路。

这是一条不归路。

从这一年夏天开始，李世民便再也没有回头。

直到十四年后的贞观九年（公元635年），当王远知的预言早已变成现实，而一切都已成为往事，李世民依然念念不忘曾给予他无穷力量和必胜信心的王远知。他为此公开颁布了一道诏书，毫不掩饰自己对这个世外高人的感激之情。诏书中的一句话充分表明武德四年夏天的那次秘密会晤对李世民的深远意义，他说："朕昔在藩朝，早获问道，眷言风范，无忘寤寐。"（《旧唐书·王远知传》）

这句话无疑泄露了一个重大的历史秘密。它至少可以证明李世民夺嫡问鼎的政治野心是由来已久的。最起码从武德四年夏天开始，一场终将走向流血和杀戮的政治博弈就已悄然拉开了帷幕，而玄武门之变的腥膻气息也已经在新生的李唐王朝上空隐隐飘荡。

然而，对于贞观时代的人们而言，当曾经不可告人的夺嫡阴谋已经变成创造历史的伟大举动，当昔日的唐室藩王已经成为至高无上的大唐天子，一切秘密也就不再是秘密了。

武德四年五月十五日，逃回洺州的夏朝左仆射齐善行意识到群龙无首的夏朝绝对不是李世民的对手，于是与右仆射裴矩、行台曹旦率领夏朝文武百官，拥奉曹王后，携带隋朝的传国玉玺向唐朝投降，同时献出了洺州、相州（今河南安阳市）、魏州（今河北大名县）等城邑。随后，原属郑朝的徐州、宋州（今河南商丘市）、襄阳（今湖北襄樊市）和原属夏朝的博州（今山东聊城市）等三十余州全部向唐朝投降。

到武德四年七月初，王世充和窦建德曾经割据的疆域全部并入大唐王朝的版图。

至此，除了帝国西北部的梁师都和南部的萧铣、李子通、林士弘等几个割据势力仍然在负隅顽抗、苟延残喘之外，李渊父子已经占据了大半个天下。

迷失的隋鹿终于找到了新的主人。

李唐王朝统一海内已经毫无悬念。

秦王的武功秀

武德四年七月初九，天空清澈澄明，夏末初秋的金色阳光照耀着整座长安城。

这一天是大唐臣民的一个盛大节日。

宽阔的朱雀大街两侧一大早就已万头攒动，无数的长安百姓正在翘首眺望——等待班师凯旋的秦王李世民和他麾下那群骁勇善战的将士。

当气宇轩昂的李世民一马当先地出现在明德门的时候，围观的百姓立刻发出响彻云霄的欢呼。秦王李世民按辔徐行，昂首挺胸地向他们走来，初升的秋日朝阳就像一顶巨大的金色冠冕佩戴在他的头顶，他身上那一袭精美绝伦的黄金铠甲在阳光下闪耀着令人目眩神迷的华丽光芒。人们不约而同地发现，这个大唐帝国最年轻、最杰出的军事统帅不但有着一张坚毅而英俊的脸庞，而且身上还有一种不言自威的凛凛霸气。即便隔着一段距离，许多人还是能感受到那种无以名状却又摄人心魄的非凡力量。

紧随秦王李世民之后的是齐王李元吉、李世勣、尉迟敬德、屈突通、程知节、秦叔宝等二十五位威武豪迈的大将军。在他们身后是一万名英姿飒爽的铁甲骑兵和三万名甲仗鲜明的武装步兵。伴着雄壮的军乐，这支庞大的队伍迈着整齐的步伐从朱雀大街上缓缓走过。在面朝凯旋队伍的方向，天子李渊和文武百官正站在太极宫高大巍峨的朱雀门楼上，面带笑容地注视着他们。

作为一个父亲，李渊当然为自己能拥有这样一个天纵神勇的儿子而感到欣慰和自豪；作为一个皇帝，他同时也为大唐帝国能拥有这样一支战无不胜、攻无不克的军队而感到喜悦和骄傲。

然而，李渊温婉和煦的笑容背后，却隐藏着一层常人不易发觉的东西。那是一种隐忧——一种无形却强烈的隐忧。

李渊觉得李世民的功劳实在是太大了！先是平定了薛举父子，占据了陇右；继而又打败刘武周，收复了太原与河东；如今又击败窦建德，逼降王世充，一举统一了河南河北……放眼当今天下，还有谁的武功比他更盛？放眼整个李唐朝廷，还有谁的功勋比他更高？这样的盖世功劳非但盖过了他的兄长太子李建成，甚至盖过了自己——至尊无上的大唐天子李渊！对此，朝廷该给予什么样的封赏，才能满足这个天纵英才的次子李世民的愿望？随着功勋、威望与实力的全面提升，李世民会不会生出觊觎最高权力的野心？如果他确实生出了觊觎储君和天子之位的野心，那自己该如何防范？

就在这举国欢庆的一刻，面带笑容的天子李渊不得不在内心对自己发出了一连串诘问。

李渊相信，这样的担忧并非杞人忧天。那句老话叫什么来着——功高震主？对了，李世民现在就是典型的功高震主！尽管他是自己的亲生儿子，但是历史上为了争夺最高权力导致父子反目、兄弟相残的例子还少吗？远的不说，就说自己的姨父杨坚和他的五个儿子，不是刚刚上演了这样一幕悲剧吗？面对这种历朝历代似乎都难以避免的政治隐患和亲情危机，自己能不能找到成功化解的办法？

李渊心里没有答案。

武德四年七月的这个早晨，长安城的所有人几乎都强烈感受到了李世民要传达给他们的信息。与其说这是一场凯旋仪式，还不如说这是一场赤裸裸的武功秀。

作为帝国的最高军事统帅，他用这种最直观的方式向万千子民展现了大唐的赫赫军威；作为天子李渊众多儿子当中的一个，他也刻意用这种锋芒毕露的方式告诉人们——秦王李世民才是最优秀的皇子！除了先天的出生顺位无法改变之外，他在人力可以企及的各个方面全都胜过了太子李建成。换句话说，如果不考虑长幼之序，他才是大唐天子李渊当之无愧的政治接班人！

所以，事实上从这一刻开始，秦王李世民就已经有意无意地发出了对储君之位的挑战，而太子李建成也已经确凿无疑地感到了一种巨大的威胁。

李唐王朝统一天下的外部战争刚刚告一段落，一场围绕着最高权力而展开的内部战争就已悄然开启。

武德四年这个初秋的早晨，李世民走在凯旋队伍的最前端，淋漓尽致地体验着他有生以来最辉煌的成功。而在一眼望不到头的队伍最末端，则有另外两个人正在深刻体验着他们一生中最惨重的失败。

他们就是王世充和窦建德。

此刻他们正面容枯槁、蓬头散发地跪在一前一后的两辆囚车上，绝望而麻木地承受着万千大唐子民的辱骂、耻笑和唾弃，随后又被当成祭品带到李唐的太庙里告祭李渊的祖先。

武德四年七月十一日，也就是李世民班师凯旋仅仅两天之后，天子李渊就下了一道诏书，赦免了王世充，将其贬为平民，连同兄弟子侄全部流放蜀地。

而窦建德则没有这么幸运，他被李唐朝廷在闹市中斩首，终年四十九岁。

李渊父子既然能赦免王世充，为什么就不能放过窦建德呢？原因只有一个——窦建德太仁义了，太深得民心了！

李渊父子比谁都清楚，窦建德在河北所缔造的夏朝政治修明、社会安定、百姓安居、商贾乐业，一直以来都深受士民拥戴。如此有目共睹的显赫政绩，即便比之关中的李唐政权来也是毫不逊色，况且他的仁义之名又远播天下。远的不说，单就他攻克黎阳后对待李唐战俘的事情就足以收买天下人心。众所周知，李世勣复叛投唐后，窦建德并没有杀李盖，而是力排众议，将其赦免；对待淮安王李神通，窦建德也一直是礼遇甚周，只是将其软禁在下博（今河北深州市东南），并没有把他关进监狱；至于李渊的妹妹同安公主，窦建德更是对她奉若上宾，并早在武德三年八月便已派人将其送回长安。总而言之，窦建德对待李唐的高级战俘可以说是仁至义尽，对此人们有目共睹。按照常理，他完全有理由从李渊父子这里获得相应的回报。

然而，事实正好相反，窦建德被砍掉了脑袋！

其实这样的结果并不让我们感到十分意外。恰恰是因为窦建德的仁义让他收获了太多人心，他才会成为李渊父子逐鹿天下最有力的竞争对手。尽管他现在已经成了一个俘虏，成了一个连自身命运都不能左右的失败者，但是李渊父子仍然不会对他网开一面。因为这种深得民心的人是很容易东山再起的。就算不是由他本人发动，只要他一日不死，他残存的旧部就一日怀有复国之思，就很可能打着他的旗号再度起兵，这对于李唐王朝绝对是一大隐患！李渊父子绝不允许这种可能性存在。

所以，窦建德必死无疑。

虽然他很仁义，可仁义或许能为成功者锦上添花，却绝不可能为失败者雪中送炭。

仁义的窦建德死了，不仁义的王世充却侥幸保住了一命。

王世充大为庆幸——看来做人还是不能太仁义啊！可是，王世充高兴得太早了。他只不过比窦建德多活了几天，最后还是被人一刀咔嚓。

把他咔嚓掉的人名叫独孤修德，时任唐定州刺史。他的父亲名叫独孤机，曾在王世充手下任职，武德二年正月暗中谋划归降唐朝，发动政变未遂，被王世充几乎屠灭全家。

这样的血海深仇，独孤修德当然要报。

当时王世充还未被遣送到蜀地，而是暂时软禁在雍州（长安京畿地区）驿馆。独孤修德意识到这是天赐良机，于是带上他的几个兄弟，冲进驿馆，不由分说就把王世充和他的兄长王世恽砍了。

毋庸置疑，独孤修德这么做肯定是触犯律法了。

李渊当即下诏免除了他的官爵。

如果事情到此为止，那么黄泉之下的王世充就只能怪自己运气不好，不能怪李渊出尔反尔，但是，没过多久独孤修德就官复原职了。

这就让事情变得十分蹊跷。人们似乎有理由怀疑，独孤修德的刺杀行动并不是报私仇那么简单，他很可能事先得到了李唐朝廷的授意。

支持这种怀疑的另一个证据是——王世充的其他兄弟子侄在随后流放蜀地的途中也全部被杀了，其中就包括王世充的长子王玄应、弟弟王世伟。李唐朝廷对外宣称的理由是：他们企图谋反！其实这个理由非常牵强，在当时那种枷锁披身、士兵押送的情况下，这些人即便有谋反之心，也断无谋反的机会。

所以，事情的真相不难推断——赦免王世充纯粹就是一个幌子。

之所以要搞这么一个幌子，原因也很简单：天下尚未平定，几大割据势力仍然在负隅顽抗，所以李唐朝廷有必要让人们相信——只要放下武器投降，李唐一向宽大为怀，优待俘虏。

至于这些俘虏过后为何死得不明不白，那就是他们自己的事情了，不能怪到李唐朝廷头上。

仁义的窦建德被杀了，并不仁义的王世充也被杀了，大河南北在经历多年的流血和战乱之后，终于可以太平了！

武德四年的秋天，李唐朝廷上自李渊父子，下至文武百官和军队将士，无不对中原与河北的形势抱有如此乐观的看法。

七月十八日，李渊任命陈君宾为洺州刺史，命将军秦武通等人率部进驻河北，同时任命郑善果为慰抚大使，负责安抚和收编窦夏旧部，并遴选和任命山东（太行山以东）各州县官吏。

然而，就在李渊下达诏书的次日，令人意想不到的事情发生了。

河北的漳南县（今河北故城县东）再度燃起了烽火。

有一个窦建德的旧部于七月十九日聚众起兵，当天就攻占了县城。

他的名字叫刘黑闼。

在今后不算太短的时间内，这将是一个令唐军闻风丧胆的名字。

| 第七章 |

李世民的帝王梦

铸剑为犁是一种奢侈

当那群神色凝重的人骑着快马向漳南城郊飞驰而来的时候，原夏朝汉东公刘黑闼正在田里种菜。

起初他并不认为这些人是来找他的，因为他觉得自己已经被这个世界遗忘了。

自从两个多月前窦建德兵败被俘，整个夏朝分崩离析之后，他就悄悄逃回家乡，老老实实地当起了一个面朝黄土背朝天的农民。尽管他从小就对农民这个身份颇为厌恶，但眼下他也没办法。

因为当农民总比当囚徒好，更比被人一刀咔嚓送了命好。

可是，当刘黑闼硬着头皮在这一亩三分地里熬了两个多月之后，他唯一的感觉就是——当农民比死还惨！

起码对他来讲是这样。想起从前那种跃马扬刀、驰骋沙场的生涯，想起那些大碗喝酒、大块吃肉的日子，刘黑闼还是会一阵阵地热血翻涌、心潮澎湃。

他觉得自己天生就是一个战士。

可家里人却不这么看。他们从小就看他不顺眼，给了他一个称谓——无赖。因为他从头到脚就没有一个地方不像无赖。他不但酗酒、赌博，而且游手好闲、打架斗殴、不治产业。父兄们为此经常把他骂得狗血喷头，可他却屡教不改。家境本来就不好的父兄们最后对他死了心，干脆断了他的经济来源，让他自生自灭。刘黑闼为此也过了一些三餐不继的苦日子。好在一位与他交好的同乡大哥非常仗义，经常解囊相助，刘黑闼才不至于饿死街头。

这个大哥就是窦建德。

隋末农民起义大面积爆发后，刘黑闼觉得自己的机会来了，当即投奔了附近的变民首领郝孝德，从此找到了属于他的人生位置，开始否极泰来、风生水起。不久后，他跟随郝孝德并入了瓦岗军，成为李密麾下的偏将。李密兵败后，刘黑闼被王世充俘虏，王世充素闻其勇猛善战之名，任他为骑兵将领，最后刘黑闼实在看不惯王世充的所作所为，于是投奔了窦建德。

窦建德不忘过去的交情，立刻任他为将军，封汉东郡公。由于他历事多主、见多识广，加之生性诡诈、善观时变，窦建德经常把深入敌后的侦察、偷袭等任务交给他，而刘黑闼每次都能出奇制胜，多有斩获，在夏朝军队中享有"神勇"之名。正当刘黑闼准备挽起袖子大干一场的时候，窦建德却在虎牢关下一败涂地，夏朝随之瓦解，刘黑闼看见自己刚刚展开的辉煌人生突然又变得漆黑无光。

命运绕了一大圈又回到了原点——回到了刘黑闼多年前赌咒发誓再也不回来的地方。

此刻，刘黑闼挂着锄头在田间愣神，他真的没想到奔驰在官道上的那群人是冲着他来的。

他更没想到从下一刻开始他就将扔掉锄头，重新回到战场，并且在半年之内横扫河北、屡败唐军，最后全部收复夏朝旧境，取代窦建德，自立为汉东王，成为与李唐朝廷争夺天下最强有力的竞争对手。

那群神色凝重的人在田边翻身下马，大步流星地朝刘黑闼走来。

刘黑闼起初觉得有些诧异，可很快就认出了他们。

来人是高雅贤、范愿、董康买、曹湛……都是窦建德的旧部，刘黑闼昔日的战友。

刘黑闼笑了，把手中的锄头远远地扔了出去。他已经知道他们来干什么了。

刘黑闼猜得没错，高雅贤等人来的目的只有一个——他们要拥他为领袖，再度起兵！

夏朝覆亡之后，相当一部分将领不愿投降唐朝，纷纷逃回家乡。可是，由俭入奢易，由奢返俭难，不要说像刘黑闼这种从来没当过农民的人，就算早年务过农的，在当了好些年威风八面的将军后，回到老家无论如何都不愿再拿锄头了。

不拿锄头拿什么？总不能坐吃山空吧？

拿刀。

虽然将军的头衔没了，可他们的刀还在，杀人越货的本领还在。

于是他们索性干起了老本行——劫掠州县府库，抢劫地方富户，凡是能搞钱的事情都干。如此一来，自然成为民间一患。唐朝地方政府本来就想收拾这帮不愿归顺的残兵败将，如今他们又到处烧杀抢掠，已经严重触犯了大唐律法，唐朝各地方政府当然要采取高压政策，于是出动军队大肆搜捕，抓到之后就施以酷刑，严惩不贷。范愿等人不得不拖家带口，离开家乡，四处逃亡。可走到哪里都是李唐的天下，躲得了一时，躲不了一世，总不能一辈子就这么东躲西藏吧？

就在他们惶惶如丧家之犬的时候，李渊颁布了一道诏书，要征召他们这些夏朝旧将前往长安，高雅贤等人都在朝廷公布的名单上。

听起来这似乎是个不错的选择。可当高雅贤等人一碰头，大伙的意见却高度一致——这是个陷阱，长安万万去不得！

原因很简单：王世充投降之后，其麾下的单雄信、段达等人就全部被杀，而今他们要是傻乎乎地去见李渊，不等于自投罗网吗？

不，他们绝不会去！

高雅贤等人不说则已，一说起这些就血脉贲张、义愤填膺，最后大家纷纷表示：自从追随夏王起兵，十年以来，身经百战，此身唯欠一死！可大丈夫死也要死得轰轰烈烈，决不能拿脑袋当别人的磨刀石！何不干脆以此残生，再创一番惊天动地的事业？

主意已决，众人指天盟誓："吾属皆为夏王所厚，今不为之报仇，将无以见天下之士！"（《资治通鉴》卷一八九）

起兵计划一定下来，最后就是推选一位领袖了。

为了顺应天意，高雅贤等人决定焚香占卜，随后卜出的卦辞是：以刘氏为主，大吉。于是他们找到了刘黑闼。

这个初秋的黄昏，刘黑闼不仅扔掉了锄头，还宰掉了自己唯一的牛，搬出了家里所有的陈年老酒，和高雅贤等人痛快地喝了一场。

这才是人过的日子！

刘黑闼一边大块吃肉、大碗喝酒，一边心花怒放地想。

刘黑闼聚众起兵、攻陷漳南的消息传至长安，李唐朝廷虽说不上十分震恐，但也感到极为意外。七月二十二日，李渊不得不把河北的行政架构重新设置为战时编制，在洺州设立了山东道行台，任命淮安王李神通为行台右仆射。

对李唐朝廷来讲，刘黑闼这帮残兵败将实在构不成多大的威胁。他们觉得让唐朝的地方军队去对付就绰绰有余了。

从武德四年的中秋起，刘黑闼刮起的飓风就开始横扫河北了。

八月十二日，刘黑闼攻陷鄃县（今山东夏津县），唐魏州（今河北大名县东北）刺史权威、贝州（今河北清河县西）刺史戴元祥率部迎战，被刘黑闼击败，权、戴二人皆战死，所部人马和武器全部被刘黑闼俘获。十天后，刘黑闼攻陷历亭（今山东武城县东），俘虏唐屯卫将军王行敏。刘黑闼命令王行敏向他叩头，王行敏誓死不从，随即被刘黑闼斩首。

战报传来，李唐朝廷终于意识到问题的严重性。李渊随即下诏征调关中的三千精锐步骑，命大将秦武通、定州（今河北定州市）总管李玄通率领，会同幽州（今北京）总管罗艺围剿刘黑闼。

刘黑闼初战告捷之后，流落各地的窦建德旧部渐渐来附，部众增至两千余人。刘黑闼遂于漳南设坛，祭奠窦建德的亡灵，以此激励部众的士气，并自立为大将军。

高耸的祭台上，一面招魂的灵幡在秋天的大风中猎猎招展，发出阵阵裂帛似的声响。刘黑闼一脸肃穆地站在高台之上，感觉一股巨大而神秘的力量正在他的体内汩汩涌动。

刘黑闼相信，这一定是夏王的在天之灵赐予他的力量。

大河南北风云再起

造反有时候也是一种流行病。

尽管隋王朝早已灰飞烟灭，尽管深得人心的李唐王朝开国已经四年，可是这种流行病还是会在某些人身上反复发作，难以治愈。

这是李渊在武德四年秋天不得不面对的一个严峻现实。他不得不相信，某些人就是天生反骨，简直无可救药！

本来河北出了一个刘黑闼就已经让李渊很有些不安了，没想到一个月后，河南又冒出了一个徐圆朗。

在隋末唐初的乱世群雄中，徐圆朗可以称得上是一株典型的墙头草，或者说是一个资深的造反专业户。他是鲁郡（唐改兖州，今山东兖州市）人，隋朝末年落草为寇，大业十三年据本郡起兵，攻城略地，拥众两万余人，不久后归附李密；李密败亡后，徐圆朗于武德二年七月以数州之地降唐，被任命为兖州总管，封鲁国公；窦建德南下援救洛阳时，徐圆朗又叛唐归附窦建德，发兵参与进攻虎牢；窦建德败亡后，徐圆朗再度降唐，李唐朝廷既往不咎，封鲁郡公，仍任其为兖州总管。

按说到这个时候天下大势已经基本明朗，徐圆朗也该消停了吧？

不，他不消停。因为他并不认为一个小小的兖州总管就是自己的人生归宿。当河北的刘黑闼再度起兵后，徐圆朗便又蠢蠢欲动了。不久，刘黑闼派人与他联络，怂恿他起兵响应，徐圆朗正中下怀，欣然应允。

这一年的八月二十六日，唐将盛彦师奉李渊之命安抚河南，行至任城（今山东济宁市）时，徐圆朗突然发兵将他逮捕，再度举兵叛唐。

屡反屡降，屡降又屡叛！这帮人到底想干什么？

李渊真是搞不明白，现如今这天下像刘黑闼、徐圆朗这种"生命不息，造反不止"的人到底还有多少。

很快李渊就有了答案——这种人很多。

徐圆朗复叛后，几乎就在一夜之间，兖州、郓州（今山东郓城县）、陈州（今河南淮阳县）、杞州（今河南杞县）、伊州（今河南汝州市）、洛州（今河南洛阳市东北）、曹州（今山东定陶县）、戴州（今山东金乡县）等八州豪强纷纷起兵响应。徐圆朗遂自称鲁王，随后又被刘黑闼任命为大行台元帅。

一时间，叛乱的烽火又开始熊熊燃烧，刚刚平定的大河南北风云再起。如果不及时将这些反叛势力扑灭，李世民中原决战的胜利果实必将付诸东流，而李唐王朝统一天下的日子亦将遥遥无期。

武德四年九月初，淮安王李神通率领关中精锐火速进抵冀州（今河北冀县），与燕王罗艺会合，同时紧急征调邢、洺、相、魏、恒、赵六州军队共五万余人，在饶阳（今河北饶阳县）与刘黑闼展开会战。

这一仗唐军在兵力上占据了绝对优势，其阵势绵延十余里。曾经是夏军手下败将的李神通这回踌躇满志地站在阵前，相信自己一定可以一战扫平刘黑闼，把当初丢尽的脸面彻底捡回来。

李神通当然有理由这么想。

相对于人数众多、武器精良的唐军来说，刘黑闼部众的情况只能用"惨不忍睹"四个字来形容。他们不但衣衫褴褛、装备极差，而且人数远远少于唐军，只能背靠饶河堤岸摆出一个单行的一字阵。

看着这个可怜巴巴的一字阵，李神通顿时哑然失笑。

这只是一群打群架的农民嘛！

就在战斗即将打响的一瞬间，两军对垒的战场上突然天气骤变，一阵狂风夹着漫天飞雪，从唐军一侧猛然刮向对方阵地，刘黑闼的部众一下子都睁不开眼。

报仇雪耻的时刻到了！李神通抓住战机，长剑一挥，数万唐军乘着风势向刘黑闼发起了全线进攻。

如果这场突如其来的暴风雪一直按这个方向刮下去，那么刘黑闼必定全军覆没。

很可惜，天不佑李神通，就在唐军刚刚冲到敌军阵前时，风向突然发生一百八十度反转，这一下轮到唐军睁不开眼了。刘黑闼立刻率部反击，唐军大败，人马和装备损失了三分之二。

原本胜券在握的李神通又一次败在了窦建德旧部的手下。

与此同时，幽州总管罗艺也在主战场的西面攻击高雅贤部，并一举将其击破，刚刚追出了几里地，便听到大军主力被击溃的消息，遂率部退守藁城（今河北藁城市）。刘黑闼趁部众士气高昂，一鼓作气进攻藁城。罗艺兵败，其麾下将领薛万均、薛万彻兄弟一同被刘黑闼俘虏，并且剪掉头发，当作奴隶驱使。不久后薛氏兄弟逃回，罗艺遂引兵撤回幽州。

经此一役，刘黑闼兵势大振。

十月初六，刘黑闼乘胜攻陷瀛洲（今河北河间市），斩杀刺史卢士叡；同日，观州（今河北东光县）变民发动暴乱，生擒刺史雷德备，举城归附刘黑闼；十九日，毛州（今河北馆陶县）变民董灯明等人聚众砍杀刺史赵元恺，起兵响应刘黑闼。

十一月十九日，刘黑闼又攻陷了定州，生擒总管李玄通。刘黑闼欣赏他的才干，打算任他为大将，李玄通拒不接受，遂被刘黑闼囚禁。李玄通的旧部有人投靠了刘黑闼，于是在他的授意下带着酒肉到监狱里探望李玄通。表面上说是叙旧，其实无非是劝降。李玄通心知肚明，于是故作笑颜地对旧部说："诸君怜我被囚之辱，幸以酒肉来相开慰，当为诸君一醉！"说完便与众人开怀畅饮。

酒酣耳热之际，李玄通对看守说："我会剑舞，请把刀借我一用。"看守没有怀疑，把刀递给了他。李玄通舞过之后，忽然仰天长叹："大丈夫受国厚恩，镇守一方，而今却不能保全所守，有何面目活在人间！"还没等众人反应过来，李玄通已经挥刀刺入自己的腹部，当场腹溃而死。

十一月二十七日，杞州变民周文举聚众起兵，杀了唐刺史王文矩，举城归附徐圆朗。

李神通败了，李玄通死了。刘黑闼在河北攻城略地，徐圆朗在河南遥相呼应。散布各地的窦建德旧部蠢蠢欲动，大河南北的唐朝将吏人人自危。

局势日益严峻。

就在这个风声鹤唳的节骨眼上，又有一个人紧继刘黑闼和徐圆朗之后起兵反唐，致使河北的形势雪上加霜。

这个人就是高开道，时任唐蔚州（今河北怀来县）总管。

说起这个高开道，显然也不是一盏省油的灯。他是沧州阳信（今山东阳信县南）人，盐户出身，骁勇强悍，大业末年追随河间人格谦起兵，任将军；其后格谦被隋军剿灭，高开道率残部四处游掠。武德元年，高开道攻陷北平郡（今河北卢龙县）和渔阳郡（今天津蓟县），自称燕王，定都渔阳。同年，怀戎（今河北涿鹿县）沙门高昙晟袭杀当地县令，自称大乘皇帝，随后招降高开道。高开道遂带领五千部众诈降，在取得高昙晟信任的数月之后，突然发兵击杀高昙晟，吞并了他的部众。武德三年，窦建德率大军进围幽州，唐幽州总管罗艺向高开道求救，高开道亲率两千精骑驰援。窦建德担心腹背受敌，又慑于高开道的兵锋之锐，只好撤兵南还。高开道随后通过罗艺投降了唐朝，并因援救幽州之功被封为北平郡王，赐姓李，任蔚州总管。

应该说，从一个出身卑微的盐户奋斗到这一步，高开道也算是功成名就，足以光宗耀祖了。然而他并未满足。除了对更高的地位和权力仍然怀有强烈的渴望之外，高开道身上似乎还有一点与刘黑闼、徐圆朗等人如出一辙。

那就是——灵魂深处的不安分。

这种不安分也许并不完全是一种出人头地的功利欲望，或者说不完全是一种"理智的计算"。如果对刘黑闼来讲，再次起兵更多的是为了摆脱一亩三分地的束缚，重新争取更为广阔的生存空间的话，那么对高开道和徐圆朗来说，这种灵魂的不安分则显得更为典型。因为随着他们在李唐政权中身份和地位的提升，再次造反的成本也随之提高了，再也不像第一次造反那样——唯一的成本就是贱命一条。换句话说，他们需要顾虑的东西比以前多得多。

因此，倘若纯粹出于理智计算的话，他们未必会步刘黑闼之后尘。由此可见，促使他们再度起兵的原因除了现实利益的计算之外，或许还有一种不断打破现状、努力寻求改变的"生命的冲动"。用我们今天的话说，它是某种意义上的自我实现。当然，这种所谓的自我实现对他们本人来讲可能是模糊的、不自觉的，更多的只是表现为一种躁动不安的生命能量，但这却是一种推动他们不断往前走的强大能量。不管是不愿当农民，还是不愿当总管，这种灵魂深处的不安分是这群人身上共有的标志，也是他们最根本的生命动能。

换句话说，他们不愿意让自己的人生价值在某个点上凝固下来，更愿意让自己的生命在不断突破现状的过程中一刻不停地燃烧。

这是一种永远"在路上"的状态。

对他们而言，过程本身也许远比结果更富有意义。

所以，当刘黑闼和徐圆朗复叛后，高开道灵魂深处那不安分的火焰立刻被点燃了。

这一年十一月末，幽州发生大饥荒，罗艺立即向蔚州的高开道寻求援助。高开道满口答应赈济灾民。罗艺大喜，随即把灾民中的老弱妇孺转移到蔚州安置，高开道表现得十分热情，不但来者不拒，而且给这些灾民提供了很好的食宿条件。罗艺大为感动，随后派出三千名青壮年、数百辆车和一千余匹驴马，前往蔚州运载救灾粮。

高开道就是在这时候突然翻脸的。他扣押了运粮队的人马和辎重，同时宣布与罗艺断交，并以最快的速度北连东突厥，南结刘黑闼，随后发兵进攻易州（今河北易县）。

高开道的遽然反叛让罗艺大为震惊并且百思不解。数日后，高开道的部将谢稜暗中遣使向罗艺投降，并请求出兵接应。罗艺稍感宽慰，觉得毕竟不是所有人都像高开道一样疯狂。有了谢稜做内应，他就有可能把这场突如其来的反叛扼杀在萌芽状态。

但是罗艺错了。

因为这是高开道精心设计的一个圈套——让谢稜诈降。

罗艺本来已经被高开道捅了一刀，而谢稜的诈降无异于在他伤口上又撒了一把盐。当罗艺接应谢稜的部队刚刚进入蔚州境内，谢稜突然对其发动攻击，把幽州军队打得丢盔弃甲、大败而逃。

高开道设计重创罗艺之后，旋即引突厥军队南下，屡屡入侵唐朝疆界，在恒州、定州、幽州、易州等地大肆扫荡。

与此同时，刘黑闼也正挟着一种可怕的力量和势能席卷河北。

武德四年十二月初三，刘黑闼攻陷冀州（今河北冀县），斩杀刺史魏稜，随后向赵魏地区（今河北中部、南部及河南北部）发布文告，各地的窦建德旧部纷纷诛杀当地唐朝官员，起兵响应刘黑闼。八日，刘黑闼率数万大军进逼宗城（今河北威县东）。其时正驻守宗城的唐黎州总管李世勣与右武卫将军秦武通力不能支，遂放弃城池，准备集中力量固守洺州（今河北永年县东南）。可就在他们撤退的路上，刘黑闼却快速行军追上了他们。十二日，刘黑闼从背后对李世勣军发起猛烈进攻，大破唐军，斩杀五千余人，李世勣和秦武通仅以身免。十四日，洺州豪强与刘黑闼里应外合，不战而下洺州城。刘黑闼在这座夏朝旧都的东南面设坛祭祀上天及夏王，随后浩浩荡荡地率领大军进入洺州。与此同时，刘黑闼又遣使联络东突厥，颉利可汗立即派遣大将宋邪那率突厥骑兵南下与其会合，刘黑闼兵势更盛。

数日后，刘黑闼挥师南下，接连攻克相州（今河南安阳市）、黎州（今河南浚县）、卫州（今河南卫辉市）、邢州（今河北邢台市）、赵州（今河北赵县）、莘州（今山东莘县），各地唐军将领无人能挡其锋。右武卫将军秦武通、洺州刺史陈君宾、永宁县令程名振等人，纷纷放弃抵抗，逃回长安。

短短半年之内，刘黑闼以所向无敌、锐不可当之势横扫河北，战必胜、攻必取，克复全部夏朝旧境，创造了一个几乎是令人难以置信的战争神话。

有没有人能打破这个神话？

当李神通、罗艺、李玄通、李世勣、秦武通等人全都成为刘黑闼的手下败将时，偌大的李唐天下，还有谁能与之争锋？

答案只有一个——秦王李世民。每逢帝国最危急的时刻，他总是天子李渊手中的最后一张王牌。

鼎定半壁：萧梁的覆灭（上）

武德四年（公元621年）冬天，天下的形势让唐高祖李渊忧喜参半——

忧的是刘黑闼等反叛势力在大河南北死灰复燃，喜的是帝国南部半壁江山顺利平定。

正当各路唐军在河北被刘黑闼打得落花流水的时候，以赵郡王李孝恭和行军总管李靖为首的唐军经过数年努力，终于在这一年十月生擒了南梁皇帝萧铣，一举消灭了这个南方最大的割据政权。

平定萧梁、鼎定半壁虽然挂的是宗室亲王李孝恭的名头，但是谁都知道，真正的首功之人其实是李靖。

李靖最初被李渊派往南方征讨萧梁的时候其实是很窝囊的，因为李渊并不信任他。

单从他当时担任的官职——开府——就可见一斑。所谓开府，只是一个正四品的散官，既没有实际的职权，更没有自己的嫡系部队。李渊让李靖以这样的身份到前线去打仗，与其说是希望他建功立业，倒不如说是故意给他小鞋穿，好寻找机会整死他。

说白了，李渊仍然不忘旧恶。

当初要不是李世民大喊刀下留人，李渊早把这个可恶的"告密未遂者"一刀砍了。虽然看在李世民的面子上留了他一条命，可李渊无论如何就是看他不顺眼。

把李靖派到前线不久，李渊终于逮着了一个杀他的机会。

当时萧梁的兵力还很强大，所以李靖抵达峡州（今湖北宜昌市西）后就一直滞留不进。李渊立刻下了一道密诏给峡州刺史许绍，让他以"迁延不进"的罪名把李靖就地斩首。

如果这个许绍老老实实执行天子的密令，那么历史上就没有什么初唐名将李靖了。如果许绍只是一个唯唯诺诺的普通官僚，那么李靖最后也只能成为一个怀才不遇并且含冤而死的小角色，在历史的惊涛骇浪中像泡沫一样转瞬即逝。

所幸峡州刺史许绍并不是个普通官僚。

他是一个有德之人，而且有惜才之心。他知道李靖胸中自有甲兵百万，只是一直缺少施展才干的机会，于是按下诏书，上疏李渊，说明前线战事吃紧，急需人才，可以让李靖戴罪立功，以观效尤。李渊看到奏疏后想想也有道理。为了统一大业，李渊只好暂时撇开私人恩怨，收回成命，等着看李靖的立功表现。

一连两次侥幸躲过皇帝的屠刀，让李靖深刻地体验到什么叫作如临深渊、如履薄冰。他清醒地意识到——自己不可能再有第三次机会了。如果不能及时建立战功，那他的脑袋就没有继续待在肩膀上的理由。

李靖仰天长叹，苦苦等待着咸鱼翻身的那一天。不久，开州（今重庆开县）蛮族首领冉肇则聚众反叛，率部进攻夔州（今重庆奉节县），赵郡王李孝恭迎战，结果被蛮军击败。

一展身手的机会终于来了！李靖主动请缨，只带了为数八百人的一支小部队，便成功袭破了蛮军大营；其后又在险要之地设伏，大败十倍于己的蛮军，斩杀冉肇则，俘获五千余人，一举平定了蛮族叛乱。捷报传至长安，李渊的意外和惊喜之情溢于言表。为了掩饰自己先前对李靖的不公，李渊在朝会上对百官说了一句很巧妙的话，他说："朕闻使功不如使过，李靖果展其效！"（《旧唐书·李靖传》）

这句话既夸奖了李靖，同时也夸奖了李渊自己。因为他把李靖所取得的战绩说成是他故意使用激将法的结果。所谓"使功不如使过"，意思就是与其用功勋去激励下属建功立业，还不如适当给他一些压力，让他感觉自己有过失，然后他才会加倍努力，以求将功补过。

这固然是很高明的驭人之术，可明眼人都知道，先前李渊对待李靖的那些做法压根就不是这么一回事。

可不管怎么说，通过这次胜利，李渊总算彻底改变了对李靖的看法。他在随后下发给李靖的诏书中称："卿竭诚尽力，功效特彰！朕虽与你远隔，但深明卿之至诚，极为嘉赏，卿勿忧富贵也。"除了公开颁发的诏书，李渊还特意给了李靖一道手诏，说："既往不咎，旧事吾久忘之矣！"这句私下里的体己话固然表明了天子李渊与李靖和解的诚意和热情，可同时也向我们透露出——李渊之前对那些"旧事"确实是一直耿耿于怀的。

武德四年二月，否极泰来的李靖压抑多年的能量开始喷发，他胸有成竹地向赵郡王李孝恭呈上了平定萧梁的"十策"，李孝恭转呈朝廷。李渊当即采纳，以李孝恭为夔州总管，命他大规模制造战船，训练水军；同时授予李靖行军总管兼长史之职，命他全权负责军事。

至此，李靖才终于有了一个与他的能力和任务相匹配的职衔。从这一刻开始，李渊已经把平定南方半壁江山的重任托付给了他。

李靖辉煌的军事生涯就此展开。

为了全力进攻萧梁，李靖做的第一件事情就是设法解除唐军的后顾之忧。他向李孝恭建议，将巴蜀各地蛮族首领的子弟全部召集到夔州总部，考察他们的才干，任命相应的官职。此举表面上是对蛮族子弟的一种优待和礼遇，事实上是把他们作为人质，防止各地蛮族首领反叛。

就在唐军秣马厉兵，即将对萧梁发动全面进攻的前夕，梁帝萧铣却正在干一件令人匪夷所思的事情。

他在裁军。

大敌当前，萧铣却忙着裁军，他怎么了？脑子进水了？

不，萧铣的脑子没进水，是肚子进水。

苦水。

因为跟随他造反的那帮元勋故旧纷纷以开国功臣自居，个个牛皮烘烘、鼻孔朝天、专擅杀戮、目无朝廷，让萧铣大伤脑筋。他最后只好想了个办法——以境内业已太平、急需发展生产为由大量裁军，让那些骄兵悍将通通解甲归田，回老家当农民。

可想而知，这帮居功自傲的将领绝不甘心就此被褫夺兵权。大司马董景珍的弟弟马上召集了一帮人，准备发动兵变，但消息泄露，未及发动便被萧铣镇压。其时董景珍正出镇长沙，萧铣欲盖弥彰地宣布赦免董景珍的连坐之罪，同时又下诏召他回朝，其猜忌之心昭然若揭。董景珍顿生兔死狗烹之感，遂暗中遣使向李孝恭投降。

　　而生性多疑的萧铣也很快就嗅出了反叛的味道，于是命齐王张绣率兵讨伐董景珍。董景珍致信张绣说："君不见'前年诛彭越，往年杀韩信'，奈何今日相攻？"张绣不予理会，命大军围攻长沙。董景珍不敌，突围而走，被麾下将领所杀。萧铣铲除了心头之患，大喜过望，随即擢升张绣为尚书令。然而萧铣的喜悦之情很快便一扫而光，取而代之的是更大的忧虑和恐慌。

　　因为张绣又坐大了，他"恃勋骄慢，专恣弄权"，其嚣张气焰让萧铣忍无可忍。

　　萧铣不得不再次设计将张绣诛杀。

　　至此，萧梁王朝彻底陷入"麻秆打狼——两头怕"的局面。

　　皇帝萧铣风声鹤唳，草木皆兵。

　　元勋故旧人人自危，离心离德。

　　萧铣眼睁睁看着王朝的人心和基业正在迅速瓦解，却不知道自己该做什么。

　　武德四年十月初七，梁朝鄂州（今湖北武汉市南）刺史雷长颖举城降唐，揭开了萧梁覆亡的序幕。

　　唐军兵分四路，由李孝恭和李靖率两千余艘战船出巴蜀，浩浩荡荡顺长江东下；由庐江王李瑗出襄州（今湖北襄阳），黔州刺史田世康出辰州（今湖南沅陵县），黄州总管周法明出夏口（今湖北武汉汉口），从各个方向大举进攻萧梁。

　　在这生死存亡的危急关头，萧铣却对战局产生了重大误判。他认为此时长江水势大涨，不易行舟，因此并没有及时进行防御部署。李孝恭的唐军主力遂一路势如破竹，接连攻陷荆门和宜都两处军事重镇，迅速进抵夷陵（今湖北宜昌市）。

　　梁朝门户洞开，都城江陵（今湖北江陵县）一下子暴露在唐军的眼皮底下，萧铣这才慌了手脚，急命大将文士弘率数万精锐进驻清江（今清江入长江口）布防。十月初九，李孝恭和李靖大破文士弘，俘战船三百余艘，梁军被杀和溺毙者数以万计。唐军乘胜追击，进至百里洲（今湖北枝江市南的长江中小岛）。文士弘集结残部再战，却再次被击溃。唐军舰队长驱直入，兵锋直逼江陵。梁江州（今湖北长阳县西）总管盖彦举旋即以五州之地降唐。

文士弘溃败、盖彦举叛降的消息传回江陵，萧铣顿时感觉到末日降临。直到这一刻，他才充分意识到自己贸然裁军导致的恶果——眼下江陵唯一的军事力量就只有一支几千人的禁卫军了。

单凭这么一点力量如何守住江陵？

萧铣迫不及待地向各地发出了十万火急的勤王诏。然而，此刻萧梁的大多数军队都远在江南和岭南，远水救不了近火，萧铣不得不命数千禁军登上舰船，出城拒战。

李孝恭准备立刻对梁军发动攻击，李靖劝阻道："这是萧梁最后的顽抗力量，他们仍有斗志，但并没有通盘的防御计划，其势必不能久。我们不如暂且停泊南岸，休养一日，梁军兵力必定分散，很可能会留一部抗拒我军，分一部回城据守。兵分则势弱，我军乘其松懈发动进攻，无不胜之理。如果现在急攻，梁军必奋力死战，楚地士卒历来剽悍，不是那么好战胜的。"

然而李孝恭并没有听从李靖的劝阻。在他看来，唐军一路势如破竹、兵锋正锐，根本无须担心眼前这支区区几千人的敌军。所以，李孝恭当即命李靖留守南岸大营，自己亲率精锐出击。

结果不出李靖所料，没有退路的梁军不得不拼死作战，大意轻敌的李孝恭被打得大败而回。

李孝恭败逃时丢弃了大量的军资器械，梁军士兵纷纷弃舟登岸，哄抢战利品。李靖见梁军混乱，当即挥师反击，大破梁军，乘胜追至江陵，杀入外城，并迅速攻占水城，俘获舰船一千余艘。李靖建议将这些舰船放入江中，任它们向下游漂去。众将领大惑不解，纷纷表示反对。他们说："破敌所获，理当为我所用，奈何弃之，以此资敌？"

在这种时候，人和人的差距就体现出来了。

准确地说，一介武夫和一代名将的素质差异就是在这里分野的。

在墨守成规的将领们看来，军舰就是打仗用的，怎么能抢到手以后再把它还给敌人呢？

可在李靖看来，这批战利品还有一个更大的用途，可以用它们一举击溃下游梁军的军心和斗志，让他们彻底放弃援救江陵的打算。

这就叫不战而屈人之兵！

眼见众将领依旧是一脸迷惑不解的神情，李靖耐心地解释："萧铣所据之地，南到岭表，东至洞庭，其军队数量仍然很大。我们孤军深入，如果不能及时攻克江陵，等敌人援兵四集，我们必将陷入腹背受敌、进退两难的困境，就算拥有这些战船，又能起什么作用？如果我们将这些舰船放弃，让它们蔽江而下，各地梁军见之，必然以为江陵已经陷落，不敢轻进；即便派人侦察，一来一往至少也要十天半月，到时候我们早已拿下了江陵。"

李孝恭和众将领至此才恍然大悟，遂依计而行。

当一千多艘空无一人的"幽灵船"无声无息又浩浩荡荡地漂向下游时，沿岸梁军不禁大惊失色。

他们唯一的反应就是——江陵陷了，梁朝完了！

这个令人恐慌和绝望的消息立刻像插上翅膀一样传遍了梁朝的四面八方。

鼎定半壁：萧梁的覆灭（下）

李孝恭和李靖率大军将江陵团团围困后，迅速切断了它与外界的一切联系。梁帝萧铣自知大势已去，于是神色凄然地对文武百官说："天不佑梁，势不能支，若竭力死战，则生灵涂炭，岂能以我一人之故而使百姓蒙难？应趁城池未陷而先出降，以免乱兵伤害士庶。诸人失我，何患无君！"

这一年十月二十一日，萧铣最后一次告祭太庙，随后下令开门出降，城上守军忍不住失声恸哭。他身穿麻衣、头裹布巾，带着百官来到唐军营门前，对李孝恭说："当死者唯铣耳，百姓无罪，请勿杀掠！"

萧铣希望以自己的主动投降来换取一城百姓的平安，但是唐军的将领们却不买他的账。

唐军进入江陵后，将士们打量着这座繁华富庶的梁朝帝京，所有人的眼睛都不约而同地冒出了绿光。

他们打算纵兵劫掠。

就在他们动手之前，梁朝中书侍郎岑文本冒着被砍头的危险来到了唐军统帅李孝恭的大帐，说了这样一番话："江南之民，自隋末以来困于虐政，其后又遭群雄纷争之苦，今之存者，皆刀下余生，均翘首以盼真命天子，所以萧氏君臣与江陵父老决计归命，只愿刀兵永息。今若纵兵劫掠，使士民失望，恐江陵以南之士众，无复向化之心！"

李孝恭不得不承认，岑文本说得有道理。他虽然拿下了萧梁的都城，但是江陵以南还有大片梁朝国土以及大批梁朝军队，如果不能借此收买萧梁的人心，等待他的必然是旷日持久的战争。

李孝恭随即发布命令——严禁士兵抢掠。诸将大为失望，只好退而求其次，要求抄没那些因抗拒唐军而战死的梁朝将领的家产，以此犒赏将士。李靖马上反对，他说："王者之师，应以正义之声先于兵戈而远播。那些将领为他们的君主战死，乃是忠臣，怎么能把他们视同叛逆抄没家产？"

在岑文本和李靖的阻止下，江陵城避免了一场浩劫。唐军入城后严守禁令，对百姓秋毫无犯。南方各州县听说后，无不望风而降。萧铣投降数日后，正奔驰在勤王路上的十几万梁朝军队听到江陵陷落的消息，也全部放下武器投降唐军。

　　至此，南方最大的一支割据政权，立国五年的萧梁王朝被彻底平定。李渊大喜过望，随即擢升李孝恭为荆州总管，封李靖为永康县公、上柱国，命他们进一步经略岭南。

　　萧铣被执送长安，李渊历数其罪。萧铣一脸从容地说："隋失其鹿，英雄竞逐，铣无天命，故至于此。如果这也是一种罪，那我甘愿受死！"武德四年冬天，一个北风呼啸的午后，萧铣慷慨赴死，在长安闹市被斩，时年三十九岁。

　　在隋末唐初的乱世群雄中，萧铣并不是一个杰出的英雄和帝王，他的能力或许远远比不上其他人。

　　论执政能力和个人魅力，他比不上窦建德；论军事能力，他比不过李密和王世充；论强悍勇武，他甚至连刘武周、薛举等人都比不上……尤其是在王朝即将覆灭的时刻，萧铣在政治和军事上的无所作为，更加让人感觉他是一个地地道道的平庸帝王。

　　然而，有所作为又如何呢？

　　即便萧铣率领江陵军民与唐军血战到底，但他除了把江陵变成第二个洛阳之外，除了像王世充那样制造出一座饿殍遍野的人间地狱之外，又能如何呢？他能挽回王朝覆灭的命运吗？

　　显然不能。

　　他也许会多撑一些日子，但败亡的结局绝对无可挽回。

　　既然如此，那么萧铣在最后时刻的表现就不仅令人同情，而且令人感佩。身为帝王，在王朝覆灭前夕考虑的并不是如何保全自己的权力和生命，而是如何避免满朝文武和治下百姓遭到屠戮和劫掠。这样一个帝王即使在他的世界里失去了所有，也仍然会在血腥灰暗的史册中留下一抹亮色——一抹与人性和良知有关的亮色。

　　仅此一点，萧铣就值得后人赞叹。

武德初年，南方的主要割据政权除了萧铣、林士弘之外，在江淮一带还盘踞着多股割据势力：沈法兴据毗陵（今江苏常州市），杜伏威据历阳（今安徽和县），李子通据海陵（今江苏泰州市），陈稜据江都。这些枭雄互相攻伐，都有称雄江表（今太湖及钱塘江流域）的野心。武德二年九月，当李唐王朝与刘武周在河东激战正酣时，这些割据势力的相争也进入了白热化状态……

　　九月初，海陵的李子通进攻陈稜据守的江都。陈稜向杜伏威和沈法兴求援，沈法兴命其子沈纶率军数万，会同杜伏威驰援江都，两军分别在杨子（今江苏扬州市南长江入口）和清流（今安徽滁州市）扎营。

　　为了打破对方的联盟，李子通采纳了谋士毛文深的离间计，招募江南勇士化装成沈纶的军队，于深夜攻击杜伏威大营。杜伏威大怒，也出兵反击沈纶，双方的联盟就此破裂，遂各自按兵不动，谁也不愿率先进攻李子通。李子通趁势集结精锐，一举攻陷江都。陈稜逃出一命，投奔了杜伏威。李子通占据江都后，马上又出兵击败了沈纶，杜伏威势单力薄，只好引兵而退。李子通随即在江都登基，自称吴帝，改元明政。数日后，丹阳（今江苏南京市）变民首领乐伯通率部众一万余人归附了李子通。

　　李子通势力迅速壮大，杜伏威时刻担心被吞并，几经犹豫之后，终于率部归降唐朝。九月十二日，杜伏威被李唐朝廷任命为淮南安抚大使兼和州（历阳郡改）总管。

　　武德三年十二月，就在李世民与王世充大战于东都时，李子通也渡长江南下，大举进攻沈法兴，占领京口（今江苏镇江市）。沈法兴命仆射蒋元超在庱亭（今江苏常州市西北）阻击李子通，结果他战败阵亡。沈法兴遂放弃毗陵，亡奔吴郡（今江苏苏州市）。此后，丹阳、毗陵等郡全部被李子通占据。

　　其时杜伏威已被唐朝封为东南道行台尚书令、上柱国、吴王，并赐姓李，宠遇甚隆，自然负有平定一方之责。为了遏制李子通的扩张势头，杜伏威命行台左仆射辅公祏、大将阚稜、王雄诞率数千精锐渡过长江，攻克了丹阳，并在溧水（今江苏溧水县）与李子通展开会战。唐军起先取得了优势，在追击时却遭到李子通反扑，结果失利。当天夜里，李子通因取胜而轻敌，扎营不设防备，勇将王雄诞率数百名亲兵袭击吴军大营，大破李子通，俘虏数千人。李子通狼狈逃回江都。

不久，李子通粮草告罄，只好放弃江都，退守京口。于是和州以西全部被杜伏威占据。杜伏威将总部迁至丹阳，步步进逼李子通。李子通再次放弃京口，转而攻击退守吴郡的沈法兴，并将其彻底击溃。沈法兴仅带着数百人逃亡，最后身陷绝境，投江而死。

消灭沈法兴后，吴帝李子通声势复振，于是迁都余杭（今浙江杭州市），将沈法兴原有地盘全部吞并，其势力范围北至太湖，南到仙霞岭，东至会稽（今浙江绍兴市），西到宣城（今安徽宣州市），成为与梁帝萧铣、楚帝林士弘鼎足而立的南方三大割据政权之一。

武德四年十一月初，亦即李孝恭和李靖扫平萧梁的半个月后，杜伏威派遣麾下猛将王雄诞率部进攻余杭，李子通亲率精锐驻防独松岭（今浙江安吉县南）。王雄诞命部下在独松岭上遍插唐军军旗，并在夜晚燃起大量火把绑在树上。于是不管白天黑夜，只要李子通从营寨中向外望，似乎漫山遍野都是唐军。李子通大为恐惧，遂焚烧大营，退守余杭。王雄诞挥师追击，在余杭城下大败李子通。

十一月初七，走投无路的李子通不得不向唐军投降。随后，王雄诞又接连逼降当地的变民首领汪华、闻人遂安等人，于是彻底平定江表。王雄诞因功被李唐朝廷擢为歙州（今安徽歙县）总管，封宜春郡公。

至此，帝国的南方只剩下据守余干（今江西余干县）及附近几个州县（约今江西省大部）的楚帝林士弘了。

在所向披靡的唐军面前，这最后一个割据政权还能苟活多久？

答案可想而知。

武德五年（公元622年）十月，林士弘命其弟林药师进攻循州（今广东惠州市），结果林药师战败身亡。随后林士弘的大将王戎又以南昌州（今江西永修县）降唐。林士弘在四面唐军的强大压力下放弃余干，带着残部逃到安成（今江西安福县）的一个山洞里，最后又被唐军击败。林士弘忧惧而亡，其部众作鸟兽散。

至此，林士弘的割据政权前后历六年而亡，帝国南部的半壁江山宣告平定。

掌握时代的话语权

自从武德四年五月平定窦建德与王世充后，李世民就成了大唐王朝独一无二的中流砥柱。

光是如何对他进行封赏，天子李渊就大伤了一番脑筋。

朝廷现有的职位显然都与李世民的盖世功劳不相匹配。为此李渊绞尽脑汁地想了两个多月，终于在武德四年十月挖空心思地创造出了一个前无古人的官衔——天策上将，将它隆重授予了李世民。

这个官衔位在所有王公之上，极尽尊宠。此外，李世民还兼任司徒、陕东道行台尚书令，并且增加食邑两万户，与前共计三万户；同时李渊还特许他开设天策府，给予他任命各级官属之权。

至此，李世民可谓威震朝野、势倾天下，成为大唐帝国除了天子李渊和太子李建成之外的第三号人物。

然而，李世民绝不满足于当这个"两人之下、万人之上"的第三号人物。

因为他的心中装着一个东西——天下。

他现在所取得的一切都是通往这个终极目标的一道桥梁。

如何取得天下？

吸纳人才。

这个世界上所有的竞争归根结底都是人才的竞争。

李世民深谙此道。

通过几年来的南征北战，天下的英雄豪杰已悉数入其彀中，包括享有时誉的众多文人学士也陆续归附了李世民。此刻的秦王麾下可谓精英荟萃、人才济济。李世民知道，如今虽然海内大抵平定，金戈铁马的征战生涯也已告一段落，但是等待他的将是另一种更为残酷的战争。

那就是，秦王集团与东宫集团之间的政治博弈。

为了迎接这场博弈，李世民决定把这些文人学士凝聚到自己身边，将他们打造成一支运筹帷幄、决胜千里的智囊团。

武德四年冬天，李世民在宫城西侧开辟了一个文学馆，遴选了十八位满腹经纶的学者作为自己的高级幕僚，号称"十八学士"。其中的首席成员就是后来贞观初年与房玄龄共掌朝政的一代名相、贞观之治的主要缔造者之一——杜如晦。

杜如晦是京兆杜陵（今陕西西安市长安区）人，世代官宦，曾祖父杜皎为北周开府仪同大将军、遂州刺史，祖父杜果官至隋工部尚书，封义兴公，父亲杜吒任隋昌州长史。杜如晦从小聪明颖悟，好谈文史；大业年间，隋吏部侍郎高孝基对他深为赏识，称其"有应变之才，当为栋梁之用"（《旧唐书·杜如晦传》），随即任其为滏阳（今河北磁县）县尉。几年后，天下渐乱，杜如晦知道自己在隋朝官场上已经不能有所作为，遂弃官归家。李渊父子攻克长安后，杜如晦投秦王麾下，任兵曹参军，不久后被朝廷擢升为陕州（今河南三门峡市）长史。

作为秦王李世民的心腹谋臣，杜如晦表面上是被朝廷擢升外调，事实上是李渊有意剪除秦王日渐丰满的羽翼。当时秦王府上的很多官属被外放，不只是杜如晦一个，李世民为此深为忧虑。就在杜如晦即将赴任时，房玄龄及时地对李世民说："府僚去者虽多，盖不足惜。但是杜如晦此人聪明识达，乃王佐之才！大王若只愿当一个藩王，诚然无所用之；若必欲经营四方，非此人不可。"李世民深以为然，随即上奏李渊，终于把杜如晦留了下来。

杜如晦从此跟随李世民东征西讨，一直参与各种机要及军国事务，史称其"剖断如流，深为时辈所服"。就这样，杜如晦与房玄龄一同成为李世民最为得力的左膀右臂。他们同心协力、配合默契，成为中国历史上极负盛名的一对政治搭档。《旧唐书》称："房知杜之能断大事，杜知房之善建嘉谋。"

后人将其总结为四个字——房谋杜断！

秦王府十八学士除了杜如晦外，其余人物也都是一时之选，他们是：房玄龄、虞世南、褚亮、姚思廉、李玄道、蔡允恭、薛元敬、颜相时、苏勖、于志宁、苏世长、薛收、李守素、陆德明、孔颖达、盖文达、许敬宗，皆以本官兼文学馆学士。

李世民把他们分为三班，轮流到文学馆值宿，供给他们佳肴美膳，礼遇十分优厚。李世民每当处理完当天政务，便立刻来到文学馆，和学士们纵论古今，讨论文史典籍，时常畅谈至深夜才上床就寝。李世民又让著名画家阎立本为十八学士画像，让褚亮题写像赞，极尽尊崇之能事。一时间，秦王府的此番盛举在朝野上下传为美谈，文学馆更是成为满朝士大夫和天下士人衷心向往的学术圣地。欣羡之余，人们都把有幸入选文学馆的学士称为"登瀛洲"。

李世民后来之所以能成功夺嫡，并且最终君临天下，应该说与这个智囊团的出谋划策息息相关。虽然这十八学士并不全是政治家，其中有些人应该算是比较纯粹的学者，但是知识精英恰恰能引导一个时代的思想潮流和社会舆论，尤其是在古代那种意识形态一元化的社会中更是如此。所以，李世民的文学馆事实上就是那个时代"先进文化"的代表，也是那个时代政治宣传的制高点，舆论导向的策源地。换句话说，掌握了文学馆和精英知识分子，也就等于掌握了那个时代的话语权。

试问，一个既能在军事上征服天下，又能在思想上领袖群伦的人，不当皇帝可能吗？

金銮殿上那张金光闪闪的御座，终究要向李世民敞开怀抱。

尽管太子李建成、齐王李元吉，甚至包括天子李渊都要迫不及待地站出来说——我反对。但是他们最终只能听见历史老儿从鼻孔里重重地哼一声——

反对无效！

是的，反对无效。

因为李世民是无人可以取代的。

他注定要创造一个光芒万丈的时代，也注定要书写一段彪炳千秋的历史。

尽管此刻的天下烽烟未熄，这个新生的大唐帝国还要经受许多战火的洗礼；尽管在未来的道路上，年轻的李世民还要迎接一连串惊心动魄的危险和考验。可是，一个无比瑰丽的帝王梦想早已埋藏在他的心中，一个独步古今的辉煌时代，也已经像喷薄欲出的旭日一样，在远方的地平线上勃勃涌动。

这片饱经战乱、历尽沧桑的土地，终将被新时代的曙光照亮。

即将来临的这个时代，有着黄金般的色泽，也有着比黄金更璀璨的名字。

它的名字叫作——贞观。